번역의 성찰

Reflections on Translation
by Susan Bassnett

번역의 성찰
Reflections on Translation

수잔 바스넷 지음
윤선경 옮김

도서출판 동인

옮긴이의 말

2007년 영국 워릭 대학교에서 박사과정을 시작하고 처음 했던 일은 고전문학 번역가들의 서문을 모으는 것이었다. 매일같이 나는 런던의 대영 도서관에 출근을 하고 몇 백 년 전에 쓰인 부서질 것 같은 낡은 고서에서 역자 서문을 찾아 모았다. 옮긴이의 말은 중요한 분석 대상이었으며 번역가들이 어떤 의도로, 어떻게 번역했는지 알기 위해 읽고 또 읽었다. 그리고 나는 이제 역자서문을 '쓰는 주체'가 되었다. 무엇을 쓸 것인가?

당시 살펴본 바에 따르면 대부분의 역자 서문은 저자와 작품에 대한 설명과 더불어, 저자에 대한 무한한 찬양과 저자의 명성에 가려 얼굴 없는 번역가가 그 찬란한 원본을 감히 옮기는 과정에서 뭔가 상실되어 누를 끼치지 않을까 하는 죄송함, 또는 겸손함을 담고 있었다. 또한 원본을 있는 그대로 얼마나 '충실'하게 번역하였는지 강조하기도 하였다. 예를 들면 호메로스를 영어로 번역한 18세기 후반 영국 번역가 윌리엄 카우퍼William Cowper는 원본에 충실하기 위해 '나는 어떤 것도 빼지 않았다, 어떤 것도 만들어내지 않았다'I have omitted nothing; I have invented nothing고 자랑스럽게 고백한다. 그래서 비록 역자서문 자체가 사실 번역가의 존재를 드러내는 물리적 공간임에도 번역가의 존재는 쉽사리 느낄 수 없었다. 이는 원본에 대한 '충실성'에 대한 강조가 지나친 나머지 마치 번역가는 원본에 아무것도 손대지 않는 투명인간이 되어야 했기 때문이다. 조금이라도 새로운 독자를 위해 무언가 바꾸려 하면, 번역가는 원본을 '훼손'한다고 비난받기 일쑤였다. 더군다나 저자, 독자, 비평가 및 출판사의 눈치를 봐야 하는 사회적 약자로서 번역가의 겸손함은 미덕이었으며 암묵적으로 요구되는 의무였다. 그래서 번역가는 종종 진실을 말하지 않고, 거짓말쟁이가 되어야 했다. 그러나 나는 여기 역자의 공간에서 저자와 책을 소개하면서도 동시에 어딘가 부족할 수밖에 없는 얼굴 없는 번역가가 아닌, 영어 원본을 한국 독자에게 가져오는 중요한 일을 담당하는 책임감 있는 번역가로서 나 자신을 드러내고, 원본의 의미를 새로운 독자에게 전달하기 위해서 어떻게 적극적으로 원본에 '개입'했는지 떳떳하고 솔직하게 말하고자 한다. 이것은 저자가 바라보는 번역관과 그리 먼 것이 아니다.

저자 수잔 바스넷Susan Bassnett은 워릭 대학교 교수로서 국내에도 잘 알려진 번역학 및 비교문학 분야의 세계적인 석학이다. 번역학이 학문으로 탄생하고 발전하는데 많은 영향을 끼친 학자 중의 한 사람이며 지난 30여 년간 스무 권이 넘는 저서를 집필하였다. 가장 잘 알려진 책 중의 하나는 『번역학』*Translation Studies*이며 1980년에 처음 출간된 이후로 지속적으로 재판이 이루어지고, 한국어를 포함하여 많은 언어로 번역되어 전 세계에서 읽히고 있다. 학자이면서 동시에 그녀는 시인이며 영어, 이탈리아어, 스페인어, 포르투갈어 등 여러 언어를 구사하는 유명한 번역가이기도 하다. 또한 바스넷은 개인적으로 현재의 나를 있게 한 중요한 학문적 스승이다. 2007년 워릭 대학교에서 스승과 제자의 인연을 맺은 이후, 그녀는 당시 아무것도 몰랐던 나에게 번역의 세계로 인도해준, 번역의 중요성과 가치를 깨닫게 해준, 번역은 단순히 언어만의 문제가 아닌 그 이상의 복잡한 글쓰기임을, 무엇보다 번역은 '베껴 쓰기'가 아니라 창작만큼이나 창조적인 글쓰기임을 깨닫게 해준, 나에게는 더할 나위없는 최고의 지도교수였다. 내 논문에 대한 그녀의 날카로운 비판과 제안을 통해서 그리고 그녀의 글을 읽으면서 나는 쉽게 정의내릴 수 없는 두 언어, 두 문화 '사이'에 존재하는 번역의 세계를 이해할 수 있었다. 바스넷은 누구보다 내가 번역을 이해하는데 가장 많은 영향을 끼친 학자이고, 나는 이 책을 번역함으로써 내가 깨달은 번역의 참된 모습을 한국 독자들과 나누고 싶다.

2011년에 출간된 *Reflections on Translation*은 바스넷이 지난 10여 년 동안 통번역 기관지인 『ITI 블루틴』이나 『언어학자』에 실린 글을 모은 것으로 번역을 공부하는 학생뿐만 아니라 번역에 관심 있는 일반 독자라면 누구든 쉽게 읽을 수 있는 수필집이라고 볼 수 있다. 이 책은 언어, 문화 및 문학과 관련하여 저자가 삶 속에서 마주하는 다양한 번역의 모습, 특히 문학 번역에 대한 성찰을 담고 있다. 좀 더 구체적으로 예를 들자면, 번역의 이론과 실제, 번역에 대한 편견, 번역가의 신분, 번역 혹은 번안, 스타일 번역, 욕 번역, 요리 번역, 뉴스 및 미디어 번역, 여성의 번역, 극 번역, 시 번역, 추리소설 번역 등이 있다. 그러나 40여 편의 글에서 저자가 시종일관 주장하는 것은 번역과 번역가의 중요성이다. 번역은 문학, 문화 혹은 우리 삶 전반에 많은 영향을 끼침에도 불구하고 오랫동안 그리고 현재까지도 창작물과 비교할 때 열등한 글쓰기 혹은 베껴 쓰기라는 편견으로 고통 받았음을 저자는 지적하고 비판한다. 따라서 많은 사람들이 대중이든 학자이든 번역은 단순히 언어만의 문제, 즉 사전만 있으면 혹은 외국어만 좀 하면 아무나 쉽게 할 수 있는 비전문적인 일로 생각한다. 게다가 학계에서 번역은 소설 한 권을 번역해도 업적으로 인정받지 못하지만 불과 4,000자 연구논문을 쓰면 직업을 구하는데 훨씬 유리해진다. 많은 평론가들은 번역본을 읽고 서평을 쓰지만 그것이 번역가라는 제 2의 손을 거쳐 간 사실을 의식하지도 언급하지도 않는다고 저자는 지적한다. 또한 많은 사람들은 외국서적의 번역을 읽고서도 마치 원본을 읽은 것처럼 말한다. 이처럼 번역은, 번역가는 어디에도 보이지 않는다.

그러나 번역은 등가물을 찾아 한 언어에서 한 언어로 텍스트를 그대로 옮기는 그런 단순한, 투명한 언어적 전환이 아니다. 번역은 훨씬 더 복잡한 현상이고 문화와 불가분의 관계에 있으며 지적이고 창조적인 과정이다. 저자는 번역은 높은 수준의 지식과 능력이 요구되고 특히 문학번역은 연구가 필수적이라고 주장한다. 소설을 번역할 때 소설가를 연구해야 하는데, 그의 스타일 및 여러 기법을 알아야 암시나 함축적인 표현을 번역할 수 있기 때문이다. 또한 문학번역에는 창의성과 문학적 재능이 필요하다. 에즈라 파운드Ezra Pound에게 번역과 창작이 구분되지 않는 것처럼, 문학번역가에게 필요한 창의성은 한 가지 언어를 쓰는 작가에게 필요한 창의성보다 적지 않다는 것이다. 번역은 문학 및 문화의 형성과 발전에 중요한 역할을 해왔음을 인정해야 하고, 그 과정에서 번역가의 역할은 간과할 수 없으며 새롭게 평가받아야 한다고 바스넷은 주장한다. 그리고 우리가 모르는 언어로 쓰인 텍스트를 옮겨서 쉽게 읽을 수 있는 언어로 가져오는 번역가들에게 감사하고 존경해야 한다고 덧붙인다. 바스넷의 『번역의 성찰』은 글로벌리즘을 외치고 있는 우리 시대에서 번역의 중요성과 번역가의 역할을 일깨우는 소중한 책으로 다가올 것이다.

나는 저자 바스넷이 번역을 이해하는 방식으로 번역하고자 하였고, 이 책에서 논의되는 다양한 번역 과정을 실제로 경험하였다. 처음에는 박사지도교수이자 유명한 번역학자인 저자의 권위에 위축되어 나 역시도 원본을 '훼손'할까 두려워 '충실성'의 이름으로 모든 단어, 표현들을 빠뜨리지 않고 살리려고 애썼다. 그러나 나는 페이지 위의 원본의 단어나 표현에 집착하면 할수록 아무리 다듬어도 한국어로는 의미가 통하지 않고, 어색하고, 잘 읽히지 않는다는 것을 깨달았다. 그래서 단어에 집착하기보다는 저자가 말하고자 하는 문장의 '의미'를 한국어로 옮기고자 하였다. 그리하여 나는 저자가 주장하듯이 편집자의 역할도 맡아서 불필요한 단어 및 표현은 빼고 한국어 독자가 이해하기 힘든 부분은 설명을 덧붙였다. 학술서가 아닌 이상 주석은 독자를 피로하게 만들기 때문에 본문 안에서 독자의 이해를 돕는 아주 짤막한 설명을 제시하였다. 어떤 경우, 한 두 줄 밖에 되지 않는 문단은 앞이나 뒤 문단과 한 문단으로 합하였고, 때로는 문장을 쪼개거나 앞뒤 문장과 합하기도 하였다. 또한 채프터 제목들도 일부 바꾸었다. 그 제목이 영국 출판사의 편집자가 정한 것을 알기에 채프터 내용을 더 잘 나타내주는 제목으로 바꾸었다. 이해하기 힘든 부분은 영국에 있는 저자를 직접 찾아가서 질문하거나 이메일로 연락하여 추가적인 설명을 들었다. 여타 자세한 사항은 일러두기에 명시하였다.

번역은 바스넷이 언급하듯이 읽기와 쓰기로 구성되어 있다. 읽기가 원본에 대한 이해를 말한다면 쓰기는 도착어로 옮기는 표현에 관한 것이다. 내 번역의 초안과 최종안 사이에는 수많은 버전이 있었고, 이것은 아주 여러 번 수정했음을 뜻한다. 그렇게 교정하는 동안 원본을 더 정확하게 이해하였고, 우리말에 더 자연스러운 표현을 찾아내었다. 나는 한국어 독자가 즐겁게 읽을 수 있도록 어색하지 않은 한글을 쓰기 위해 노력하였다. 번역하기 위해서는 두 언어를 잘 해야 하지만, 특히 도착언어를 더 잘 구사해야 한다는 것을 다시 한 번 깨달았다. 더군다나 이 책이 소설이나 시는 아니지만 작가의 개성이나 감정이 나타나고 종종 위트나 유머가 들어 있는 수필집이기에 표현 문제에서 특히 까다로웠다. 그리하여 나는 저자의 감정을 잘 드러낼 수 있는 진실하면서도 아름다운 글을 쓰기 위해 많은 노력을 했다. 마치 내 자신의 글을 쓸 때처럼 다듬고 또 다듬었다. 그리고 거기서 글쓰기의 '즐거움'을 맛보았다. 나는 바스넷의 한국어 작가가 된 셈이고 한국 독자는 내가 이해한 바스넷의 글을 읽는 것이다. 그러나 저자가 지적하듯이, 번역을 하면서 나는 경제적 보상도 거의 받지 못했고, 아마도 이 번역은 학술 업적으로도 인정받지 못할 것이다. 그럼에도 독자들이 이 번역에서 번역 및 번역가의 중요성을 깨달을 수 있다면, 그리하여 저자와 나와 함께 번역의 중요성이라는 복음을 세상에 전파하는데 함께 동참할 수 있다면, 내가 쏟은 수많은 시간과 노력이 결코 헛되지 않을 것이다.

이 번역서가 세상에 나오기까지 많은 분들이 도움을 주셨다. 일부만 언급하자면, 먼저 이 책의 저자인 수잔 바스넷과 출판 기회를 주신 도서출판 동인에게 감사의 말을 전하고 싶다. 그리고 한결 같이 나를 믿어주시고 응원해주신 부모님께 감사드린다. 그분들의 아낌없는 사랑과 희생이 없었다면 지금의 나도 이 번역도 존재하지 않을 것이다.

옮긴이 윤선경

CONTENTs

◆ **일러두기**

1. 인용 예시에서 영어 원본은 한글로 번역하였으나, 다른 외국어 원본의 영어 '번역'은 대부분 번역하지 않았다. 영어 번역 제시는 다양한 번역의 모습이나 스타일의 특징을 보여주는 것이 목적이지 의미 파악이 목적이 아니기 때문이다.
2. 독자의 이해를 돕기 위해 원본에 나오는 낯선 단어들에 대한 옮긴이의 설명이나 배경지식은 본문에서 [ ] 안에 간단하게 제시하였다.
3. 외국 학자나 외국 서적의 이름은 각 장에서 처음 나올 때만 한글 음차어나 한글 번역을 쓰고 원어 이름을 제시하였다. 마찬가지로 외국 인물이나 지명도 같은 방식으로 처리하였지만, 잘 알려져 있거나 중요하지 않은 이름은 한글 음차어만 제시하였다.
4. 원어 표현이 중요하거나 부연 설명으로 필요한 경우 한글 번역 다음에 원어 표현을 함께 표기하였다.
5. 때때로 본문에서 원어 단어 자체를 설명할 때는 원어를 먼저 쓰고 괄호 안에 한글 번역을 제시하였다.

서론

L. P. 하틀리L. P. Hartley의 소설 『중개자』*The Go-Between*를 시작하는 문장이 영어에서 가장 유명한 인용구 중의 하나가 되었다. '과거는 다른 나라이다. 그 곳 사람들은 다르게 행동한다.' 첫 번째 책을 쓰기 시작하던 무렵인 1970년대 번역연구가 어떤 위치에 있었는지 성찰해 보면 나는 그 인용구가 떠오른다. 왜냐하면 당시의 상황은 지금과 너무나도 달랐기 때문이다. 번역이 대학에서 연구가치가 있는 것으로 여겨지지 않았으며 나아가 번역을 단순한 복사본으로 치부하여 원본을 번역보다 훨씬 더 중요한 것으로 평가하였다. 번역가들은 형편없는 보수를 받았고 외국어 좀 하는 글쟁이 정도로 여겨지기 일쑤였다. 비록 번역가들의 능력 덕택으로 수백만의 독자들이 고대 희랍어, 러시아어, 스페인어, 아랍어 및 셀 수 없을 만큼의 많은 다른 언어들로 된 작품을 읽을 수 있었던 사실은 말할 필요도 없지만 사람들은 번역가를 중요하게 생각하지 않았다. 번역은 저급한 일이었고 자랑할 만한 것이 아니었다. 하물며 젊은 학자들은 대학에서 번역물을

중요한 출판물로서 올리지 말라고 권유받기도 했다. 번역서가 아무리 많은 성공을 거두었어도 승진할 가능성은 번역서 리스트를 추가한다고 해서 나아지지 않았다.

이 서론의 첫 문단에서 나의 '첫 번째 책' 집필에 관해 언급한 것을 반추해 보면 나 역시도 똑같은 편견의 죄가 있다고 생각한다. 그 책은 사실 나의 두 번째 책이고, 첫 번째 책은 줄리오 카를로 아르간Giulio Carlo Argan이라는 미술사학자가 르네상스 도시에 대해 쓴 책을 번역한 것이다. 그러나 아주 많은 독자들이 읽었던 책은 바로 이 첫 번째 책이었고 이것은 사실상 첫 번째 단행본이라고 할 수 있다. 제목은 아주 간단했다. 『번역학』*Translation Studies*.

그 책은 테렌스 혹스Terence Hawkes라는 저명한 셰익스피어 학자가 편집한 시리즈물의 하나로서 출판되었다. 그의 뉴 액센트 시리즈는 1970년대에 점점 더 중요해지기 시작한 문학연구에 대한 새로운 사상을 전 세계 학생들에게 소개하려는 대담한 시도였다. 시리즈 제목들은 구조주의, 기호학, 수용미학, 미디어 연구, 페미니즘 이론, 해체주의, 포스트식민주의, 신역사주의 등 기존 학계를 휩쓸고 있던 많은 트렌드를 포함하고 있었다. 그 시리즈는 도전의식을 불러일으키고 흥미진진했으며 비록 일부 학자들이 포퓰리즘이라고 비난하기도 했지만 그럼에도 그 시리즈가 항상 목표로 했던 독자들, 즉 학생들 사이에서 큰 성공을 거두었다.

나는 번역에 관한 책 출판 제안서를 갖고 테렌스 혹스를 찾아갔고, 혹스는 처음에는 반신반의했지만 나를 믿고 제안서를 받아주었다. 『번역학』은 1980년에 그렇게 탄생하였고 두 번째 판은 십년 뒤인 1991년에 나왔으며 세 번째 판은 2002년에 나왔다. 2010년에 이르러는 팔린 책 부수가 이전 그 어느 때보다 더 많았다. 분명 지난 30년 동안 번역에 관한 관심의 정도를 바꿔 놓은 어떤 일이 발생했음에 틀림없다.

지적이고 물리적인 측면에서 중대한 변화가 발생했던 것이다. 우선 후자의 측면에서 보면 1970년대에 비해 수백만 명이 더 전 세계를 돌아다니고 있는 것은 부인할 수 없는 사실이다. 냉전의 종말, 중국의 외교 정책 변화는 이전에 여행을 할 수 없었던 수백만 명의 사람들이 이제는 보다 자유롭게 이동할 수 있음을 의미했다. 경제적 변화, 날로 확장되어 가고 있는 세계화, 매스 커뮤니케이션의 발전은 모두 국경을 개방하는 일에 공헌했으며, 또한 기근, 오랜 기간의 전쟁, 정치적 억압 및 지구촌의 가난과 같은 다른 종류의 요인들도 국경을 개방하는 데 영향을 끼쳤다. 이 모든 것들에 의해 많은 사람들은 자신이 태어난 나라를 떠나서 새로운 삶을 찾는 계기를 갖게 되었다. 그리고 사람들이 이동함에 따라 자신의 언어와 문화, 그리고 거기서 기대되는 것들을 가져가서 당연히 다른 언어 및 문화와 교류하게 되었다. 간단히 말하면 그들은 스스로를 번역하고 그 다음엔 번역된 것이다.

이러한 유동성의 증가는 지적인 측면에서도 반영되었고, 또한 학계의 학제간 경계선에 대한 '다시 생각하기'rethinking로 나타났다. 오늘날 번역학은 학부 및 석 · 박사급의 대학 프로그램, 저널, 학회, 책 시리즈들과 함께 중요한 과목으로 여겨진다. 그러나 내가 첫 번째 책을 집필하고 있을 무렵 번역학이라는 용어를 아는 사람은 거의 없었다. 나는 책에 『번역학』이라는 제목을 붙이기로 결정했다. 그 학문이 거의 존재하지 않았기 때문에 대부분의 독자가 그 제목이 무엇을 뜻하는지 이해하지 못할 거라는 사실을 충분히 알면서도 그렇게 했다. 많은 나라에 번역가 양성 프로그램이 있었던 것은 사실이지만, '번역학'이라는 용어는 번역의 위상을 전반적으로 높이고자 하는 소그룹의 학자-번역가들에 의해 바로 얼마 전에 만들어진 것이었다. 다행히도 나는 1975년의 모임 이후 그 작은 그룹에 합류하였다. 그리고 루벵Leuven에서 1976년 후세에 큰 영향을 끼친 학회가 열렸고 제임스 홈즈James Homes, 이타마 이븐-조하Itamar Even-Zohar, 호세 램브르José Lambert, 기디온 뚜리Gideon Toury, 레이몬드 반 덴 브록Raymond van den Broek, 앙드레 르페브르André Lefevere를 포함하는 그룹이 번역이라는 새로운 연구 영역이 학문이 되길 바라면서 일종의 선언문을 만들었다. 그들은 번역학이 다양한 학문에서 접근한 연구를 한데 모을 것이고 번역의 실제와 역사 사이에, 그리고 번역 이론들 사이에 다리를 놓아줄 것이고 그렇게 할 때 번역의 위상은 높아질 것으로 보았다. 이븐-조하는 번역을 통해 새로운 사상, 새로운 형식, 새로운 개념이 도입될 수 있기 때문에 문학사 연구는 무엇이든 번역의 역사 연구이어야 한다고 말했다. 그는 또한 특정한 기간에 생산된 번역물의 수는 문화의 발전 단계에 따라 다양하다고 주장하였다. 그러므로 과도기 단계에 있는 문화에서는 통합을 추구하기에 더 많은 텍스트를 번역하는 경향이 있지만 스스로를 자기 충족적이라고 생각하는 문화에서는 번역을 덜 하는 경향이 있다는 것이다. 중국에서 현재 일어나고 있는 번역의 호황은 전자의 상황을 보여주지만 영어로 번역을 거의 하지 않는 경향은 영어의 세계 지배와 불행히도 그 지배와 함께 오는 우월감을 반영한다고 볼 수 있다.

앙드레 르페브르는 번역학이라고 알려진 분야가 무엇으로 구성되는지에 관한 개요를 적는 일을 맡았고, 루벵 학회에서 발표된 논문들을 모아 출판할 책에 '번역의 생산과 서술에서 제기되는 문제들'(Lefevere 1978)을 다루는 그 학문에 그 이름, 즉 번역학이 채택되어야 한다고 제안하였다. 이것은 어떻게 번역이 생겨나고 번역가가 텍스트로 무엇을 하는지에 대한 과정이 타당한 연구 대상임을 의미한다. 르페브르는 이론과 실제가 불가분의 관계를 맺어야 하고 서로에게 이로움을 주어야 함을 강조하기 위해 피나는 노력을 하였다. 바로 이러한 생각들을 염두에 두고, 나는 우리 모두가 여러 학문을 가로지르는 새로운 분야가 되기를 희망했던 것의 입문서로서 『번역학』을 집필하였다.

물론 번역학이 성장한 것은 1970년대 벨기에에 모였던 소규모 그룹 때문만은 아니다. 중심점이 다른 번역에 대한 중요한 연구의 덕택도 있다. 예를 들면 어떤 연구는 언어학에 더 가깝고 또 어떤 연구는 통역에 더 가깝다. 현재 번역학은 기반이 확고하게 잡힌 학문이 되었으며, 유럽과 아메리카 대륙뿐만 아니라 중국, 아프리카, 인도에서도 연구가 증가하고 있다. 『번역학』이 처음으로 출간된 이후 지난 30년 동안 그 분야에 일어났던 일들을 성찰해 보고 그 학문의 현주소를 생각해 보면 1970년대의 번역에 관한 인식 부족은 참으로 '다른 나라'의 일처럼 보인다.

번역가의 재평가

번역관련 학술 프로그램 덕택에 학생들은 번역의 개념이 시간이 지나면서 어떻게 변해왔는지 조사하고, 등가성equivalence 이론과 언어 간 전환interlingual transfer의 문제를 연구하고, 번역불가능성untranslatablility의 개념과 의미 이론들을 조사하고, 거대한 언어 코퍼스corpus를 연구하고, 장르 및 문체의 특징, 어휘와 통사론의 형태를 탐구하면서 특정한 사례를 연구할 수 있게 되었다. 각각의 프로그램들은 서로 다른 것을 강조하고 폭넓은 접근법들이 존재하며, 여기에 어떤 것은 이론적, 역사적인 부분에 관심을 두는 반면에 다른 어떤 것은 실용적이고 번역사 양성에 초점이 맞춰져 있다. 더욱이 번역가 교육과 통역사 교육 사이에 반목은 크게 줄어들었고, 그것은 시기적절하고 중요한 것이라고 할 수 있다.

그러나 아직 연구가 많이 되지 않은 분야가 있으니 그것은 처음에 번역을 이끈 동기이다. 왜냐하면 상업적 요인과 별도로 많은 저명한 작가들이 다른 작가가 쓴 작품을 번역한 사실이 분명하고 또한 번역은 어떤 사람들에게 소명과 비슷한 직업인 것도 분명하기 때문이다. 그러나 번역은 여전히 일부 국가에서 푸대접을 받는다. 특히 매년 출판되는 번역서의 비율이 턱없이 낮은 영어로 말하는 나라에서는 이상하게도 그러하다. 번역의 일과 직업은 즉각적인 커뮤니케이션을 높이 평가하는 세상에서 그 명백한 중요성에도 불구하고 보수를 잘 받지도, 인정을 잘 받지도 못한다.

이탈리아 작가 움베르토 에코Umberto Eco가 번역에 매료된 이유는 자신의 작품을 직접 번역할 수 있을 뿐만 아니라, 다른 사람이 본인의 글을 번역할 때 무엇이 발생하는지 알 수 있기 때문이다. 나아가 에코는 번역을 공부하는 사람은 누구든 번역 과정의 복잡성을 충분히 이해하기 위해서는 직접 번역을 하고 자신의 작품이 번역되는 경험을 해야 한다고 말한다. 그는 자신의 작품을 번역하는 번역가들과 얘기할 수 있고 자신의 글에서 그 번역가들이 무엇을 추구하고자 하는지 이해할 수 있다는 점에서 운이 좋은 작가다. 그는 또한 번역은 언어적인 것 그 이상의 훨씬 많은 것을 포함한다는 것을 알고 있다. 에코는 「번역하기와 번역되기」Translating and being translated라는 글에서 번역가는 대략적으로 문화적인 규칙들을 고려해야 한다고 주장하며 'donnez-moi un café', 'give me a coffee', 'mi dia un caffe'와 같은 단순한 구절의 예를 든다. 이 세 문장은 언어적으로 상응하고 모두 똑같은 진술이지만 문화적으로는 상응하지 않는다.

> 서로 다른 나라에서 그 문장들을 말하면 각기 다른 효과가 생기고, 그 문장들은 다른 습관을 가리키기 위해 사용된다. 그 세 문장은 다른 이야기를 만들어낸다. (Eco, 2001: 18)

에코는 비록 그 다른 이야기가 무엇인지 자세히 논하지 않지만, 세 개의 문화권에서 커피 마시기라는 매우 다른 관행을 얘기하는 것이다. 그는 이 세 문장에서 다른 수준의 공손함을 생각하고 있을 수도 있다. 왜냐하면 로망스어에서는 명령법이 받아들여질 수 있지만 영국 영어에서 커피 부탁은 'please'라는 말이 따라 붙어야 하고 그렇지 않으면 상대를 기분 상하게 할 수 있기 때문이다. 에코는 다음과 같이 중요한 것을 지적한다. 즉 번역가들은 텍스트를 고정시키는 역할을 하는, 문화적으로 결정된 뉘앙스를 알아야 한다는 것이다. 번역이 하는 일은 차이에 깊은 관심을 두는 것이다. 번역가의 임무는 차이를 협상하고, 균질화를 피하는 방식을 찾는 동시에 차이가 오해를 낳지 않게 하는 것이기 때문이다. 그것은 무척 힘든 작업이며 그렇기에 번역을 서술하기 위해 종종 이용되는 일종의 '중간지대'no man's land같은 호전적인 메타포가 적절해 보인다. 보통 우리는 중간지대를 양쪽에서 싸우고 있는 두 군대 사이의 땅이라고 생각한다. 종종 지뢰가 많이 설치되어 있어서 그 공간을 통과하려는 사람은 누구든 큰 위험에 처할 것이다. 번역가는 조심스럽게 지뢰밭으로 들어가고 저격수가 양쪽 진영에서 지켜보는 것을 경계하며 또한 가시철조망에 엉켜 버릴까 조심한다.

만약 번역가가 직역주의 위험을 피하고 어떤 가치 있는 것을 창조하고자 한다면 페이지 위의 단어를 번역해야 할 뿐만 아니라 단어들 뒤에 있는 드러나지 않는 배경, 즉 '텍스트 뒤에 있는 텍스트'text behind the text 역시 번역해야 한다고 주장할 수 있다. 번역가는 다음과 같은 커다란 딜레마를 가지고 있다. 만약 번역가가 원본을 존중하고자 한다면, 텍스트의 변형에 얼마나 많은 범위가 허용될 수 있을까? 번역가가 텍스트를 바꾸거나 추가하거나 삭제하거나 하는 것은 합법적인 것인가? 혹은 번역가는 원작을 번역하는데 원저자에게 어떤 책임이라도 느끼는가?

위와 같은 문제는 여러 시대를 걸쳐 수차례 논의되어 왔고 매우 적절하면서도 동시에 완전히 불필요한 것이기도 하다. 이는 한 언어로 쓰인 어떤 텍스트도 그것을 변형시키지 않고서는 다른 언어로 옮기는 것이 불가능하기 때문이다. 논의가 계속되어야 할 부분은 변화의 정도이다. 어떤 번역가들은 원본에 절대 충성하고자 하는 의도를 선언하는가 하면 다른 번역가들은 훌륭한 결과를 얻기 위해 필요한 자유를 원하는 만큼 누린다고 공표하기도 한다. 어떤 번역가들은 원저자를 우선시하는 하는가 하면 또 어떤 번역가들은 독자를 제일 먼저 생각한다. 1714년 앙투안 우달 드 라 모트Antoine Houdar de la Motte가 프랑스어로 번역한 『일리아드』 역자 서문을 읽으면 오늘날의 우리는 미소 짓게 된다. 서문에서 그는 불쾌하게 보이는 것은 무엇이든 바꾸는 반면, 살릴 가치가 있다고 생각되는 『일리아드』의 부분들은 옮겼다고 말한다. 그러나 그 프랑스 번역가가 시의 절반을 잘라내고, 사건을 빠르게 전개시키고, 새로운 것을 만들어내고, 자신이 살았던 시대의 사회규범에 따라 등장인물의 행동을 바꿔놓은 사실을 알면 우리의 웃음은 경악으로 뒤바뀐다.

> 나는 영웅들의 부당한 자만심은 살려두었다. 우리에게 '장엄한' 것으로 종종 보이기 때문이다. 그러나 약탈을 할 만큼 영웅들을 비굴하게 만드는 그들의 탐욕, 의욕 및 욕심은 제거했다. 이러한 잘못은 우리가 보기에 영웅을 깎아내리기 때문이다. (Lefevere의 de la Motte 재인용 1992: 30)

하지만 라모트는 자신의 시대의 취향과 규범을 충실하게 따랐을 뿐이다. 런던에서 셰익스피어 작품은 잔혹성을 극복하려 하지 않는 청중을 위해 재구성되었다(예를 들면 『리어 왕』*King Lear*의 비극적인 결말은 코딜리아Cordelia를 되찾음으로써 완화되었다). 그리고 볼테르Voltaire는 번역가는 항상 과거가 아닌 자신의 시대를 위해 번역하기 때문에 호메로스 번역가들도 표현을 완화시키고 꾸며야 한다고 지적한 바 있다.

찰스 톰린슨Charles Tomlinson은 위대한 번역은 위대한 시처럼 귀하고 위엄 있는 것이라고 쓴다. 그는 훌륭한 번역가는 '원작의 영혼의 "피를 받거나" 그렇지 못하면 잘못된' 것이라고 선언한다. 중요한 번역가는 변화를 일으키고, 자신의 시대를 위해 다른 시대와 다른 장소에서 탄생한 작품을 역동적이고 활기찬 작품으로 변형시키고, '과거 문명의 에너지를 변형시킨다'(Tomlinson 1982). 변형이라는 이 개념은 매우 중요한데 발터 벤야민Walter Benjamin이 지적하듯이 번역가는 과거의 에너지를 변형시키는 것 그 이상을 할 수 있고, 죽은 작품을 성공적으로 살려 환생시키고 그것으로 인해 원본의 영혼은 다른 언어에서 다른 형상을 띨 수 있게 된다. 라모트가 18세기 프랑스 독자들을 위해 호메로스 작품을 잘라내고 변형시켰을 때 어떤 종류의 변형을 일으켰는지 우리는 자문할 수 있다. 어떤 관점에서 보면 그는 지나친 단순화로 호메로스를 배신하고 있었다. 그러나 또 다른 관점에서 보면 라모트는 호메로스에 대한 자신의 버전을 동시대 사람들에게 가져오고 있었던 것이다.

번역이 다른 종류의 글쓰기와 다른 점은 실제로 글을 쓰기 전에 읽기 과정이 항상 있다는 것이다. 번역가는 텍스트를 잘 알아야 하고, 복잡한 내용을 이해하기 위해서 읽고 또 읽어야 한다. 그때서야 번역이 시작될 수 있다. 어떤 번역가는 나이든 엘리자베스 여왕 1세가 건강과 정신이 무너졌을 때 로마 철학자 보에티우스Boethius를 강박적으로 휘갈겨 번역했던 것처럼 번역에 집착한다. 또 어떤 번역가는 아일랜드 시인 마이클 롱리Michael Longley처럼 한 작가에게만 계속 몰입한다. 롱리는 50년 동안 '호메로스를 뇌리에서 떨치지 못했다'고 말하며, 북아일랜드 휴전에 대한 장엄한 시 '휴전'Ceasefire을 쓰기 위해 『일리아드』 한 구절의 번역을 이용하였다.

도로시 세이어스Dorothy Sayers라는 탐정소설 작가는 중년에 단테의 『신곡』*Divine Comedy*을 번역하기로 결심하였다. 세이어스의 전기 작가인 자넷 히치만Janet Hitchman은 세이어스가 살아 있는 사람을 사랑하는 것만큼이나 단테를 사랑했다고 주장하면서 단테를 향한 세이어스의 열정을 '그녀의 마지막 위대한 러브 어페어'her last great love affair라고 표현한다(Hitchman, 1975: 185). 나 역시도 러브 어페어love affair란 말을 피터 부시Peter Bush와 공편저한 책 『글을 쓰는 번역가』*The Translator as Writer* 안에 실린 내 논문에서 사용한 바 있다. 그 논문에서 어떤 작가들, 특히 1980년대에는 루이지 피란델로Luigi Pirandello, 1990년대에는 아르헨티나 시인 알레한드라 피사르니크Alejandra Pizarnik와 나와의 관계를 표현하기 위해 그 단어를 사용했다. 번역가와 원저자 사이의 사랑은 평생 지속되거나 나의 경우 몇 년간 지속되다가 사라지기도 하지만 그 관계의 격렬함에서 영감을 받은 번역이 나올 수 있다. 다수의 언어로 작업을 했던 위대한 번역가 중의 한 사람인 에즈라 파운드Ezra Pound는 번역의 한계를 너무나 잘 알고 있었지만 넘을 수 없는 장애물처럼 보이는 한계를 극복하기 위해 노력을 아끼지 않았다.

파운드는 세 가지 종류의 시적 요소를 발견하였다. 단어의 음악성을 뜻하는 멜로포이아melopoeia, 시각적 상상력에 대한 이미지를 던지는 패노포이아 phanopoeia, '단어 사이에서 춤을 추는 지성'인 로고포이아logopoeia가 그것이다. 이들 중 파운드는 멜로포이아는 소리에 특별한 감각을 갖고 있는 외국인이 때로 인식할 수 있지만, 이것을 한 언어에서 다른 언어로 옮기는 것은 사실 불가능하다고 주장한다. 로고포이아는 다른 말로 바꿀 수 있는 방법을 찾을 수 있어도 전혀 번역될 수 없지만 패노포이아는 '거의 또는 전혀 손상되지 않고 번역될 수' 있다고 말한다(Pound, 1954: 25). 시와 번역에 대한 이러한 견해는 이미지의 중요성을 강조하는 파운드의 집요함을 드러내지만 모든 것을 감안하면 무엇이 번역되고 번역될 수 없는지에 대한 파운드의 평가는 정확하다. 이미저리[imagery, 읽거나 보는 사람들 마음에 그림을 만드는 언어]가 번역에서 살아남을 가능성이 있는 반면, 한 가지 언어의 소리 패턴은 번역될 수 없고 복잡한 언어유희도 번역될 수 없다. 파운드는 시의 양상에 대해서만 글을 썼다. 그는 문화관련 요소를 번역하는 것이 불가능할 것이라고 쉽게 인정했을 것이다. 이것은 호메로스 번역을 하면서 주제에서 벗어난 갑옷 관련 부분과 부상의 해부학적 세부사항을 삭제하기로 한 라모트의 결정을 생각나게 한다. 라모트는 호메로스를 파리 응접실로 데려 갔지만, 호메로스의 서사시는 전장의 영웅적인 행위, 무기의 질, 고통을 견뎌내는 능력이 이승에서 전사의 지위뿐만 아니라 사후의 명성을 결정하던 시대에 탄생된 것이다.

이 책은 지난 10년 간 출판된, 번역의 모습을 성찰한 나의 글들을 모아 놓은 것이다. 주로 이 논문들은 통번역 기관지인 『ITI 블루틴』*The ITI Bulletin*에서 출판되었고 더러는 『언어학자』*The Linguist* 학술지에 출판된 것이다. 이 논문들은 번역에 관심이 있는 독자들을 위한 것으로, 전문 번역가, 통역사, 학자, 그리고 언어가 경계를 넘어서 이동하는 것, 즉 번역에 관심 있는 사람이라면 누구든 읽을 수 있다.

여기에 실린 글들은 학문에 공헌하기 위해서보다는 끊임없이 나를 사로잡았던 번역의 다양한 양상들에 대한 통찰력을 제공하는 수단으로 기획되었다. 이 책의 주제는 다양한 문학 장르의 번역, 특히 시 번역, 그리고 뉴스와 미디어 번역, 언어 문제와 문화 번역의 양상들을 포함하고 있다. 유머 번역, 가족 용어, 제스처, 농담, 심지어는 번역이 엉망이 될 때 어떤 일이 일어나는지에 관한 글도 있다. 이 글을 쓰는 동안 나는 독자들의 피드백에 격려를 받았고, 다양한 주제를 발전시키는 것이 참 즐거웠다.

대학에서 공부하는 독자들뿐만 아니라 모든 독자들이 이해할 수 있도록 쉽게 글을 쓰는 것은 쉬운 일이 아니었다. 번역은 오늘날의 세계에서 매우 중요한 역할을 하고, 번역에 종사하는 사람들 대다수는 학자가 아니다. 책의 말미에 추가로 참고도서 목록을 실었으니 이 책에 담긴 글의 논의를 좀 더 깊게 알아보고 싶은 사람은 누구든 도움을 받을 수 있을 것이다. 그러나 무엇보다도 번역을 한다는 것이 무엇을 의미하는지에 대한 한 여자의 성찰로서 이 책이 읽혀지길 바란다.

01

언어와 정체성

언어와 정체성의 문제에 대한 생각을 시작하는 가장 좋은 방법은 아마도 자기 자신, 자기 자신의 정체성의 문제를 가지고 시작하는 것이리라. 이것이 위대한 비평가 조지 스타이너George Steiner가 사용한 바로 그 전략이다. 자기 자신에 대한 그리고 여러 언어를 사용할 수 있는 자신의 배경에 대한 글에서 스타이너는 '유아기 시절에 배우며, 다른 언어보다 우위를 차지하는 모국어', 즉 제 1언어에 대한 기억이 전혀 없다고 말한다. 그는 『바벨 이후』*After Babel*에서 "내가 아는 한, 영어, 프랑스어, 독일어 다 똑같이 유창하게 말한다"고 쓴다(Steiner, 1975:

120). 이 세 언어에서 다르게 수행하는 자신의 능력을 시험해보았더니 속도나 정확성에서 중요한 차이가 없었다고 말한다. 그는 영어, 프랑스어, 독일어 원어민으로서 세 언어를 똑같이 유창하게 말하며, 오스트리아인이 쓰는 이디시 방언 Austrian-Yiddish, 체코어, 가족이 말하는 히브리어는 어딘가 가까이에서 맴돌고 있다.

물론 스타이너의 이야기는 세계 여러 지역에서 흔히 찾아 볼 수 있다. 세계 곳곳에서 아이들은 마찬가지로 쉽게 몇 개 언어를 말하면서 자란다. 실로 영어의 세계적 영향력이 확산됨에 따라 훨씬 더 많은 사람들이 두 개 언어 또는 그 이상의 언어를 모국어로서 잘 구사한다. 그러나 스타이너의 경우가 흥미로운 것은 독자에게 근본적인 몇 가지 이슈를 제기하기 위해 자신의 경험을 이용한다는 점이다. 그는 다음과 같이 묻는다. 여러 언어를 잘하는 사람의 사고방식이 한 가지 언어를 하는 사람과 다르게 작동할까? 그가 말하는 모든 언어들이 정말로 똑같은 수준으로 존재하는 것일까? 그 언어들은 어떤 식으로든 층을 이루고 있을까? 만약 그렇다면 어떤 식으로든 한 언어는 더 낮고 몸 깊숙이 자리 잡고 있는 것일까? 스타이너는 계속 질문을 하면서 모든 질문 중 가장 심오한 질문으로 글을 마친다.

> In what language am I, suis-je, bin Ich,
> when I am inmost?
> What is the tone of self?
>
> 어떤 언어로 나는 존재하는가? 영어로, 불어로, 독일어로?
> 나는 언제 가장 나다울까?
> 내 자신의 어조는 무엇일까? (Steiner, 1975: 125)

이 가장 근본적인 질문을 이해하기 위한 시도로서 스타이너는 텍스트가 한 언어에서 다른 언어로 지나갈 때, 즉 번역될 때 발생하는 복잡한 과정을 살핀다. 그리고 나는 이 글에서 그의 예를 따르려고 한다. 그러나 나는 그것보다 먼저 또 다른 사람의 이야기를 하고자 한다. 머릿속에 한 개 이상의 언어가 들어 있던 한 여성이 평생 동안 어떤 종류의 질문들을 던졌는지 먼저 말하고 싶다.

그녀는 한 가지 언어를 말하는 부모의 자녀로 태어났지만 어렸을 때 다른 나라로 이사를 갔고 거기서 제 2언어를 재빨리 배웠다. 그 여자아이는 두 언어를 똑같이 행복하게 구사하다가 흥미로운 점을 발견하는데, 주변 사람들 모두가 두 언어를 구사하는 것이 아니고 그것을 자신에게 유리하게 활용할 수 있음을 알게 된 것이다. 그 여자아이는 이것을 전혀 기억하지 못하지만 아이 엄마는 어떻게 아이가 영어를 말하는 사람에게는 덴마크어만 할 수 있는 척하고, 반대로 덴마크어를 말하는 사람에게는 영어만 할 수 있는 척했는지 아이에게 말해주었다. 그리고 아이의 그런 행동은 두 언어를 똑같이 잘 구사할 수 있는 사람에게만 들켰다고 어머니는 덧붙였다. 그 아이처럼 문장 중간에 언어를 바꾸고 마치 굴에서 나온 뱀처럼 미끄러지듯 두 언어 사이를 왔다 갔다 할 수 있는 사람들에게만 들통이 난 것이다.

시간이 흘렀다. 아이는 덴마크를 떠나 또 다른 나라로 이사를 갔다. 덴마크어의 기억이 사라지기 시작했고 그 자리를 완전히 다른 언어인 포르투갈어가 차지하였다. 여자 아이는 그 즈음의 몇 년을 생생하게 기억한다. 포르투갈어로 접했지만, 영어로 기억되는 대화, 이야기, 책들을 기억할 수 있었다. 그런 다음 또 다른 나라, 또 다른 언어가 다가왔고, 그 무렵 아이는 짧은 기간에 습득한 네 번째 언어를 매개로 라틴어나 프랑스어를 배우며, 고대어와 현대어를 중학교에서 공부할 만큼 자라 있었다. 그녀는 지금까지 여러 해 동안 영국에서 살았지만 그 네 번째 언어로 자주 꿈을 꾼다.

짐작하겠지만 이것은 나의 이야기이며, 다른 종류의 다국어 구사multilingualism에 관한 이야기이다. 이 이야기의 언어들은 스타이너의 경우와 다른 방식으로 내 머리 속에 존재한다. 어렸을 때 습득한 각각의 새 언어는 그 전 언어를 밀어냈다. 집에서 꾸준히 사용한 영어만 예외였다. 수년이 지나고 덴마크어를 다시 잘하고 싶은 마음에 대학에서 정식으로 공부할 때 나는 이탈리아어 억양으로 말했고, 어린 시절부터 배운 모든 새로운 언어들은 그것이 프랑스어, 독일어, 스페인어든 영어 억양이 아니라 이탈리아 억양이 있었다. 왜냐하면 이탈리어는 나에게 다리 같은 역할을 했기 때문이다. 나는 이탈리아어를 통해 고대어, 현대어를 정식으로 공부하기 시작했고 그것은 다른 아이들과 가사도우미로부터 혹은 나를 둘러싼 세상으로부터 수년 동안 서서히 물들 듯이 언어들을 배운 뒤의 일이었다.

몇 년 전 내 영어 발음에 관심 있는 방언학자를 만났는데 그녀는 동료들과 함께 소리의 패턴을 분석하기 위해 내 말을 녹음하게 해달라고 부탁했다. 몇 주 후에 그 방언학자는 사실상 언어의 일대기라고 볼 수 있는 것을 가지고 나를 다시 찾아왔다. 그녀의 연구팀은 이탈리아어, 포르투갈어, 미국 영어(남편의 영향), 잉글랜드 북쪽의 모음 소리(부모님의 영향), 그리고 마침내 기적적으로 스칸디나비아어의 흔적들을 발견했다. 20년이 지난 후에도 덴마크어는 소멸된 것이 아니었다. 단지 어딘가에 잠겨 있다가 특정한 억양으로 수면에 천천히 다시 떠오른 것이다.

조지 스타이너는 자신의 어조가 무엇인지 묻는다. 그것은 그가 여러 언어를 구사한다는 사실과 그가 살아온 인생 및 지적인 관심사를 고려해보면 자연스럽게 나오는 질문이다. 그러나 나의 출발점은 다르다. 나는 그런 질문을 자문한 적이 없다. 나는 내 머릿속에 있는 다양한 언어를 다 벗기면 아무것도 남지 않는 양파껍질과 비슷하게 보았기 때문이다. 스타이너의 세계관은 지질학, 층, 퇴적에 기초한다. 나의 세계관은 액체 메타포이다. 언어는 물처럼 흐른다. 언어적 조류는 나에게 밀물이 되고 썰물이 된다. 나의 언어는 끊임없이 움직인다. 내 인생에서 각기 다른 순간에 각기 다른 언어가 중요했었다. 어떤 때는 그 언어들을 구사했기 때문에, 또 어떤 때는 배우고 싶어서, 또 다른 어떤 때는 내 인생이 나를 그 언어들과 조우하게 이끌었기 때문이었다. 그러나 언어에서 내가 가장 중시하는 것은 언어는 그것이 사용되는 문화를 표현하고 있으며 따라서 언어를 살펴보려면 더 큰 그림을 파악할 필요가 있다는 것이다.

작은 예를 들어보자. 문화마다 사회적 관행은 다르고 기대도 다양하고 허용되는 것도 다양하다. 심지어 같은 유럽의 문화권에서 어떻게 몸 상태에 대해 다르게 말하는지(혹은 말하지 않는지) 잠시 생각해 보라. 영어로 'How are you?'라고 누군가 당신에게 물으면 당신은 실제로 어떠한 건강상태인지 구체적으로 대답해서는 안 된다. 잉글랜드 중부 지방에서 하는 일반적인 인사방식은 더 하다. 'How are you? Alight?' 아니면 그냥 'Alright?'이라고 묻는다. 마치 네가 다른 어떤 것, 잠재적으로 충격적인 것을 말하기를 원하기라도 하듯이 말이다. 그러나 이탈리아에서는 건강 문제를 기꺼이 얘기하기도 하고 심지어는 증상과 치료에 대한 정보를 공유하기도 한다. 그리고 이탈리아 사람들은 간이나 콩팥 문제와 같은 소화관련 질문에 대해 많은 얘기를 하는 것 같다. 미국인들은 항상 알레르기에 대해 얘기하고 알려지지 않은 증상을 알레르기 탓으로 여기는 반면, 러시아 사람들은 비슷한 증상을 혈압의 변화 때문이라고 생각한다. 물론 이것은 사람은 다른 언어로 다른 주제에 관해 다른 종류의 대화를 할 수 있음을 말한다. 나는 이탈리아에서 항상 나의 건강에 대해 말하지만 영국에서는 절대로 건강 문제를 말하지 않는다. 이것은 사람이 언어가 바뀌면 성격이 바뀌는 것을 말하는 걸까? 조사에 따르면 그런 결론이 나온다. 왜냐하면 언어는 현실이 표현되는 서로 다른 구조를 갖고 있을 뿐만 아니라 다른 단어, 다른 전통, 다른 역사를 갖고 있기 때문이다.

다국어 구사를 대하는 태도 역시 큰 폭으로 다양하다. 과거에 다국어 구사는 교육받은 사람의 바람직하고 적절한 목표로 여겨졌다. 엘리자베스 여왕 1세는 여러 언어로 말을 하고 글을 썼으며, 60대가 되어서도 고전 텍스트를 번역하였다. 바이런Byron과 셸리Shelley는 그 시대의 교육받은 젊은이로서 가는 곳에 따라 언어를 바꿔가며 유럽 곳곳을 여행하였고, 그들의 자신감은 라틴어와 고대 희랍어에 확고하게 기반을 두어 더 강해졌다. 많은 사람들이 표준 중국어, 광둥어, 영어 사이를 매일매일 옮겨 다니는 홍콩에서 다국어 구사가 바람직하고 필요한 것처럼 현대 인도에서도 다국어 구사는 바람직하고 필요한 것이다. 그러나 20세기 특히 영어를 말하는 나라에서 다국어 구사를 향한 태도는 복잡하고 문제가 많다. 그곳의 태도는 우리가 결코 잊지 말아야 할 또 다른 측면, 즉 언어는 특정 문화의 주도권을 반영하며 서로 동등하지 않음을 보여준다. 'majority' languages와 'minority' languages라는 우리의 용어는 이를 반영한다. 어떤 언어들은 중요하게 여기지만 또 어떤 언어들은 그렇지 않으며 그 언어들의 생존은 종종 그런 인식의 차이에 달려 있다.

미국에서 모든 것을 포용하는 자유의 여신상이라는 형상은 용광로[melting-pot, 문화가 다양한 사람들, 다양한 생각들이 섞여 있는 상황] 은유를 의인화한다. 그 나라에서 이주민은 과거를 버리고 새로운 나라, 미래, 발전, 현대성의 언어인 영어를 배우도록 권유받는다. 중요한 것은 미국 학교에서 두 언어를 구사하는 아이들의 지능 발전에 대한 초기 연구에서 두 언어 구사bilingualism는 기본적으로 나쁜 것으로 여기고 있다는 점이다. 두 언어를 구사하는 아이들은 IQ 테스트에서 점수가 더 나빴는데, 그 이유는 우리가 현재 알고 있듯이 그 테스트는 단일 언어 구사자들을 위해 고안된 것이고 제 2언어는 오히려 지능 발전을 방해하며 어떤 극단적인 연구에서는 두 언어 구사를 학습 장애와 비슷한 것으로 보았기 때문이다. 다행히도 우리는 하나 이상의 언어를 말하는 것이 가치가 있느냐 없느냐에 대한 그 초기 인식에서 탈피했지만, 그러한 태도의 흔적은 여전히 남아 있다. 예를 들면 미국 학교에서 스페인어를 제 2언어로 택하는 것이 바람직한가에 대한 논쟁은 결코 끝난 것이 아니며 주변화된 소수 언어가 아니라 나중에 이로움을 줄 스페인어를 아이들이 배워야 한다는 강력한 주장이 있다. 마찬가지로 영국에서는 표준 영어를 두고 다툼이 있었고 양쪽에 격한 감정을 불러일으켰다. 1921년 뉴볼트 위원회Newbolt Committee 보고서는 바일링규얼리즘의 또 다른 형태라고 볼 수 있는 다양한 구어 영어의 존재로 인해 계급 분열이 영속화되었다고 발표했다.

> 민족적인 것이 아니라, 우연적이고 관습적인 두 가지 이유 때문에 계급 구분이 영국에서 존재한다. 첫 번째 이유는 말하는 방식의 뚜렷한 차이이다. (Newbolt, 1921)

두 번째 이유는 '함께 어울리는 삶을 위해 다양한 사람들을 만나려 하지 않는 지나친 편협함'이었다(Newbolt, 1921). 뉴볼트 위원회는 자신의 언어와 문화를 향한 프랑스 장인의 자긍심과 영어와 영국 문화에 대한 영국의 민족적 자긍심 결핍을 대조하고, 모든 계급이 미래에 영어와 영국문화를 함께 사랑하는 데에서 하나가 될 수 있기를 희망하였다. 하나의 사회로 나아가는 길은 언어 일치에 있는 것처럼 느꼈다.

그러나 뉴볼트 위원회가 논의하는 분열은 분명한 언어 정책에서 나온 것이 아니었다. 그것은 모든 다른 변형들을 누르고 지배적인 형태의 구어 영어를 확립하려고 했기 때문이다. 이 위계적 견해는 또한 더 폭넓은 언어 정책, 즉 영국의 식민지에서 사용되는 다른 언어를 누르고 그 위에 영어를 강요하려고 했던 정책과 같은 선상에 있다고 할 수 있다. 그리고 식민주의와 제국주의 역사의 중요한 특징은 피정복자의 언어를 누르고 정복자의 언어를 강요하려는 시도였다. 라틴 아메리카의 스페인어와 포르투갈어, 과거 동유럽의 러시아어, 오스트리아-헝가리 제국의 독일어를 생각해 보라. 그래서 민족주의 역사는 압제자의 언어에 대항하여 싸우는 언어 저항의 역사인 것이다.

P. F. 카바나P. F. Kavanah가 1902년에 「아일랜드의 저항, 아일랜드의 언어」

Ireland's Defence –Her Language라는 글에서 언어의 근본적인 사회적 의미를 아래와 같이 강조하였다.

> 언어는 한 종족을 다른 종족과 구분하는 것이며, 생각의 표현 수단으로서 언어의 고대성, 순수성, 우수성을 기준으로 여러 종족 사이에서 그 종족의 등급을 매긴다. 한 민족의 마음은 언어에 반영된다. 한 민족의 언어는 그들이 어떤 사람들이었는지 역사보다 훨씬 더 잘 보여준다. 그래서 민족이 사라지고 역사를 상실했다 하더라도, 언어로부터, (문학도 포함하여) 그 민족이 어떤 수준의 지적인 발전을 이루었는지, 그 민족의 도덕적 발전의 정도와 방향은 어떠했는지, 그들의 일반적인 가치가 무엇이었는지 알 수 있다. (Kavanah, 2000: 204-205)

브라이언 프리엘Brian Friel을 포함한 또 다른 아일랜드 작가들은 언어 정치성의 측면에서 아일랜드에 대한 글을 썼으며, 아일랜드어를 억압하려고 했던 체계적인 시도가 심각한 반대에 부딪친 사실을 지적했다. 체코어를 억압하려고 했던 합스부르크가家의 시도가 궁극적으로 실패했던 것처럼 말이다. 사실 체코어의 경우는 매우 흥미로운 사례이다. 위대한 문학 전성기를 이끌었던 19세기 체코 민족 부흥 운동의 출발점에는 문학 위조forgery가 있었기 때문이다. 독일어가 장악하는 것을 막으려고 결심한 체코 지식인들은 잃어버린 원고를 발견했다고 주장하면서 고대 체코 문학이 위대했던 상상의 시기를 만들어냈고, 그 과정에서 매우 뛰어난 방식으로 민족 자긍심을 드높였던 것이다. 간단히 말하면 고대 체코 문학 전통으로 추정하는 것이 발견되어 현대 작가들은 오스트리아인이 억압하려고 했던 체코어를 살려내었다.

고대 켈트 시인 오시안Ossian의 시를 제임스 맥퍼슨James Macpherson이 위조한 것은 위와 유사한 예이다. 이 위조는 스코틀랜드와 유럽 전역에서 매우 중요한 역할을 했다. 오시안은 민족적 정체성을 수립하고자 투쟁에 참여한 사회에서 급속하게 숭배를 받고, 다음엔 정전의 지위canonical status를 얻었다. 존슨 박사Dr. Johnson와 보스웰Boswell과 같은 잉글랜드 기득권 인물들이 그 시에 독설을 퍼부었을지라도 문학정전의 지위까지 얻었다. 그리고 여기서 우리는 주목할 만한 사실, 즉 민족주의 운동에서 번역이 중요하다는 사실에 이른다. 역설처럼 보일 수 있지만 한 문화가 자기주장을 하기 위해 자신의 개성을 더 내세우고 자신의 문학을 수립하려고 애쓰면 애쓸수록 번역은 그 과정에서 중요한 역할을 할 가능성이 더 높다. 진정한 언어 테스트는 외래의, 다른, 타자의 것을 취하여 익숙한 것으로 변형시킬 수 있음을 보여주는 데 있다. 이러한 차원에서 마틴 루터Martin Luther가 übersetzen(번역하기)가 아니라 verdeutschen, 즉 '독일어로 만들기'germanising에 대해 얘기하고, 위대한 영국 르네상스 번역가들이 '영어로 만들기'englishing 과정에 참여했다고 주장한 사실은 의미심장하다. 분명 역사적으로 중요한 시기에 번역은 중요했다. 초기 중세 유럽의 토착 언어에 문학이 등장한 사실에는 번역이라는 특징이 있고, 종교개혁을 향한 길에는 종교 텍스트 번역으로 가득하며 르네상스는 번역이 매우 활발하게 이루어지던 시기이고, 마찬가지로 유럽과 남북중앙 아메리카의 혁명의 시대는 번역의 시대였기 때문이다.

그러나 우리가 이렇게 거창한 말로 이야기할 때에도 번역가, 즉 한 언어에서 다른 언어로 작품을 옮기는 그 개인의 역할을 잊으면 안 된다. 번역가는 여러 가지 이유로 번역을 하며 항상 민족적 자긍심 때문에 일하는 것은 아니다. 어떤 번역가는 사랑 때문에 일을 하고, 어떤 이는 돈 때문에, 또 어떤 이는 새로운 독자를 위해 무명의 작가들에게 생명을 불어넣고자 하는 마음에서 번역을 한다. 또 어떤 이는 종교적인 열정 때문에 번역을 하고, 어떤 이는 자신의 문학적 모델의 경계선을 혁신하고 확장하기 위해 또 어떤 이는 특정 언어나 작가, 작품, 문화에 대한 특별한 열정 때문에 번역을 한다.

최근 번역 이론은 번역의 화용론에 관심을 기울이지 않고 또한 번역과정의 한 요소로서 번역가의 주관성에 거의 관심이 없다. 이 분야에 많은 흥미로운 연구 주제가 있고, 그 연구는 개인적인 것과 정치적인 것을 함께 모아 놓기 때문에 중요하다. 두 가지 예를 들어보자. 스코틀랜드는 혁신적인 번역이라는 특별히 강한 전통이 있으며 오늘날 잉글랜드보다 훨씬 더 강력하다고 말할 수 있다. 존 코벳John Corbett은 번역가에게 친숙한 것과 낯선 것을 동시에 나타내는 더 많은 가능성이 허용되는 이유는 바로 스코틀랜드에 표준 언어가 없기 때문이라고 주장한다.

> 스코틀랜드어Scots로 번역할 때 우리는 번역가를 반드시 보이게 하는 방식으로 우리만의 '상상의 지리'imaginary geography를 다시 만든다. 고정된 표준 언어가 존재하지 않기 때문에 스코틀랜드 민족의 언어를 지속적으로 재발견하는 것이 필요하다. (Corbett, 1999: 185)

그러한 상황에서 번역은 언어의 범위를 둘러보고 문학의 경계선을 확장시키는 강력한 수단이 된다고 코벳은 말한다. 그리고 그렇게 둘러보는데 중요한 것은 관점을 바꾸고 안팎으로 동시에 살피며 다른 문화를 심문하는 것만큼 자신과 자신의 문화를 심문하는 능력이다. 그것은 번역을 변형으로 보는 위대한 브라질 번역가 아우구스토 드 캄포스Augusto de Campos가 제안한 견해와 다르지 않으며 그 과정으로 인해 번역가는 또 다른 존재의 피부 속으로 들어간다.

> 번역은 나에게 페르소나persona이며, 철자는 같으나 뜻이 다른 단어라고 볼 수 있다. 번역은 모든 것, 각각의 고통, 소리, 색깔을 다시 하기 위해 배우의 피부 속으로 들어가는 것이다. 그래서 나는 모든 것을 번역하려고 하지 않는다. 오직 느끼는 것만 번역한다. (Augusto de Campos, 1998: 186)

이러한 관점들은 번역을 서로 다르게 보지만 서로 연결되어 있다. 코벳은 번역이 과도기 단계에 있는 문학을 풍부하게 하는 수단일 뿐만 아니라 스코틀랜드 독자에게 정체성이 어떻게 언어의 문제와 연결되는지 상기시키는 수단으로서 중요하다고 강조한다. 드 캄포스도 마찬가지로 번역가는 생각을 바꾸고 다양한 관점에 열려 있어야 한다는 사실에 관심을 갖는다. 그에게 번역은 타자의 모양을 바꾸는 과정, 즉 타자를 다시 상상하는 과정이다. 또 번역은 지극히 개인적인 경험이고, 그래서 드 캄포스는 번역 텍스트를 선택할 권리를 주장한다. 번역의 그 두 개념은 차이를 지우기보다는 즐기는 것에 맞닿아 있다.

그러나 어떤 경우 번역가가 번역하는 이유는 번역 과정을 통해 자신의 정체성에 관한 실마리를 발견하기 때문이다. 루이스 바즈 드 카몽이스Luis Vaz de Camoens, 1524~1580가 쓴 『루지아다스』*Os Lusíadas; The Lusiads*의 두 영어 번역이 그러하다. 1572년에 출간된 이 포르투갈 시는 10편의 칸토스 8행시로 쓰였으며, 바스쿠 다 가마Vasco Da Gama가 인도를 발견한 항해 이야기를 담고 있다. 카몽이스는 다 가마 가문과 연결되어 있으나, 그다지 유명하지 않은 귀족 가문 출신이었다. 그의 아버지가 선장이었으므로, 아마도 카몽이스 역시 바다에 푹 빠져있었던 것은 그다지 놀라운 일이 아니다. 비록 대학 졸업 후 궁궐 사람들을 자주 방문하고 시를 쓰면서 몇 년을 보냈을지라도 말이다. 카몽이스의 삶에 대한 낭만적인 이야기들이 많이 있는데, 이는 그가 한 여자를 두고 싸운 결투 끝에 리스본에서 추방당하고 장교가 아닌 일반 사병으로 1533년에 인도로 항해했던 것처럼 보이기 때문이다. 그는 자신의 위대한 서사시, 포르투갈의 선박 조종술과 용감함을 칭송하는 찬미가와 포르투갈의 제국주의 이상을 찬양하는 글을 쓴 후 17년이 지난 1570년에 돌아왔다.

그러나 그 후로 포르투갈 문학 걸작의 완벽한 본보기가 된 그 서사시 『루지아다스』는 처음에 카몽이스의 동시대 사람들에게는 거의 영향을 끼치지 않았다. 게다가 이미 그 시는 포르투갈 해양 제국이 쇠락함에 따라 약해진 위대함을 그리워하며 지속되기를 염원했던 시이다. 그리고 『루지아다스』가 나온 지 겨우 6년이 지난 1578년에 유럽 르네상스의 최대 군사 재앙 중의 하나가 발생했다.

젊은 왕 세바스찬이 기독교 십자가 전쟁의 이상에 영감을 받아 모로코를 침입하는 원정을 주도했던 것이다. 알카세르-케비르 전장에서 포르투갈 군대는 소탕당했고 세바스찬 왕과 전장으로 동행했던 2만 명의 군사 중 겨우 백 명만이 고국으로 돌아왔다. 카몽이스는 왕의 죽음과 죽음을 당했거나 노예가 된 수많은 군사들을 잃은 끔찍한 현실에 큰 충격을 받았다. 더욱이 모로코에서 온 그 끔찍한 뉴스가 있은 지 몇 달 후 전염병이 리스본 전역을 휩쓸었다. 카몽이스는 임종 때 삶에 대한 모든 의지와 미래에 대한 희망을 잃었다는 편지를 친구들에게 썼다. 그는 1580년 6월 10일 가난 속에서 죽었고, 때는 스페인의 필립 2세가 포르투갈 왕관을 인수하고 포르투갈을 스페인에 합병시키기 바로 직전이었다.

『루지아다스』는 번역가가 다양한 방식으로 다가갈 수 있는 텍스트이다. 그 시는 8행시로 된 서사시이고, 영어와 편하게 어울리는 형식은 아니다. 『돈 주앙』 *Don Juan*에서 바이런이 아이러니한 형식으로 그것을 훌륭하게 사용한 경우를 제외한다면 말이다. 그 서사시는 포르투갈 문학에서 정전의 지위를 누리는 시이며, 16세기부터 20세기에 이르는 포르투갈 제국의 야망에 대한 복잡한 역사와 그 시의 제국주의 주제 때문에 다양한 시기에 많은 논쟁을 불러일으킨 해석의 대상이었다. 게다가 카몽이스 자신의 삶은 후세대의 독자가 그 시에 다가갈 수 있게 하는 일종의 프레임이 되었다. 그 작가에게 무슨 일이 있었는지 그리고 알카세르-케비르에서 포르투갈의 권력이 파멸된 것도 알게 된다면 이상화된 영웅적 미래의 비전과 함께 바스쿠 다 가마의 탐험의 위대함을 적는 이 시에서 또 다른 차원의 읽기가 가능해진다.

이 포르투갈 서사시를 리처드 팬셔 경Sir Richard Fanshawe이 1655년에 영어로 처음 번역하였다. 팬셔는 1650년대의 영국 영연방 기간에 처음엔 1650년부터 1651년까지 스페인 대사로, 그 이후엔 포르투갈 리스본 대사로 일했던 왕족이었다. 종교개혁 후 1660년에 그는 스페인 대사로 돌아가서 1669년 스페인에서 죽었다. 스페인어, 라틴어, 포르투갈어로 쓰인 글을 번역하였고 그 번역물은 최근에 피터 데이비드슨Peter Davidson이 편집하였다. 『루지아다스』, 즉 『포르투갈의 역사 시』*Portugal's Historical Poem*를 1655년에 번역한 것은 분명 그에게 매우 중요한 일이었으며 신속하게 번역되어 일 년 만에 완성된 작품이라고 한다(Davidson, 1999). 무엇 때문에 한때 왕을 보필하다가 외교관이 된 그가 번역 경험도 별로 없는데 그렇게 복잡한 일을 맡게 되었을까?

그 해답은 팬셔가 그 시와 카몽이스의 삶에 존재했던 우여곡절, 운명의 장난에서 자신의 평탄치 못한 운명을 보았기 때문이 아니었을까? 여기, 젊은 왕에게 바친 시, 과거의 위대함에 관한 그리고 미래의 위대함이 부흥하기를 바라는 희망에 관한 시가 있었다. 팬셔는 그 시 세계와 크롬웰Cromwell의 지배를 받고 있는 잉글랜드, 즉 군주의 복귀를 기다리는 나라 사이에서 비슷한 점을 분명히 보았을 것이다. 그리고 생각해 볼만한 또 다른 것이 있는데, 포르투갈이 1640년에 스페인으로부터 독립을 다시 쟁취했다는 사실이다. 팬셔가 이를 희망의 표시로 보았을 것이라고 추측하는 건 그리 어려운 일이 아니다. 카몽이스처럼 팬셔도 고국과 왕으로부터 추방당했고 포르투갈 해양 제국과 잉글랜드 해양 제국 사이의 유사점을 이용하여 카몽이스처럼 미래의 위대함에 대한 희망의 메시지를 그 왕에게 보내기 위해 문학 텍스트를 이용했을 것이다. 그러나 카몽이스와 다른 점은 팬셔는 포르투갈이 다시 독립한 것을 보았다는 것이다. 그의 번역에도 암시되어 있지만 잉글랜드에 군주의 복원이 반드시 올 거라고 그는 예감했을 것이다.

아랍어와 페르시아어 글 번역으로 유명한 리처드 버튼 경Sir Richard Burton, 1821~1891도 카몽이스의 시를 번역한 뚜렷한 개인적인 이유가 있다. 그러나 버튼은 왕이 복원되기를 기다리지 않고, 자신의 복원이 오기를 기다렸다. 아내의 최선의 노력에도 불구하고 버튼은 아무도 원치 않는 외교업무로 계속 외국으로 파견되었다. '외무부 묘지'로 알려진 페르난도 포에서부터 당시 발전이 거의 안 되었던 브라질, 마침내는 아름다운 도시 트리에스테까지 해외 파견근무를 나갔지만 나라의 운명에 영향력을 행사하고 싶었던 사람에게 정치적으로 중요한 자리는 결코 아니었다. 버튼은 부당한 대접을 받았다고 생각했고, 평생 동안 권력을 가진 인물들에 대한 강한 적개심을 키웠다. 그 적개심 때문에 어떤 친구도 사귈 수 없었다. 그는 스승의 고대 희랍어 발음에 도전했기 때문에 학위 없이 옥스퍼드에서 쫓겨났으며 평생 동안 순응하며 사는 것을 거부하였다.[1)]

버튼의 『루지아다스』 번역이 1880년에 두 권의 책으로 출판되었고 이어서 카몽이스와 그의 작품에 관한 주석과 논문 두 편이 1881년에 나왔다(Burton, 1880, 1881). 그 번역에는 제럴드 매시Gerald Massey가 헌정식으로 쓴 서시가 실려 있다. 이 시에서 매시는 버튼을 카몽이스가 아니라 『루지아다스』의 주제인 다 가마와 비교한다.

A man of men; a master of affairs,
Whose own life-story is, in touching ruth,
Poem more potent than all feigned truth.
His epic trails a glory in the wake
of *Gama, Raleigh, Frobisher* and *Drake.*
The poem of Discovery! Sacred to
Discoverers, and their deeds of derring-do,
Is fitly rendered, in the Traveller's land,
By one o'the foremost of the fearless band.

남자 중의 남자, 사람을 잘 다루는 능력 있는 남자,
그의 인생 얘기는 감동적인 슬픔에 있고,
그의 시는 모든 거짓보다 더 강력하다.
그의 서사시는 가마, 롤리, 프로비셔와 드레이크를

1) 리차드 버튼의 특별한 경력을 알고 싶다면 프랭크 맥린(Frank McLynn, 1990)을 참조할 것.

따라 영예를 좇는다.
텀험의 시! 탐험가들에게 성스럽다
그들의 대담한 행동을
나그네의 땅에서 가장 용감한 시인 중의
한 사람이 적절히 번역하다.
(Gerald Massey, 버튼에게 바치는 헌정시, 1880)

이 시에서 버튼은 나그네의 땅, 즉 영국에서 온 나그네로 바스쿠 다 가마, 마틴 프로비셔Martin Frobisher, 롤리Raleigh와 드레이크Drake로부터 쭉 내려오는 탐험가 중의 한 사람으로 표현된다. 이렇게 버튼 자신이 직접 주연을 맡으면서, 다시 말해 번역가로서 동시에 주인공 중의 한 명인 현대판 바스쿠 다 가마의 역할을 맡으면서 그의 번역은 영국의 위대함을 통해 포르투갈의 위대함을 걸러 내는 수단이 된 것이다.

아래에 보이는 매시 시의 첫 시행들은 버튼이 자신의 번역을 말하기 위해 사용한 용어, 즉 '영어로 만들기'Englishing라는 표현을 쓴다. '번역'translating이라는 표현을 쓰지 않은 그는 영국의 르네상스 번역가들이 사용한 '영어로 만들기'를 고의적으로 사용했다. 버튼이 이 단어를 선택함으로써 그의 애국주의 입장이 강화되는 것도 있지만 그가 텍스트의 내용과 자신의 경험을 동일시하고 가깝게 느끼고 있음을 분명하게 알 수 있다.

'Englished by Richard Burton.' And well-done,
As it was well worth doing;

'리처드 버튼이 영어로 만들다'. 참 잘했다,
할 만한 가치가 있었다.

버튼은 38개 언어를 알고 있으며 그 중 17개 언어로 꿈을 꾼다고 주장했다. 가장 좋아하는 언어는 아랍어이고 아라비아를 칭송하기 위해 가장 서정적인 책을 쓰기도 했다. 또한 여러 언어를 배우면서 자랐고 옥스퍼드에서 퇴학당하기 전에 프랑스에서 교육을 받았다. 반면 팬셔는 고전교육을 받았고 나이가 든 후 포르투갈어를 배웠다. 둘 다 가장 내적인 언어에 대한 스타이너의 질문에 다르게 대답을 했을 테지만 스타이너가 처음에 그것을 물을 때 무슨 의도였는지 분명히 이해했을 것이다. 둘은 다른 방식으로 추방되어 자신들이 살았던 세상과, 살고 싶었던 상상 속의 세상을 연결하는 방식으로 번역을 이용하였다. 둘 다 정체성은 고정된 개념이 아니라고 말했을 것이다. 외교관이었고, 탐험가이자 방황하는 영사였던 그들은 다른 사람들에게 영국을 대변했지만 그들에게 직업을 준 바로 그 국가로부터 소외되었다. 이때 번역은 자신이 이것도 저것도 될 수 없는, 여기에도 저기에도 존재할 수 없는, 중요한 '사이의 공간'liminal space을 그들에게 제공하였다. 그것은 에바 호프만Eva Hoffman이 자서전적 소설 『번역의 상실』*Lost in Translation*에서 실로 아름답게 표현한 바로 그 상태, 즉 언어의 경계가 녹아 없어지고 상실의 과정이 자신을 찾는 수단이 되는 상태를 뜻한다(Hoffman, 1989). 이것이 한 가지 언어 이상, 단수가 아닌 다수의 언어로 존재하는 사람들의 역설이다. 오늘날 21세기에 사는 우리는 단일성의 부재를 유감스럽게 생각할 것이 아니라 수백 만 명의 사람들이 현재 그 안에 살고 있는 이 복수성plurality을 축하해야 할 것이다.

02

직역은 유용하다?

직역word for word이냐 의역sense for sense이냐 하는 질문은 번역가들이 종종 마주치는 것이다. 언제 원본의 뒤를 바짝 따라 붙어서 각 단어를 재생산해야 하고, 또 언제 의미나 뜻을 효과적으로 옮기는 어떤 것을 창조하기 위해 그렇게 바짝 따라붙지 말아야 하는가? 번역가 대부분은 직역의 함정을 너무나 잘 알기에 두 번째 것을 즉시 선택할 것이다. 궁극적으로 너무나 심한 직역은 그야말로 읽을 수가 없다.

경험이 많지 않은 번역가들은 단어 대 단어 번역을 선택하는 것 같다. 그리고 관광 산업의 번역은 전 세계적으로 대단히 형편없다는 것이 보편적인 진실인 것 같다. 여기 두 편의 직역이 있으며, 하나는 인도네시아 호텔 책자에서 가져 온 것이고, 다른 하나는 살라만카 시 관광안내소가 제작한 팸플릿에서 온 것이다.

> This building is surrounded by the density of trees away from the noise of the traffic, although sometime the voice of traditional fruit sellers offering their commodity break your serenity, however it reflects the atmosphere of uniqueness.

> The characteristic feature of this building is its baldachin-style cupola which appears to hover the central auditorium, seemingly 'turning on' the cascade of light that pours in through the lantern that crowns it.

이 두 문단에서 무엇을 얘기하고 있는지 우리는 알 수 있다. 비록 번역가가 원본을, 심지어 인용부호까지도 너무 직역하여 표현이 모호해졌을 지라도 말이다. 그러나 두 문단 어느 경우든 번역가는 관광객들이 필요로 하는 그런 분명하고 훌륭한 영어 산문을 쓰기 위해 원본의 문법에서 벗어날 정도의 자신감이 없었다. 때때로 번역이 너무 형편없어서 그 의미가 완전히 가려지기도 한다. 어딜 가든 부적절한 직역의 예가 너무 많아서 많은 번역가들이 직역을 경계하는 것은 그리 놀라운 일이 아니다.

직역이 빠지는 함정의 또 다른 예는 컴퓨터 번역의 초기 발전상에서 찾아볼 수 있다. 과거 냉전 시절, 컴퓨터 번역 프로그램 덕에 소련 모스크바의 신문을 미국 워싱턴에서도 동시에 읽을 수 있었다고 한다. 그러나 초기 컴퓨터 번역 프로그램은 언어 사용의 모든 차원, 특히 은유적인 차원을 비껴갔다. 만약 내가 'the onset of darkness'와 같은 구를 번역한다면 문맥을 통해 'darkness'가 문자 그대로인지, 아니면 마음의 상태를 가리키기 위해 은유적으로 쓰인 건지 알 수 있을 것이다. 그 말이 은유적으로 쓰인다면 도착 언어에 따라 해질녘의 물리적 상태를 번역하는 것이 아닌 다른 단어를 쓸 것이다. 간단히 말해 텍스트 문제와 문맥적인 문제를 생각해야 하는데 초기 컴퓨터는 전혀 그렇게 하지 못했다. 오늘날 컴퓨터 번역은 정교한 대규모 사업이고, 그런 직역의 오래된 취약점은 단지 먼 추억이 되었지만 그럼에도 특정 종류의 텍스트를 다룰 때 나타나는 기계 번역의 부적절성은 번역방식에 대한 논쟁을 불러일으켰고 그 논쟁은 여전히 진행 중이다.

그렇다면 이 모든 것을 염두에 둘 때 왜 어떤 사람들은 직역을 옹호할까? 직역은 유용할 수 있을까? 유용할 수 있다. 직역은 오랫동안 문법적, 의미론적 능력 혹은 무능력을 시험하는 수단으로서 이용되었다. 내 아들은 최근에 다음과 같은 독일어 문장을 만들었다. Ich bin lesen ein gut Buch. 명사를 대문자로 시작하는 것을 기억한 것을 제외한다면 이 문장은 잘못된 것이었다. 물론 아들은 문자 그대로 번역했다고 스스로를 옹호했다. I am = Ich bin, reading = lesen, a = ein, good = gut, book = Buch. 나는 아들이 영어의 현재 진행형 이용과 독일어의 격어미가 존재한 것을 전혀 고려하지 못했다고 이의를 제기했다. 물론 이 지점에서 나는 문법을 말할 수 있는 어휘가 존재하지 않는 세대에게 문법을 설명할 수 없다는 것을 알게 되었지만, 이 글에서 그 문제는 깊이 다루지 않을 것이다. 대화의 방식을 중시하는 언어 교수법을 불신하는 고지식한 문법학자로 비추어지고 싶지 않기 때문이다. 단지 내가 여기서 말하고 싶은 것은 이것이다. 아들과 얘기하고 난 후 영어와 독일어 문장 사이의 차이가 나타나기 시작했고 직역의 실수를 통해 아들이 대안을 볼 수 있었다는 점이다. 다른 언어를 아는 것이 아름다운 이유는 다른 언어로 다른 방식으로 다른 것을 할 수 있기 때문이다. 나는 이것을 수년 간 내 자식들과 학생들 모두에게 반복해서 말해왔다. 직역은 다른 언어가 어떻게 작동하는가에 대한 이해를 통해 새로운 방식으로 생각하고 세상을 다르게 해석하는 것을 배우는 과정의 첫 단계라고 할 수 있다.

로버트 스탠튼Robert Stanton의 책 『앵글로색슨 잉글랜드의 번역 문화』*The Culture of Translation in Anglo-Saxon England*는 영어 발전에서 직역이 중요하다는 사실을 새롭게 조명한다. 이 책을 읽고 나서야 나는 직역이 토착어를 말하는 사람들에게 글을 발전시킬 수 있는 수단으로서 중요하다는 사실을 깨닫게 되었다. 영어는 번창하던 구어 문학oral literature이 필사본으로 나타나기 시작하던 앵글로색슨 시기에 문어 형태로 등장하였다. 최초 영어 텍스트는 행간에 쓰여 있는 라틴어 글에 대한 주석으로 존재했고 대개는 종교서적이었다. 그 주석은 텍스트에 대한 설명이고 행간이나 여백에 있었고 종종 라틴어 단어나 구절을 문자 그대로 영어로 번역한 것이었다. 주석 시스템의 복잡성은 학자들의 여러 연구에서도 논의대상이 되었지만 이 글의 목적을 위해 주석을 직역의 형태로 생각해 보도록 하자. 주석의 기능이 라틴어 작품을 독자들이 잘 이해할 수 있도록 도와주기 위한 것이었음은 분명한 사실 같다.

7세기 비드 수도사Venerable Bede는 평민과 '라틴어에 능통하지 못한 성직자나 수도승'을 위해 주기도문과 사도신경을 영어로 번역해야 한다고 제안하였다. 이것은 수도승이 사람들이 생각하는 것만큼 라틴어를 잘 하는 것이 아니었음을 보여준다. 앵글로색슨 세계는 학문이 쉽게 번창할 수 있는 곳이 아니었다. 부족한 필사본과 그 필사본을 복사하는 필경사와 지식을 전파하는 선생이 부족하였던 사실 외에도 모든 통치자들이 학문을 장려한 것은 아니었다. 여기에 질병, 전쟁, 바이킹 침입자들은 지속적인 학습을 어렵게 만들었다. 이런 어지러운 세상에서 라틴어 작품을 직역하고 주석을 다는 것은 지식을 상대적으로 쉽게 전파하는 수단이던 것이다. 그러한 직역 덕택에 두 가지 과업을 이룰 수 있었다. 하나는 주석을 다는 사람은 라틴어 구조에 더 정통할 수 있게 되었다는 것이고 다른 하나는 라틴어 텍스트에 담겨 있는 지식을 라틴어를 잘 모르는 사람들이 이용할 수 있게 되었던 것이다.

스탠튼은 앵글로색슨 시대 문학은 '번역이라는 뚜렷한 특징이 있었다'고 말한다. 직역을 통해 사람들은 문학을 더 폭넓게 이해할 수 있었고 앵글로색슨 시대의 고대 영어는 서서히 독립적인 글의 지위를 얻기 시작했다. 알프레드 왕 King Alfred, 849~899이 통치할 무렵 왕은 두 개 언어 교육을 잉글랜드에 도입할 수 있었고, 자신이 번역한 책의 서문에서 밝힌 것처럼 '현재 영국에 살고 있는 유능한 모든 자유 시민 젊은이는 영어 글을 잘 읽을 수 있을 때까지 다른 의무가 없을 때마다 배움의 준비를 하기 위해' 번역이 필요하다고 말할 수 있었다. 그러고 나서 알프레드 왕은 교사들이 더 교육시키고자 하는 사람들은 라틴어 또한 배울 수 있음을 공표한다.

초기 필사본의 행간 주석달기를 통해 본 직역 이야기는 학자들을 위한 이야기일 뿐만 아니라 문어체 영어가 탄생한 이야기이기도 하다. 마찬가지로 다른 유럽 언어들도 행간 주석을 달아 다른 형태의 문어체 토착어가 탄생하였고 위대한 독일 서사시, 노래, 수수께끼, 이야기와 같이 수세기 동안 돌고 돌았던 구어 문학이 라틴어에 저항할 수 있는 언어들로 글이 될 수 있었다. 설령 그 당시 라틴어를 스타일 면에서 앞설 수는 없었을지라도 말이다.

언어 능력을 향상시키는데 직역의 역할을 생각해 보는 것은 흥미롭다. 단어 대 단어 번역을 비난하며 이 글을 시작했고 여전히 나는 좋은 번역은 문자적인 것을 뛰어 넘어야 한다고 주장하겠지만 텍스트를 꼼꼼히 번역하는 직역은 분명히 좋은 목적을 거둘 수 있다고 생각한다.

우리는 앵글로색슨 시대의 글을 쓰는 필사경이 내 아들보다 훨씬 더 나은 언어학자들이라는 것을 안다. 어떻게 서로 다른 언어들이 작동하는지 이해하기 위해 단어들을 병렬하는 것은 지난 수세기 동안 존재했던 것으로 볼 수 있으며 지금도 사용되는 방식이다.

03

이론과 실제, 그 오래된 딜레마

번역 이론이 지금처럼 그렇게 인기가 많았던 적이 없다. 새로운 책이 항상 나오고 계속 학회 광고가 나고 박사학위논문은 넘쳐흐른다. 번역 분야의 연구는 이제 다양한 학파가 존재하고 그들만의 고유한 영역을 밝히며 다양한 목표를 추구할 정도로 아주 많이 번창하고 있다.

그러나 이 모든 연구, 어떤 것은 흥미진진하고 또 어떤 것은 솔직히 말하면 지루하며 최악의 경우 도통 이해가 안 가는 이런 연구들은 번역가에게 얼마나 많은 영향을 끼칠까? 책상 앞에 앉아 번역을 하는 사람들은 이론가들의 작업에서 어떤 이득을 얻을 수 있을까? 아니면 대개 번역가들은 그들을 무시하는 것일까? 그 반대의 질문도 똑같이 중요한데 번역 이론가들은 번역가의 경험을 어느 정도로 이해하고 그들의 이론은 실제 번역에 어떠한 영향을 받을까?

이론과 실제의 구분은 특히 영국적인 현상이지만 과소평가되어서는 안 될 것이다. 그 구분은 모든 종류의 학문에 존재하고 주제에 실제적인 차원이 있는 경우, 예를 들면 연극, 순수 미술, 음악이나 글쓰기에서 가장 두드러진다. 번역가들이 본인은 이론 필요 없다고 그냥 번역하고 창조적이기만 하면 된다고 말하는 것을 나는 얼마나 많이 들었던가! 말을 많이 하면 할수록 이론을 반대하는 번역가들의 입장은 실제 번역만이 전하는 진정성으로부터 더 멀어진다.

그러나 그 구분은 정말로 구분이 아니다. 왜냐하면 번역을 실제로 하는 사람들도 자신의 일에 대해 얘기하고, 무엇을 하는지 어떻게 하는지 종종 분명하게 잘 설명할 수 있기 때문이다. 문제는 언어, 아니 담론의 문제라고 할 수 있는데, 왜냐하면 이론은 그 고유한 언어와 규칙이 있는 지식화하는 과정으로 볼 수 있고 많은 번역가들은 이론이 어려운 언어로 가득 차 있기 때문에 표현할 수 없다고 느끼기 때문이다. 나는 어찌되었든 수준이 매우 높고 복잡한 지적 활동에 종사하는 번역가들 앞에서 이론가들이 잘난 척한다고 생각하게 되었다. 가브리엘 가르시아 마르케스(Gabriel Garcia Marquez, 2002)가 아주 간결하게 표현하듯이 번역은 가장 훌륭하고 철저한 읽기일 뿐만 아니라 가장 힘들고 가장 많이 무시당하고 최악의 보수를 받는 그런 문학 활동이다. 번역가들은 세상이 그렇게 자신을 취급하는 것을 억울하게 생각하는데 그것은 충분히 이해할만 하다.

현재 번역 분야에서 몇몇 이론가들이 번역가의 역할의 중요성을 설파해왔다. 번역가들은 문학 작품 및 사상의 전파에 중요한 역할을 했지만 그들의 존재는 종종 드러나지 않았다. 그리하여 번역가의 중요성에 방점을 두는 번역가의 가시성 개념은 현재 번역 이론에 핵심적인 것이 되었다. 로렌스 베누티Lawrence Venuti의 『번역가의 비가시성』*The Translator's Invisibility*, 1995은 번역가의 중요성에 대한 훌륭한 논거를 제시하였다. 베누티는 그 책에서 연금술로 단어를 지나가게 하는 투명한 필터 정도로밖에 인식되지 못하는 번역가가 어떻게 도착언어로 작품을 적극적으로 재구성하는지 보여주었다.

그러면 번역가들은 자신들을 위한 베누티의 노력에 고마워하는가? 베누티의 책을 읽고 그의 학문을 존경하는 몇몇 사람들과 얘기해 본 결과 평가는 엇갈렸다. 물론 번역가들은 베누티가 번역의 위상을 향상시키기 위한 노력을 감사하게 생각한다. 그러나 이론가들이 많이 논의하는 베누티 개념 중의 하나에 어떤 불안감이 서려 있다. 베누티가 말하는 '이국화'foreignization가 그것이다. 이 개념은 '자국화'domestication 혹은 다른 사람들이 말하는 '문화적응'acculturation과 정반대의 것이다(Venuti, 1995). 이 모든 것은 현재 최신 유행하는 용어이며 서로 다른 이 번역 전략들의 상대적인 장점에 대한 입장은 매우 다양하다.

나는 (친구인) 베누티가 이국화에 대한 그의 생각을 요약하는 것을 양해해 주기를 바란다. 간단히 말하면 베누티는 번역가들은 번역하는 텍스트의 이국성을 어떻게 하든 강조해야 한다고 주장하고 있다. 목적은 독자들이 어떤 다른 문화권의 다른 곳에서 탄생한 작품을 읽고 있음을 알게 하는 것이다. 만약 어떤 번역이 이국적인 것의 모든 흔적을 지워버린다면 번역가는 눈에 띄지 않게 되고, 게다가 그 외국 텍스트는 도착어권 문화에 의해 전유되어 그 본질적 다른 성질들은 사라질 것이라고 베누티는 주장한다.

사실 이것은 독창적인 이론이 아니다. 베누티는 독일 낭만주의 철학자 프리드리히 슐라이어마허Friedrich Schleiermacher의 사상을 따르고 있다. 그 독일 철학자의 번역관은 19세기 초에 형성되었고, 모든 것을 즐거운 마음으로 자국화해서 고대 그리스 영웅이 베르사이유 궁전의 조신으로서 그려졌던 프랑스 번역학파의 반대편에 서 있다고 볼 수 있다. 그럼에도 번역 전략으로서 베누티의 이국화 이론은 이국성의 모든 흔적을 지워버리는 자국화 번역에 불안을 떨치지 못했던 포스트식민주의 번역학자들의 심금을 울렸다.

그러나 이국화에 불안감을 표했던 번역가들 일부는 그 문제를 전혀 다르게 접근한다. 그들은 시장을 안다. 독자들이 원하는 것도 안다. 대부분의 독자들이 쉽고 유창하게 읽히는 이해하기 쉬운 책을 원하는 것도 안다. 그 번역가들이 원하지 않는 것은 무엇보다도 이상한 단어와 어려운 구절로 가득 찬 난해한 책이다. 따라서 특정인을 불편하게 하든 말든 훌륭한 번역가들 대부분은 읽을 수 있는 작품을 생산하고 싶어 하며 글을 잘 쓰고 싶어 한다.

세계에서 가장 위대한 번역가 중의 한 사람인 그레고리 라바사Gregory Rabassa는 번역본에서 다른 언어의 구조를 재생산할 때마다 횡설수설하게 되는 것을 인정한다. 그럼에도 라바사는 독자가 번역이 마술에 의해 생기는 것이 아니라는 사실을 보게 하는 '어떤 숨겨진 암류, 어떤 배경음이 있어야 한다'고 주장한다(Rabassa, 2002: 89–90). 그 견해에 따르면 번역가의 과업은 반계몽주의라는 수면 아래 모래 언덕과 자기만족이라는 암초 사이의 섬세한 통로를 지나가는 것이다. 라바사는 번역가는 겸손하고 조심해야 하고 자신을 내세워서는 안 되지만, 모험심이 강해야 하고 독창적이고 항상 원저자의 생각과 말에 종속되어야 한다고 생각한다. 이런 의미에서 번역은 바로크 미술이다. 그 미술에서 구조는 미리 정해져 있지만 제 2의 예술가는 자신의 문화라는 빛에 따라 그 구조를 장식해야 한다. 번역가의 천재성은 어떤 의미에서는 중고품이라고 볼 수 있지만 그럼에도 번역가는 자신 앞에 놓인 한계 내에서 자신의 능력을 뽐낼 수 있는 기회를 갖고 있다. 이처럼 라바사는 번역을 이론화하고, 그렇게 하면서 바로크 미술의 멋진 이미지를 생각해낸다. 그는 제 1, 제 2의 예술가에 관해 얘기하며 번역의 예술가적 기교를 인정하는 동시에 번역에 주재료를 공급하는 원본이 있다는 사실로 인해 번역가는 항상 제약을 받는다는 사실을 인정한다.

번역 이론 중 가장 유용한 것은 실제로 번역을 하는 사람들에게서 왔다. 퍼시 비셰 셸리Percy Bysshe Shelley의 유기적 이식organic transplantation이라는 번역 개념은 가장 마음에 드는 이미지 중 하나이고, 옥타비오 파스(Octavio Paz, 1992)의 번역에 대한 아이디어도 좋아한다. 파스에 따르면 작가가 단어를 완벽한 형태로 고정시키는 것이라면 번역가의 일은 그 똑같은 단어를 해방시키고 그 단어가 고향에 온 것 같은 느낌을 갖는 다른 언어 속으로 풀어 주는 것이라고 한다. 그러나 많은 번역가들이 꺼려하는 것은 이론가들이 더 큰 그림, 즉 목표 독자들의 기대, 시장의 압박 그리고 한 문화의 문학적 전통을 보지 않고 번역가가 지켜야 하는 번역 모델들을 제시하는 것이다.

2002년 <인디펜던트 외국문학상>Independent Foreign Fiction Prize 심사위원이었을 때 우리는 아드리아나 헌터Adriana Hunter가 프랑스 소설을 영어로 번역한 『9.99 파운드』*£9.99*라는 제목의 번역 작품을 수상 후보자 명단에 올렸다. 그 원작 소설은 훌륭한 작품이 아니었고, 그 소설을 쓴 원저자는 프레데릭 베이베데르(Frederic Beighbeder, 2000)이다. 그는 비슷한 방식으로 글을 쓰는 동시대 작가이자 논쟁을 불러일으키는 미셸 우엘벡Michel Houllebecq보다 훨씬 덜 알려져 있다. 그러나 우리가 이 번역이 칭찬받을 만한 것이라고 생각했던 이유는 프랑스 작품을 자국화하는 번역가의 훌륭한 능력 때문이었다. 헌터는 파리와 관련된 모든 것을 런던으로 옮겼고, 프랑스의 모든 광고 슬로건에 대응하는 영어 광고 슬로건을 찾았고, 런던에서 최신 유행하는 레스토랑과 부티크, 와인 바를 찾아내어 프랑스와 관련된 모든 것을 대체하였다. 그 여류 번역가는 원본의 프랑스 컨텍스트를 성공적으로 지웠지만, 끔찍하게도 코카인의 힘으로 움직이는 광고 분야 사람들이 등장하는 그 이야기는 새로운 영국 컨텍스트에 잘 맞아 떨어졌다. 이 전략은 번역가에게 대단히 위험한 것이었지만 우리는 그 전략을 존경하지 않을 수 없었다. 지난주 한 친구가 전화를 걸어와 그 소설이 얼마나 훌륭한 작품인지 감탄의 말을 아끼지 않았다. 하지만 그 친구는 그 작품이 번역이었는지 몰랐다.

그러나 독자로부터 받는 가장 큰 칭찬이 번역이 번역 같지 않다는 것이라면, 이것은 타자성을 강조하고 자국화 번역의 불리한 면을 강조하고자 하는 번역 이론이 번역 실제와 다소 엇박자가 나고 있음을 뜻한다. 나 자신에게 묻는 질문은 우리가 새로운 국면에 들어선 것이 아닌지 그리고 번역 이론이 번역가들과 더 열린 마음으로 연계해야 할 필요가 있는 것은 아닌가 하는 점이다. 아마도 독자들은 이 점에 대해 다음과 같이 생각할 것이다. 그 논쟁은 지금 막 시작되었을 뿐이라고.

04

위험한 번역

얼마 전에 한 신문의 짧은 기사가 내 눈을 사로잡았다. 시체 몇 구가 아프가니스탄에서 발견되었는데 모두 탈레반의 희생자였다. 그들은 잔인하게 살해되었고 혀가 잘려 있었다. 죽기 전에 자른 것인지 죽은 후에 자른 것인지에 대한 얘기는 없었다. 희생자들은 모두 통역사로 일했던 사람들이다.

통역하고 번역하는 사람들이 특히 이라크와 아프가니스탄에서 고문을 당하고 살해당했다는 사건 보도가 이번이 처음은 아니지만, 더할 나위 없이 충격적이었다. 덴마크 같은 나라는 이라크에서 연합군과 함께 일하는 생명의 위험에 처한 통역사들에게 안전한 피난처를 제공하기도 한다. 웹사이트를 찾아보면, 분쟁 지대에 발목 잡혀 있는 통역사들이 겪는 어려움에 관심을 가지는 단체들이 있음을 알 수 있다. 그러나 미디어가 이런 사건들을 많이 취재하지 않은 점으로 미루어, 대개 사람들은 번역가들과 통역사들이 일상의 업무를 수행할 때 맞닥뜨리는 위험에 대해서는 거의 언급하지 않는다. 이 끔찍한 이야기조차도 미디어의 관심을 거의 받지 못했다.

여기에 한 가지 역설이 있다. 번역가들은 한편으로 세상에서 눈에 띄지 않을 정도로 사소한invisible 존재처럼 보이지만, 또한 어떤 사람들에게는 생명이 위태로울 만큼 중요한 존재로 보인다는 것이다. 그렇게 아프가니스탄 통역사들을 무참히 살해한 사람들은 틀림없이 범죄자를 처형시키는 것쯤으로밖엔 여기지 않았을 것이다. 그러나 통역사들은 자신이 나서지 않으면 말이 통하지 않는 사람들 사이에서 서로를 이해하도록 도와주는 일을 하는 것뿐이다. 그런 그들이 무슨 범죄를 저지른다는 말인가?

위 질문에 쉽게 답할 수는 없다. 왜냐하면 이것은 타자성에 대한 무의식적인 두려움이라는 어두컴컴한 영역의 길로 우리를 이끌기 때문이다. 타자성은 우리의 정체성을 위협하고 언어를 통해 세계를 통제함으로써 느끼고 싶어 하는 안정감을 위협한다. 발화되고 있는 내용을 이해하지 못할 때 사람들이 위협감을 느낀다는 이야기는 무수히 많다. 나는 그러한 이야기를 많이 들어 보았다. 어느 아시아 시장에서 작은 무리의 사람들이 자신의 주변으로 모여들자 폭행을 당할 거라고 느꼈던 남자 이야기부터 시작해서 마을 우체국에 들어서자 웨일즈어로 이야기를 나누던 이웃사람들이 자기 욕을 한다고 느낀 여자 이야기까지 말이다. 이런 모든 얘기들의 공통점은 바로 사람들은 누군가 다른 언어로 말을 할 때 그 내용을 이해할 수 없으면 불안해 한다는 것이다. 그리고 그 불안감은 재빨리 위협감으로 전환된다. 물론 상점가에서 그 남자를 둘러 싼 무리는 그에 대해 말을 전혀 하고 있지 않았을 가능성이 다분히 있고, 웨일즈어로 말하던 이웃들은 새로 이사 온 그 잉글랜드 여자와는 아무 상관없는 뉴스를 얘기하고 있었을 수도 있다. 그러나 중요한 것은 그 두 사람이 그렇게 인식하지 않았다는 점이다. 언어를 이해할 수 없기 때문에 그 사람들은 부정적인 결론을 성급하게 내린 것이다.

언어로 서로를 이해할 수 없는 것만큼 '우리 대 그들'Us versus Them의 느낌을 더 강화시키는 것은 없다. 그렇기 때문에 사람들 사이에 다리를 놓아 주고 서로를 더 많이 이해하도록 도와줄 수 있는 사람들, 즉 통역사들은 매우 중요하다. 그러나 시장이나 마을 우체국에서 물건을 사는 것과 같이 일상생활에서 언어가 달라 긴장이 발생할 수 있다는 사실을 고려해볼 때 정치적, 군사적 갈등의 골이 깊은 상황에서 그러한 긴장은 분명히 고조될 것이다. 이것은 두 언어를 사용할 수 있는 통역사들의 역할이 정말로 순식간에 아주 위험한 것이 될 수도 있음을 시사한다.

번역에 대해 얘기할 때 우리가 사용하는 언어에는 그러한 불안감이 반영되어 있다. 우리는 종종 번역가를 두고 '서로 대치하는 양 군대 사이의 중간 지대'no man's land에 있는 것으로 일컫는데 이것은 참호전의 이미지를 불러일으킨다. 이렇다 보니 사람들은 통역사들이 정말로 어느 쪽에 속하는지, 이쪽인지 저쪽인지 묻게 되고, 실제 전쟁 상황에서는 번역가들이 동포들을 배신하기 위해 언어를 사용하는 적의 내통자로 보는 시각에 힘이 실리게 된다. 배신의 이미지는 우리가 번역에 대해 말하는 방식에서도 두드러지게 드러나기 때문이다. 번역자라는 단어가 반역자라는 단어와 매우 유사하다는 점을 이용한 그 유명한 이탈리아 격언 traduttore/traditore(번역자/반역자)이 있는 것처럼 많은 문화권에서 번역가를 변절자로 본다.

번역가와 통역사를 수상쩍게 여기는 것은 절대 어제 오늘의 일이 아니다. 어떤 관점에서 보면 성경 같은 신성한 텍스트 번역의 역사는 폭력과 유혈로 점철되어 있다. 성경을 자국어로 번역하려고 애썼던 번역가들은 종종 박해받거나 심지어 처형까지 당했다. 성경의 영어 번역을 두고 격렬한 싸움이 있었고 이 때문에 위대한 번역가, 윌리엄 틴달William Tyndale은 1536년에 화형을 당했다. 틴달 이전에 번역을 했던 존 위클리프John Wycliffe는 정부당국이 그를 처형시키기 전에 죽었지만 1395년 그의 뼈는 파헤쳐지고 불태워졌다. 체코의 불운한 신학자 얀 후스Jan Hus의 작품은 위클리프의 영향을 받았는데, 그는 1415년 화형을 당한 후 뼈까지 불에 태워져 바다에 재로 뿌려졌다. 헨리 8세는 성경의 영어 번역을 두고 '가장 소중한 보석이라 할 수 있는 신의 작품을 이 땅의 모든 선술집과 술집에서 논쟁거리로 만들고, 운을 달고, 노래하고 땡그랑거리게 만드는 것'이라며 비통에 차서 불만을 토로했다.

오늘날의 번역가들에게도 종교 극단주의자들을 두려워할 만한 이유가 있다. 2000년에 코란을 번역했던 독일학자는 통번역학 기관지 『ITI 블루틴』*ITI Bulletin*의 2008년 11/12월 호에서 왜 자신이 가명으로 출판할 생각을 했는지에 대해 인터뷰를 했다. 필명을 쓰는 것은 샐먼 루시디Salman Rushdie에 반대하여 파트와[fatwa, 이슬람 율법에 따른 결정]가 공표된 이후에 필요하게 되었는데, 그것으로 말미암아 루시디 작품을 번역한 일본인이 살해되었고 루시디의 소설 『악마의 시』*The Satanic Verses*를 번역한 이탈리아, 노르웨이 번역가들이 공격을 당했기 때문이다. 루시디 또한 잘 알려진 것처럼 몇 년 간을 숨어 살아야 했다.

언어는 강력한 것이다. '막대기와 돌은 나의 뼈를 부러뜨릴 수 있지만, 말은 절대로 나에게 상처주지 않을 것이다'라는 옛 영어 속담이 있다. 정말로 말도 안 되는 소리이다. 말은 칼보다 더 날카로운 상처를 줄 수 있고, 오랜 시대에 걸쳐 번역가들이 살해 협박을 당한 사실에서 볼 수 있듯이 번역이든 통역이든 어떤 상황에서는 죽음으로 대가를 치를 수 있다.

번역이 필요하다는 것은 개인이 다른 언어 지식을 갖고 있는 사람의 도움 없이는 서로 의사소통할 수 없고, 번역하고 있는 사람의 전문 기술뿐만 아니라 정직함도 믿어야 한다는 사실을 의미한다. 이것은 힘든 일일 수 있다. 얼마 전 나는 차 안에서 라디오로 파키스탄 홍수 희생자들의 인터뷰를 들었다. 한 여성이 몇 문장을 말하는 것을 들었는데 그 문장은 영어로 족히 2분이 되는 연설로 변형되었다. 그 연설에는 그 여자와 가족이 겪는 어려움에 대한 정보뿐만 아니라 홍수 희생자들에게 더 많은 국제적 원조를 보내야 한다는 정보가 담겨 있었다. 나는 실제로 무엇이 번역되었을까 하는 의문을 갖게 되었다. 왜냐하면 그 인도주의적인 메시지가 중요한 것일지라도 시골 아낙의 몇 문장이 열둘 이상의 영어 문장으로 표현되어 국제 원조에 대한 열정적인 탄원이 될 수 있다는 사실은 믿기 힘든 것이기 때문이었다. 이것이 라디오 프로그램이어서 편집을 고려해야 하는 것을 인정한다 하더라도 그 파키스탄 여자의 발화 길이와 통역사 연설의 길이 차이는 당혹스러운 것이었다. 그러한 차이가 처음부터 양쪽에 불신이 있는 상황이라면 얼마나 더 당혹스러울까?

우리는 늘 번역가와 통역사가 필요했다. 특히 분쟁과 국가 간 반목의 시대에는 더욱 그러하다. 전쟁은 무기를 들고 하는 것이지만 평화 조약은 말로 하는 것이고, 협상 테이블에서 양쪽이 서로를 이해하도록 도우면서 긴장과 오해를 해소하고자 하는 사람들이 없다면 그러한 조약을 맺는 것은 불가능할 것이다. 아프가니스탄 통역사들을 잔인하게 살해한 사실에서 우리가 더 나은 세상을 만들고 싶을 때 우리 모두에게 언어 간의 의사소통이 얼마나 중요한지 그 의사소통을 촉진할 능력이 있는 용감한 사람들을 우리 모두는 얼마나 절실히 필요로 하는지 잘 알 수 있다. 통역사들은 큰 위험을 무릅쓰고 통역을 한다. 왜냐하면 통역사들은 특정한 갈등에서 파생되는 적의를 다룰 뿐만 아니라 깊숙이 자리 잡고 있는 타자성에 대한 심리적 두려움을 다루기 때문이다. 그리고 그 두려움은 우리 바깥의, 우리의 적일 수도 있는 타인의 언어, 미지의 언어가 가진 무시무시한 힘에서 나온다. 일상의 업무 속에서 그러한 두려움을 제압해야 하는 용기를 가진 통역사와 번역가들은 우리의 존경과 감탄을 받아 마땅하다.

05

번역은 얼마나 현대적이어야 하는가?

이상한 옛날 영어를 쓰는 것을 종종 선호하는 몇몇 빅토리아 번역가들의 작품을 읽은 적이 있다. ‘yet’, ‘yea’, ‘verily’와 혀 꼬부라지는 복합어로 가득 찬 그들의 영어는 그 전에는 전혀 쓰인 적이 없는 영어 같았다. 이것은 분명 당대의 인기 언어였을 것이고, 원작이 고대 그리스어든 산스크리트어든 상관없이 중세 언어를 모방하여 번역하였다. 그러나 취향은 변하고 가짜 중세주의는 현재 코믹한 것으로 인식되고 있으며 따라서 그러한 번역 작품은 사람들의 시야에서 사라졌고 아마도 영원히 사라졌을 것이다.

그러나 흥미로운 것은 빅토리아 시대 번역가들의 스타일이 아주 오래 지속되었다는 사실이다. 여타 글쓰기처럼 번역의 역사는 특정한 시대 속 특정한 문화의 취향에 대해 많은 것을 말해줄 수 있고, 그 중세 세상은 그것이 가짜든 진짜든 산업적인 빅토리아 시대 영국의 뻗어나가는 도시와 때 묻은 공장들로 일상이 물들어있던 독자들에게 강력한 영향을 끼쳤다. 그러나 오늘날 우리는 현대 언어로, 즉 대부분의 독자들이 이해하기 쉬운 언어로 번역하는 것을 더 좋아한다.

그러나 이런 상황을 보면 번역가가 얼마만큼의 자유를 가질 수 있는지에 대한 질문을 제기하게 된다. 언어는 영원히 변하고, 영어와 같은 언어는 아주 급속하게 변한다. 새로운 단어가 유행하고 그 단어의 의미가 변화하고 사라진다. 우리 집 14살짜리 아이는 무언가를 칭찬할 때, 두 번째 음절에 강세를 주어 'sweet'이나 'wick-ed'라고 말한다. 'Wick-ed'한 영화는 싫다는 뜻이 아니고 정말 재밌게 본 영화를 말한다. 나는 'bad'라는 말이 같은 방식으로, 즉 'good'이란 뜻으로 쓰이는 것을 자주 듣는다. 'well bad'라는 구절은 우리 집에서 종종 들을 수 있는 말이며 어떤 것이 아주 좋다는 뜻이다.

속어, 특히 십대 속어나 직장에서의 속어는 항상 재빠르게 변화해왔다. 사전 편찬자들은 쫓아가는데 애를 먹고 『옥스퍼드 영어 사전』*Oxford English Dictionary*의 새 판은 이전 판에는 없었던 새로운 단어들을 담고 있는데, 그 당시 미디어에서 종종 논쟁이 되는 단어들이었다. 20년 전에는 누구도 'hassled'라는 표현을 쓰지 않았지만 오늘날에는 흔하게 쓰인다. 공산주의 붕괴 이후 유럽 전역에 걸쳐 일어났던 것처럼 사회가 급격한 변화를 겪으면 언어 또한 급격하게 변한다. 나는 아랍어를 모르지만 이라크의 일상어는 변화가 없었던 독재정권 때보다 훨씬 더 빠른 속도로 변하고 있음을 확신한다. 사회 변화와 언어 변화는 상호 연결되어 있으며, 이것은 번역가에게 두 가지 방식으로 영향을 끼칠 수 있다.

첫째, 번역가들은 번역하는 작품을 현대 독자가 쉽게 접근하도록 하고자 하는 압박감을 느끼지만 어떤 종류의 현대어를 사용할지 결정해야 한다. 영국 코미디언 사차 코헨Sacha Cohen이 연기하는 알리 지Ali G의 영어는 지금은 웃기지만 가까운 미래에는 웃기지 않을 것이고, 이블린 워Evelyn Waugh의 『다시 찾은 브라이즈헤드』*Brideshead Revisited*에 나오는 옥스퍼드 대학생들의 언어처럼 시대에 뒤떨어진 것처럼 들릴 것이다.

둘째, 번역가들은 당시에 급격하게 현대적인 것으로 여겼던 작품을 번역할 수도 있고 따라서 대등한 수준의 현대성을 나타내는 방법을 찾으려는 압박감은 더욱 커진다. 아리스토파네스Aristophanes는 고대 그리스 극작가였지만 동시에 당대에 자신의 사회의 중추를 건드릴 수 있는 풍자가였다. 그의 연극을 번역하는 사람은 현대 영어만 선택해야 할까? 아니면 더 나아가 현대 사회에서 아리스토파네스의 정치 농담의 대응어를 찾도록 노력해야 할까? 종종 연극 번역가들은 후자를 선택하고 현시점에서 의미 있는 것들로 가득한 웃긴 번역물을 만들어낸다. 그러나 문제는 이러한 번역은 아주 빨리 구식이 되어 끊임없이 수정해야 한다는 것이다. 연극 번역이 다른 형태의 번역보다 더 빨리 구식이 되는 것은 흥미롭다. 이것은 번역가가 사용하는 구어의 즉각성과 또 어떤 경우에는 가리키는 대상이 순식간에 옛날일이 되어 버리는 속성과 연결되어 있음이 틀림없다.

한 작품이 고대나 중세시대의 것이라면 번역가는 번역되는 언어에서 어떤 방식으로든 그 작품이 옛날 것이라는 사실을 표시해야 한다고 주장하는 번역가들이 있다. 이것이 빅토리아 시대의 관점이었지만 중세화 유행이 사라진 주요 이유는 번역가들이 언어를 새로 발명해야 했고 누구도 그 번역가들이 자신의 번역물에 쓴 가짜 중세 영어를 말하지 않았고 그 결과물은 독자에게 설득력이 없었기 때문이다. 나는 번역이 참되게 들리고 잘 읽히려면 번역가는 자신의 언어로, 환상이 아닌 현실에 뿌리를 둔 언어로 글을 써야 한다고 생각한다.

무엇보다도 종교 텍스트를 현대화할지 결정을 내릴 때 현대화가 특히 문제가 된다. 최근에 나는 일주일 동안 세 곳의 교회를 갔었다. 가톨릭 신도들은 기도문을 외워서 그 단어들을 아주 잘 알 때에만 낼 수 있는 속도로 기도문을 읊었다. 그러나 라틴어 미사를 배우며 자라서 어렸을 때 배운 기도문을 다시 배워야 했던 신도들이 있었다. 영국 성공회 교회에서도 마찬가지로 신도는 모든 대답을 외웠지만 내가 찾아갔던 한 작은 성공회 교회에서 예배의 순서가 적힌 인쇄물이 우리에게 전달되었는데 그 인쇄물을 받아든 신도들은 혼란스러워 보였다. 주기도문을 읽을 때 나를 포함한 신도들 반이 우리가 오랫동안 알았던 기도문을 암송했다. 나머지 반은 인쇄된 종이 위에 다르게 적힌 기도문을 읽었다. 두 개의 영어가 그 교회에서 울려 퍼졌다.

교회를 현대화하자고 열렬히 주장하는 사람들이 있다. 언어적 측면이나 다른 면에서 시대와 함께 나아가지 않는 교회는 입지를 잃을 것이고 젊은 세대와 멀어질 것이라고 사람들은 주장한다. 그러나 그 주장은 아마도 설득력이 없었던 것 같다. 이는 내가 볼 때 예배의 일부분만이 더 현대적인 언어로 바뀌었고, 그 현대적인 것으로 보이는 것도 여전히 일상 언어와는 동떨어진 것이기 때문이다. 기도문은 현대화해도 왜 찬송가는 그렇지 않은지 나는 궁금해졌다. 축구 팬들은 「주여 나와 함께 하소서」Abide with me를 관람석에서 즐겨 부르지만 그것은 현대 영어가 아니다. 나는 재미 삼아 축구 팬들이 사용할 수 있는 그런 종류의 영어로 1절을 번역해 보았다. H. F. 라이트H. F. Lyte, 1793~1847가 쓴 찬송가 원본은 다음과 같다.

Abide with me; fast falls the eventide:
The darkness deepens; Lord with me abide!
When other helpers fail, and comforts flee,
Help of the helpless, O abide with me.

내 번역은 다음과 같다.

Stay with me; night's coming on quickly:
It's getting much darker; stay with me, Lord.
When other helpers bottle out and you're really stuck,
Help the helpless, and stay with me, will you?

여기서 나는 어떤 것을 주장하기 위해 일부러 익살스럽게 하고 있다. 리듬은 찬송가에서 중요한 것이고 운율 또한 그렇지만 내 번역은 리듬도 운율도 없다. 그러나 리듬 또한 기도문에서 중요한 요소이고 리듬보다 더 중요한 것은 사회 속에서 의례의 역할을 수행하는 언어에 담긴 힘이다. 기도문의 의례적 언어를 시대에 맞게 새롭게 고치는 것이 더 많은 젊은이들에게 다가가고자 하는 목적을 달성하는 것인지, 아니면 그것이 그 의례적인 언어를 무시하게 되는 것인지는 앞으로 풀어야 할 숙제이다. 사람들은 정말로 'forgive us our trespasses'라는 구를 이해하지 못하는 걸까? 'forgive us our misdeeds'라는 구는 현대화가 원하는 기능을 달성하는 것인가? 현대화가 그렇게 중요하다면 왜 스포츠 이벤트에서 즐겁게 찬송가를 부르는 대중에게는 중요한 문제처럼 보이지 않는 걸까?

언어의 현대화는 번역가뿐만 아니라 모든 사람들에게도 영향을 끼친다. 우리 모두는 각자 확고한 의견을 갖고 있다. 우리 중 일부는 텍스트의 구식 버전에 매달리고 문법과 발음의 옛 규칙을 버리는 것을 거부하는 것은 현대 사회와 멀어지는 바람직하지 못한 표시라고 믿는다. 또 어떤 사람은 새로운 용어를 끊임없이 만들고 많은 사랑을 받은 텍스트에 손을 대고 현대성을 추구하는 것이야말로 전통적인 가치를 버리고 길을 잃은 사회의 표시라고 생각한다. 현실은 아마도 그 두 극단 사이 어딘가에 있을 것이다. 말을 다루는 번역가에게 딜레마는 전통과 현대화 사이의 균형을 어떻게 맞추는지, 언제 현대화하고 언제 내버려 둬야 하는가를 아는 것이다. 번역가의 과업에 대한 여러 특징에서 알 수 있듯이 모든 사람들을 만족시키는 것은 불가능하다.

06

번역가의 신분 불안

외국어를 다루는 사람이라면 꼭 만나게 되는 경험이 있다. 어딘가에 평화롭게 앉아 있을 때면 누군가가 전화를 하거나 벨을 누르거나 혹은 사람들 많이 있는 곳에서 다가와 뭔가를 번역해 달라고 부탁하는 것이다. 종종 그들이 번역해주길 원하는 것은 아주 복잡한 법률 문서, 사용 설명서, 과학관련 논문 따위의 것들이다.

프랑스 도르도뉴 강의 한 전원적인 마을 카페에서 친구와 함께 앉아 있었던 적이 생각난다. 그 때 그 곳에 사는 한 미국인으로부터 집 증축에 대한 건축업자의 견적서를 번역해 달라고 부탁받았다. 모든 글이 손으로 씌어졌고 모국어인 영어로도 이해할 수 없을 것 같은 전문 용어들이 있었다. 해외별장은 사람들로부터 이러한 충동을 이끌어내는 것 같다. 내 책상에 우연히 찾아 들어온 타인의 사유지에 대한 통행권 관련 프랑스어 서류, 포르투갈어 토지 분쟁 서류, 이탈리아어 공증인 서류들이 있었던 것이 생각난다.

왜 이렇게 행동하는지는 번역을 향한 사회의 태도에서 알 수 있다. 번역을 하지 않거나 더 심하게는 다른 언어를 전혀 알지 못하는 사람들은 번역가는 전지전능한 힘을 가졌다고 생각하는 것 같다. 주제가 무엇이든 우리에게 서류를 던져주기만 하면 우리는 이해할 만한 영어 텍스트로 바꿔 놓을 것이라고 그들은 생각한다. 그런 사람들은 우리 중 많은 번역가들이 우리말로도 전문 용어를 이해할 수 없을 거라는 생각을 하지 못하는 것 같다. 또한 번역을 훌륭하게 해내기 위해서는 전문 번역가들을 고용해야 할 거라는 생각도 못한다.

전문의가 아닌 일반 진료를 하는 의사GP나 치과의사인 친구들이 비슷한 행동에 대하여 불평을 한다. 사람들은 언제나 파티에서 그 친구들에게 다가와 세 번째쯤 와인을 비우면서 생생하게 증상을 얘기하며 진단을 해달라고 부탁한다. 내 생각엔 이것이 그야말로 그 직업이 갖는 위험 중의 하나이지만 번역가에 관한 한 그 상황은 조금 다르다. 모든 사람들이 계속 질문하며 조를 때조차도 의사를 존경하지만 번역가에게는 이중의 태도로 대한다. 번역가들이 자신을 위해 해석할 능력이 있음을 인정하면서도 그런 사람들은 그 능력이 돈으로 지불할 만한 가치가 있는 것으로 보려 하지 않는다. 또한 외국어 서적을 읽고서 얘기할 때 번역가의 이름이 아니라 작가의 이름만 언급할 것이다. 번역가가 없었다면 그 책을 전혀 읽을 수 없었을 텐데 말이다.

요즘 난 약 20년 전 나의 생각을 열렬히 전파하던 시절보다 번역가의 열악한 현실에 더욱 더 짜증이 난다. 그 당시 나는 프리랜스 번역 세계에서 겪은 끔찍한 경험으로 상처받은 지 얼마 안 되었던 때였는데 가는 곳마다 기회만 생기면 번역가의 역할의 중요성을 선포하였다. 전문가 단체의 안전망 밖에서 번역 주문을 받을 때 번역가들이 겪는 푸대접을 보게 되었다. 한 번은 영화 스크립트를 번역하느라고 며칠을 보냈는데, 그 스크립트는 더 이상 계속할 만한 가치가 없기 때문에 서로 동의한 번역료의 극히 일부만 제작자가 준다는 사실을 나는 알게 되었다. 이것은 내 잘못이 아니라 처음부터 그 영화 대본이 아주 형편없었기 때문이라고 항의했지만 말다툼을 한참 하고 나서도 원래 금액의 겨우 반만 받을 수 있었다. 여러 번 내 번역은 어떤 인정도 받지 못하고 출판되었고 내가 처음으로 번역한 책의 교정쇄가 도착했는데, 원저자와 그 시리즈 편집자의 이름은 큰 활자로 인쇄되어 나왔지만 내 이름은 제목 페이지 맨 아래 괄호 안에 있었다. 나는 이것을 불평하며 뉴욕에 본사가 있는 출판사에 격정적인 편지를 써 보냈고, 딱 한번 나의 항의가 받아 들여져 내 이름은 출판본에 제대로 나왔지만 그 일로 인해 나는 번역가가 평판 좋은 출판사에게도 어떤 대접을 받는지 많은 것을 알게 되었다.

희곡을 번역해달라고 부탁받은 영국의 많은 번역가들은 자신의 작품이 조롱 받고 난 다음 살짝 수정을 하고나서는 본인을 번역가라고 선언하는 유명한 극작가들에게 넘겨지는 것에 대해 불만을 토로한다. 이 불행한 상황은 영국의 고유한 현상인 것 같으며, 종종 '문자' 번역을 '공연할 수 있는' 번역으로 둔갑시키는 데 극작가의 손이 필요하다는 제작자들의 정당화 시도는 내가 보기에 비윤리적이다.

문학 저널과 신문의 평론가들 또한 그 상황에 도움이 되지 않는다. 최근에 나는 모린 프릴리Maureen Freely가 오르한 파묵Orhan Pamuk의 최근 소설을 번역한 것에 대한 평론을 보았고, 두 사람의 이름이 나란히 내가 읽은 모든 평론에 실려 있는 것을 보고 기뻐했다. 이것은 흔치 않은 경우인데 ≪인디펜던트≫와 같은 신문들이 소설을 영어 독자들이 읽을 수 있게 하는 번역가의 역할에 적절한 관심을 보여주고, 심지어 매년 소설 번역상을 후원할 정도로 관심을 갖지만 대부분의 평론가들은 번역가를 무시한다. 번역가의 이름이 언급되는 곳에서조차 도 평론가들은 마치 번역된 적이 없는 것처럼 그 소설에 대해 종종 얘기한다. 어떤 경우 번역은 번역가의 이름이 어디에도 실리지 않고 출판된다. 2003년 <인디펜던트 외국문학상>Independent Foreign Fiction Prize의 응모작 중의 한 작품은 번역가 이름을 올리지 않은 출판사가 제출한 것이었다. 당연히 그 작품은 최종 후보자 명단에 이름이 올라가지 않았다.

그러나 이러한 상황이 지속되는 이유는 많은 번역가들이 자신의 역할을 바라보는 애매한 태도 때문이기도 하다. 많은 번역가들은 이름이 알려지는 것을 원하지 않고 원저자처럼 비중 있게 다루어지는 것도 원하지 않으며 자신의 역할을 창조가 아닌 도와주는 것 정도로밖에 안 본다. 이러한 점에서 번역가들은 많은 교수들이나 종합병원의 전문의가 탐내는 대중의 인지도를 열망하지 않고, 대신 세간의 주목 밖에서 훌륭하고 전문적인 일을 하는데 만족하는 교사나 간호사에 비유될 수 있을 것이다. 많은 번역가들이 눈에 띄지 않고자 하는 바람이 문제의 핵심이다.

최근에 나는 번역은 기술craftsmanship이라고 표현한 글을 썼다. 기술이 아닌 예술이라고 말했어야 했다고 주장하는 번역가 친구한테 혼났다. 이 지점에서 우리는 명백한 오해가 있었는데 번역에 관련된 기술을 강조함으로써 업적을 폄하하는 것이 아니라 번역가의 기술을 칭찬하는 것이 나의 의도였기 때문이었다. 가구 제작이나 패션 디자인이 기술적이고 동시에 창조적인 것처럼 번역이 창조적인 것이라고 해서 기술이 아닌 것은 아니다. 내 친구와 나의 의견 차이에는 용어적인 문제가 있지만 언어에 관한 논쟁이 그러하듯이 항상 더 심층적인 의미가 있다. 이런 경우 문제는 인식이다. 왜냐하면 내 친구는 번역을 기술로 묘사하는 것은 번역의 중요성을 감소시키는 것이라고 느꼈기 때문이었다.

이름표에 집착하는 세상에서 번역의 중요성과 위상을 강화하는 언어를 사용할 것을 주장하는 내 친구의 말은 옳다. 그럼에도 많은 번역가들은 번역이 기술이라는 견해에 만족하는데, 그 이유는 번역가의 기술이란 주재료를 깊이 이해하고 오랜 기간 동안 훈련을 받아야 하는 것을 뜻하기 때문이다. 물론 번역가가 이용하는 주재료는 언어이다. 흥미로운 것은 많은 나라에서 연극을 만드는 사람들이 연극의 '예술성'art이나 심지어는 '기술성'science에 대해 말해도 영어권에서 그렇게 말하는 사람은 드물다는 것이다. 대신 영국에서는 좀 더 실용적으로 '작품'work이라는 말을 쓰는 편이어서 예술이냐 기술이냐 하는 논쟁을 완전히 피해간다.

용어 논쟁이나 많은 번역가들의 소망, 즉 번역을 계속하면서 조용히 눈에 띄지 않으려는 그들의 희망사항과는 별도로 중요한 것은 우리가 사는 세상에서 번역가들이 중요한 존재라는 메시지를 번역에 종사하는 우리가 직접 알리는 것이다. 번역은 마땅히 받아야 할 인정을 받지 못하는 것 같다. 여전히 번역가의 보수는 형편없고 불규칙적이고 사람들은 아직도 그릇된 번역관을 갖고 있지만 만약 지구상의 모든 번역가가 하룻밤 사이에 사라진다면 세상은 지금보다 훨씬 더 엉망이 될 것이다. 번역의 중요성을 깨닫지 못하는 단일 언어 구사자들이 듣고 응답하길 바라면서, 나는 지금도 번역의 중요성이라는 복음을 전파하는 것이 나의 의무라고 생각한다.

07

번역은 문학에 영향을 끼친다?

며칠 전 문학 논평을 읽다가 한 평론가가 쓴 구절 하나가 눈에 들어왔다. 그는 어떤 작가가 몇 가지 출처의 영향을 받았다고 적고 있고, 또한 그 작가의 작품에 영감을 주었다고 생각하는 서너 명의 작가 이름을 올리기도 했다. 영감을 준 작가들은 외국인이었으며 작품을 외국어로 썼기 때문에 나는 영향이라는 아이디어에 대해 생각하기 시작했다. 그리고 평론가가 어떻게 그렇게 확신할 수 있는지 궁금해졌다. 그가 논의하는 작가가 그 언어들을 알지 못했다면 영향을 받은 것이 무엇이든 분명 번역을 통해서였을 것이다. 그러나 그 점에 대해서는 전혀 언급이 없었다.

비교문학을 공부하던 학부시절 '영향 연구'influence studies라고 대략적으로 알려진 어떤 분야가 있었다. 어떤 비평가는 영향을 추적하는 것이 문학 작품 비교에 핵심적인 것이라고 보았고, 반면에 어떤 사람은 영향관계를 증명하는 것은 불가능하다고 주장하였다. 그러나 여기서 번역의 상관성에 관해서는 그 누구도 논하지 않았다. 어떤 작가가 원문으로 외국 작가들의 작품을 읽는 것이 분명하다 하더라도 실제로 많은 작가들은 그렇지 않다는 점 또한 분명하기 때문이다. 19세기 말 노르웨이의 입센Ibsen과 스웨덴의 스트린드베리Strindberg의 희곡이 많은 작가들에게 큰 영향을 끼칠 수 있었던 것은 모두 번역의 덕이었다. 왜냐하면 그 나라 밖에 사는 어느 누구도 노르웨이어나 스웨덴어를 이해하는 것이 거의 불가능했기 때문이다.

문학 비평에서 번역은 천덕꾸러기이며 그러한 사실은 비교문학처럼 넓은 분야에서 보면 특히 억울한 일이다. 번역은 현재 포스트식민주의 연구라는 각광받는 분야에서 마땅히 인정받아야 할 만큼 비중 있게 다뤄지지 않는다. 사람들은 문학 작품이 문화 사이에 투명하게 이동할 수 있고, 어떤 식으로든 한 시공간에서 다른 시공간으로 스며들 수 있다고 생각하는 것 같다. 비록 문학 작품이 스며들지 못하는 장벽, 즉 언어라는 장벽을 통해 지나가야 하는 데도 말이다. 비평가들과 평론가들은 그 번역 과정에서 이러한 단계를 고려해야 하는데, 왜냐하면 언어적 전환의 복잡성과 번역가의 역할을 고려하지 않는다면 한 작가가 다른 작가에게 영향을 끼친다고 주장하는 것은 어불성설이기 때문이다.

만약 우리가 문학사를 넓은 범위에서 고려해 보면 한 컨텍스트에서 다른 컨텍스트로 이동하는 글의 움직임에서 번역이 핵심적으로 중요하다는 사실을 바로 알 수 있다. 글쓰기에 혁신과 변화가 많은 위대한 시기는 항상 어떤 방식으로든 번역과 연관되어 있다. 종교개혁은 주로 번역가들 사이의 논쟁이었다고 누군가는 말했다. 물론 번역은 르네상스 때에도 중요했다. 유럽의 낭만주의는 번역을 통해 퍼져나갔고 맥퍼슨Macpherson과 바이런Byron이 중앙 유럽, 남유럽, 동유럽의 문학에 영향을 끼친 것은 그 지역의 많은 작가들이 영어를 알았기 때문이 아니라 영감의 원천으로 사용했던 번역 작품들이 훌륭했기 때문이다. 종종 한 작품이 번역되면 새로운 독자층은 읽기가 가능해지고 다르고 새롭고 흥미진진한 것처럼 보이는 그 번역에서 영감을 찾는다. 그런 다음 그 새로운 독자층 출신의 작가들은 번역으로 읽은 것을 자신의 컨텍스트에 맞추고 자신의 역사와 전통을 인정하면서 자신만의 개인적인 창조의 여행을 떠난다. 이런 방식으로 소네트 형식이 유럽 전역에 재빠르게 퍼져나갔고 각각의 언어는 용도가 다양한 소네트를 전통이 각기 다른 기존의 스타일들에 맞추었다. 일찍이 이런 방식으로 초기 중세 시대의 위대한 서사시는 발전하고 변형되었으며 그리하여 그 옛 프랑스 서사시 영웅인 롤랑이 마침내 시실리아 인형극의 주인공이 되기도 했고, 그 미지의 웨일즈와 브르타뉴 출신의 아서 왕은 서양 도상학의 핵심 인물이 되었다. 수년 간 외국 문학의 접근이 제한적이었던 중국에서 이러한 일이 현재 발생하고 있으며, 그 번역 호황은 많은 새로운 작가들과 함께 창의성의 급격한 증가를 입증한다.

작가들은 항상 서로서로 아이디어를 빌리고, 따라서 영향은 글쓰기 예술에 본질적인 것이라고 말할 수 있다. 여러 언어를 사용하는 아르헨티나 작가 보르헤스Borges는 '예술가는 작품이 자기 자신이나 다른 사람들로부터 생겨났을 수 있다는 사실과 작품의 완벽성에도 신경을 쓴다'고 말한다(2002b: 9). 셰익스피어가 자신의 플롯을 어디에서 가져왔든 분명히 여러 언어를 번역한 것이 어딘가에 포함되었을 것이다. 괴테는 동양에서 영감을 찾았고 제임스 조이스James Joyce는 모든 곳에서 빌렸다. 1918년 에즈라 파운드Ezra Pound, 1963: 194는 작가들에게 '가능하면 많은 예술가들의 영향을 받아야 하지만 신세진 것을 공개적으로 인정하거나 아니면 숨기는 예의를 갖춰야 한다'고 권고하는 글을 썼다. 이러한 파운드의 위트 있는 충고는 모든 글쓰기의 중심에 있으며, 그는 대부분의 작가보다 번역의 중요성을 더 깊이 알고 있었다. 파운드의 위대한 업적인 『칸토스』*The Cantos*는 비범하고 뛰어난 역작이며, 또한 세계 문학에 대한 백과사전적 지식을 담고 있으며 자신이 알지 못했던 언어로 더 읽고자 갈망했던 한 시인이 오랜 시간에 걸쳐 쓴 작품이다.

제 1차 세계 대전 직전 파운드는 다른 예술가들과 함께 작업하며 소용돌이vortex라 불렸던 에너지의 창조적인 원천이라는 아이디어를 생각해냈다. 이 작가들은 '영향'을 직선 모양, 즉 A에서 B로 옮길 수 있는 것으로 보지 않고, 소용돌이치는 위대한 에너지라는 개념을 제안하였다. 그 소용돌이를 통해서 그 안에서 그리고 그 위로부터 아이디어가 빠른 속도로 급증할 수 있다는 것이다. 아이디어가 돌진할 때 독창성과 파생의 경계선이 녹아 버리고, 그래서 누가 먼저 어떤 것을 생각해냈는지, 출처, 차용, 모방에 관한 것이나 충실성과 비충실성에 관한 주장은 빛이 바랜다. 이것은 흥미롭고 그 시대에 전형적인 이미지이며 한 시대의 철학을 요약해준다. 지나고 나서 보니 오늘날의 글로벌 네트워크 세상의 출발점처럼 보이기도 한다. 오늘날의 지배적인 이미지는 소용돌이보다는 네트워크, 웹, 교차, 지도, DNA 모델 같은 것이겠지만, 과학의 이미지를 통해 창조적인 힘을 설명하려고 노력한 개념이라는 점에서 똑같다.

파운드는 영향이라는 아이디어에 관한 한 특히 흥미로운 사례를 제시한다. 1915년 파운드는 중국학자 어니스트 페넬로사Ernest Fenellosa가 쓴 메모와 이백의 표의문자에 달린 주석을 바탕으로 번역한 『중국』*Cathay*이라는 이름의 번역 모음집을 출판하였다. 만약 페넬로사가 없었다면 번역되지 못했을 것임이 분명하지만 이 시들이 과연 '번역'이라고 정의될 수 있는지 의견이 분분했다. 나는 언어 간 전환 과정이 포함된 만큼 『중국』은 번역이라고 생각한다. 그러나 이 시들이 성공한 것은 파운드의 시적 능력만큼이나 그 시들이 나타난 시기의 덕도 보았는데, 이것은 영향의 패턴을 수립하려고 노력할 때마다 봉착하는 또 하나의 어려움이다. 파운드가 고대 중국 텍스트에서 재창조한 절망, 슬픔, 상실의 이미지가 제 1차 세계대전 전쟁터의 공포로부터 끔찍한 충격을 받았던 독자들의 심금을 울렸던 것이다. 유명한 「국경 수비대의 슬픔」Lament of the Frontier Guard이라는 시는 완전히 현대적이다. 다음과 같다.

I climb the towers and towers
To watch out over the barbarous land:
There is no wall left to this village.
Bones white with a thousand frosts,
High heaps, covered with trees and grass;
Who brought this to pass?
Who has brought the flaming imperial anger?
Who has brought the army with drums and with kettle-drums?

나는 탑과 탑을 오른다
잔혹한 땅 너머로 지켜보기 위해
이 마을에는 담이 하나도 남지 않았다.
천 개의 성에가 있는 뼈,
나무와 잔디로 덮여 있는 높은 더미들
누가 이것을 허하였는가?
누가 이 불타오르는 제국의 분노를 가져왔는가?
누가 드럼과 케틀드럼을 가진 군대를 데려왔는가?

파운드의 『중국』은 전 세대의 심금을 울렸고, 그래서 중국어에서 번역된 무명의 시 모음집은 전쟁의 잔인함과 불합리에 저항하는 슬픔으로 읽히는 작품으로 변형되었다. 서구 독자를 위해 동양 시 번역을 추구하던 파운드는 무심코 자기 세대의 위대한 전쟁 시인 중의 하나가 되었다.

문학을 전파하는데 번역의 중요성은 과소평가되지 말아야 하며, 당연히 무시당하지도 말아야 한다. 최근에 학생들과 한스 안데르센Hans Christian Andersen 동화작가의 작품에 대해 논의한 적이 있다. 올해가 그의 탄생일 200주년이다. 번역이 없었다면 이 작가는 자신의 나라 밖에서 알려지지 않았을 것임은 더없이 분명하고, 전 세계에서 그가 누린 명성의 정도는 (종종 익명의) 번역가들의 노고에 있는 것이다. 안데르센의 경우 덴마크어가 상대적으로 알기 어려운 사실을 고려한다면 번역물은 종종 제 3의 언어를 번역해서 만들어졌지만 그 과정이 어떠하든 세계 최고의 정전 동화작가 중의 한 사람인 안데르센의 영향력은 번역가들의 노고를 통해 생겨난 것이다.

나는 문학 연구 전반에서 번역이 마땅히 받아야 할 관심을 받는 날이 어서 오기를 바란다. 아직도 관심을 받지 못하다니 정말 이상한 일이다. 우리에겐 해외여행, 글로벌 커뮤니케이션, 서로 참조하고, 문화를 가로지르는 영향이라는 개념을 받아들일 능력이 있어 보인다. 그렇다면 무엇이 우리가 이러한 모든 교류를 궁극적으로는 번역에 관한 것이라고 생각하는 것을 가로막는 것인가?

08

번역의 도구, 사전

나는 이 사전 저 사전에서 뭔가 찾아보지 않고는 절대로 일주일을 그냥 넘기는 법이 없다고 언젠가 말한 적 있다. 매일매일 유의어 사전도 사용한다는 사실도 덧붙일 수 있다. 모든 종류의 사전, 이를 테면 압운 사전, 두 언어 사전, 다양한 언어로 된 단일 언어 사전, 용어색인, 유의어 사전, 장소이름 사전은 어느 작가에게든 글 솜씨를 기르는데 필요한 기본적인 도구이다. 그러나 나는 사전에 의존하는 것을 인정하는 것이 당혹스럽다고, 내가 '사전을 사용한다고 커밍아웃해줘서' 고맙다고 말한 사람들의 이메일을 여러 번 받은 적이 있다. 한 유명 작가는 소위 엘리트 문학 모임에서 비판받고 열등감을 느낀 적이 있다고 말했다. 그 모임에서 사전에 의존하는 작가들은 무능하다고 조롱받았다는 것이다.

지난 주 그 같은 일이 또 있었는데, 이번에는 사전이 글 솜씨를 향상시키는 데 근본적으로 중요하다는 사실을 단언한 작가가 수상경력 있는 북아일랜드 시인이자 번역가 키아란 카슨(Ciaran Carson, 2002)이라는 점이 다르다면 달랐다. 그 작가는 사전을 항상 사용해야 한다고 생각하는 작가에게 문제가 있는 것이 아니라, 사용하지 않는다고 생각하는 작가들이 문제가 있다고 정말로 재치 있게 주장했다! 키아라 카슨 작가는 나보다 한발 더 앞서 나가 인터넷으로 단어를 찾기도 한다. 우리는 사전을 사용할 단계는 지났다고 생각하는 외국 유학생들은 모든 글쓰기가 번역이든 아니든 다른 글쓰기처럼 몇 년에 걸쳐 다듬어져야 할 기술이라는 사실과 실패나 성공의 경험은 끊임없는 연습과 잘 다음어진 훌륭한 도구에 기초한다는 사실을 이해하지 못한 것이라는 데 둘 다 동의했다. 사전이 바로 그러한 도구인 것이다!

영어처럼 방대한 어휘를 갖고 있는 언어로 일을 할 때 완전히 유의어는 아니지만 유의어에 가까운 단어들이 있음을 알게 된다. 거의 똑같기 때문에 어휘가 더 적은 언어로 번역할 때 똑같은 말로 번역되겠지만, 'listening'(듣기)이라는 단어는 'hearing'(들리기)이라는 단어와 완전히 똑같은 것이 아니고, 'glitter'(반짝거리다)와 'glisten'(반들거리다) 역시 서로 같은 말이 아니다. 이러한 사실은 영어는 시, 아이러니, 유머에 어울리는 언어임을 말한다. 이는 약간의 의미 차이가 있는 단어들이 절묘하고 아주 효과 있게 사용될 수 있기 때문이다. 그러나 아주 다양한 단어가 있는 것도 문제를 일으킬 수 있다. 물의 소리를 담을 수 있는 단어를 찾으려 최근에 나는 사전을 많이 이용했다. 찾기 힘들었다. 나는 스칼란 하우스Scalan House에 대한 시를 쓰는 중이다. 그 장소는 자코바이트Jacobite 봉기가 잔인하게 진압된 이후 얼마 안 남은 가톨릭 신부들의 신학 대학 역할을 했던 스코틀랜드 북쪽에 위치한 특별한 곳을 말하며, 거기에 있는 풍경의 소리를 전하고 싶다. 그곳에서 걸을 때 들리는 것은 바람, 물, 새의 소리뿐이지만, 시냇물 소리를 표현하려고 할 때마다 자꾸 상투적인 표현만 쓰게 된다. 롱펠로우Longfellow는 물이 솟구치고 몸부림치는 것에 대해 썼고, 어떤 시인들은 웃는 개울에 대해 썼고, 다른 이들은 더 많은 라틴어 단어를 선택했으며, 테니슨Tennyson은 다음과 같이 가장 유명한 개울을 우리에게 선보였다.

I chatter over stony ways
In little sharps and trebles,
I bubble into eddying bays,
I babble on the pebbles.

나는 돌길 위에서 재잘거린다
반음 높고 높은 소리로
나는 소용돌이치는 만(灣)으로 졸졸 흐르고,
나는 조약돌 위에서 흐른다.

나는 물소리의 느낌을 주고 또한 그곳의 엄숙함을 인식하는 단어를 원한다. 다른 시행, 'the hiss of grass in the wind'(바람에 흔들리는 잔디의 쉬익 하는 소리)와 짝을 이루는 개울이 내는 소리에 대한 단어가 필요하다. 'hiss'는 그 소리뿐만 아니라 다소 어둡고 불길한 느낌을 주기 때문에 일부러 선택하였다. 스칼란 하우스는 한편으로는 역경에서 살아남은 이야기이며 또 한편으로는 피로 얼룩진 역사가 있는 곳이다. 또한 그 곳에서 몇 마일도 채 안 떨어진 컬로든Culloden에서 대량학살이 일어났다. 그렇다면 어떤 단어 하나가 그렇게 많은 층의 의미를 옮기기 위해 사용될 수 있을까? 당연히 스코틀랜드 시냇물에 babbling을 사용할 수 없으며, 그래서 나는 'gabbling'을 써 봤지만 이 단어는 즉각적으로 완전히 받아들일 수 없는 어떤 어리석은 느낌을 주었고, 'burbling'도 마찬가지다. 유의어 사전을 찾아보니 'blabbering, blethering, cackling, gaggling, gibbering, gurgling, gushing, jabbering, murmuring, prattling, rattling, spluttering, spouting, sputtering, yabbering, yattering'이 있었지만 그 어떤 것도 충분하지 않은 것 같다. 계속 찾아봐야 할 것 같다.

그러나 위 목록에 따르면 영어는 흐르는 물을 별로 존중하지 않는다. 이들 단어 어느 것도 자애롭지 않으며, 모든 단어가 어떤 식으로든 지나치거나 어색한 소리와 연결되고 최악의 경우 어리석음과 좋아봤자 가벼운 마음 정도와 연결된다. 왜 이럴까? 궁금하다. 이탈리아어는 물을 훨씬 더 존중하지만 이것은 아마도 이탈리아어의 운율 패턴이 본질적으로 매우 듣기 좋고, 그런 운율 패턴이 아주 많이 존재하기 때문일 것이다.

훌륭한 문학번역가는 각각의 언어를 다르게 다룰 줄 알고 각각 언어의 서로 다른 능력을 본능적으로 이해할 수 있어야 한다. 유사 동의어는 영어 작가에게 멋진 도구이고 훌륭한 번역가는 그것을 최대한 활용할 수 있어야 한다. 훌륭한 번역가는 한 언어에서 가능한 것과 다른 언어에서 가능한 것 사이의 균형을 맞출 수 있어야 하고 위대한 번역가는 번역을 읽는 독자가 원본의 힘을 반드시 유의미한 방식으로 느낄 수 있도록 해야 할 것이다.

키아란 카슨은 수상 경력이 있는 시인이자 번역가이며, 단테의 『지옥』*Inferno* 편을 번역하여 2003년에 바이덴펠트Weidenfeld 번역상을 수상하였다. 상을 수상한 이유는 간단하다. 특히 다른 가치 있는 학술적 번역과 비교해 보면 그렇다. 아들에게 카슨 번역을 읽으라고 주었더니, 아들은 이 책은 진짜 시처럼 읽히는 번역이라고 했다. 32번째 칸토의 첫 시행들을 그 시인이자 번역가가 어떻게 번역했는지 알아보기 위해 로버트 덜링Robert Durling의 존경할 만하지만 지루한 산문체 번역과 비교해 보자. 그 칸토에서 단테는 두려움에 떨며 지옥 밑바닥으로 내려가고 그곳의 공포를 표현할 단어를 찾으려고 애쓴다. 여기 그 이탈리아 시가 있다.

S'io avessi le rime aspre e chiocce
come si converrebbe al tristo buco
sovra'l qual pontan tutte le altre rocce,
 io premerei di mio concetto il suco
più pienamente; ma perch'io non l'abbo,
non sanza tema a dicer mi conduco:
 ché non è impresa da pigliare a gabbo
descriver fondo a tutto l'universo,
né da lingua che chiami mamma or babbo.

위 시행에는 아주 많은 일들이 일어나고 있다. 단테는 차마 표현할 수 없는 것을 표현하기 위해 거친 소리가 나는 단어들을 사용하고 마음 상태가 그러하여 그는 어린 시절로 돌아간다. 말문이 막혀 단테는 이 추잡한 장소를 표현하는데 다른 종류의 언어가 필요함을 암시하며 어린 시절로 돌아간다. 덜링은 그것을 무미건조하게 아래와 같이 번역한다.

If I had harsh and clucking rhymes such as befit the dreadful hole
toward which all other rocks point their weight,
I would press out the juice from my concept more fully; but because I lack them, not without fear do I bring myself to speak;
For it is no task to take in jest, that of describing the bottom of the Universe, nor one for a tongue that calls mommy and daddy.

카슨의 전략은 다음과 같이 다르다.

Had I some wild barbaric rhetoric
to suit the gloom of this appalling pit

> which takes the weight of stack on stack of rock
> I would extract more meaning from the pith
> of what I saw within; but since I don't.
> with trepidation do I take this path
> of words; for to describe the fundament
> of all the world is no mere bagatelle,
> nor is it depth for baby-babble meant.

카슨은 이탈리아어 소리 형태를 재생산할 수 없음을 알기에 이미지가 있는 다른 종류의 소리를 선택한다. 영시 전통을 이용하는 'the weight of stack on stack of rock'가 그 예이다. 우리는 또한 마지막 세 시행에서 카슨이 셰익스피어처럼 쓰는 것을 알 수 있다. 나는 그에게 그 작품에 대해 말을 건넨 적이 있는데, 그는 자신에게 중요한 것은 한 작품이 어떻게 들리는지, 즉 음악성과 리듬이라고 말했다. 이 점을 예증하기 위해 그는 『지옥』 편의 첫 몇 줄을 읊었으며, 자신이 단테의 세계로 들어가는 것을 상상하는 방식으로 전통적인 아일랜드 음악에 관한 자신의 전문 지식을 이용하였다. 피렌체에서 추방된 단테와 그의 생명을 위협하기 전에 있었던 그 격렬한 내부 반목을 생각하면서, 카슨은 단테의 세상과 피의 일요일Bloody Sunday 이후 몇 년간의 북아일랜드 벨파스트를 비교하였다. 또한 단테가 지옥에 영원히 갇힌 수십 명의 등장인물들에게 자신의 목소리로 이야기할 수 있는 마지막 기회를 주는 것처럼 번역가도 단테가 지옥으로 내려가면서 각 층에서 들리는 다양한 말하기 스타일을 염두에 둬야 한다고도 말했다. 이 다양성을 번역하기 위해 카슨은 주변 사람들이 말하는 방식을 이용하고 그 이탈리아 중세 서사시 번역에 그 말하기 방식의 리듬을 넣으면서 자신의 일상을 활용한다. 한 평론가는 '통속 풍자시'가 어떻게 단테 언어의 거친 결과 함께 '찌르는 듯한 원본의 박자'가 어우러져 움직이는지에 대해 글을 썼다. 그 논평은 이 특별한 번역가가 이뤄낸 것을 평가하는데 매우 적절하였다.

나는 카슨이 프랑스 시인과 18세기 아일랜드 시인을 번역한 작품을 아직 읽지 못했다. 그러나 그의 단테 번역을 읽었고 카슨과 우리 번역 워크숍에서 일했기에, 그 번역 작품들이 시인으로서 그의 재능뿐만 아니라 소박하지만 본질적인 배움의 끝없는 과정에서 사전을 기꺼이 사용하고자 하는 그의 의지를 보여주고 있다고 자신 있게 말할 수 있다. 사전을 사랑하는 우리를 조롱하는 사람들의 말은 들을 가치가 없다. 만약 항상 사전을 찾는 것 때문에 열등감을 느낀다면 그러지 마라. 대신 자랑스러워해라!

09

번역 혹은 번안?

지난 몇 달 간 나는 고故 계관 시인 테드 휴즈Ted Huges에 관해 글을 썼다. 내가 그 작가를 아주 많이 존경하는 이유는 자신의 세계관에 영향을 주었던 자연과 어린 시절을 보낸 요크셔 풍경에 대해 쓴 그의 시 때문이기도 하고 그의 훌륭한 번역 때문이기도 하다. 오비디우스Ovid의 『변신』*Metamorphoses*을 번역한 그의 『오비디우스 이야기』*Tales from Ovid*는 큰 성공을 거두어 1997년 출간되었을 때 베스트셀러 목록에 진입하였다. 1998년 그가 죽기 얼마 전의 일이었다. 그 사실만으로 어떤 점을 알 수 있는데, 로마 시대 고전을 번역한 작품이 항상 시

내 중심가의 서점에서 수백 권씩 팔리는 것은 아니기 때문이다.

그러나 그 성공은 최근의 초청 강연에서 휴즈의 번역에 대한 나의 발표가 끝났을 때 누군가가 나에게 휴즈는 '번역가가 절대로 아닙니다'라고 말하는 것을 막을 만큼 충분하지는 않았다. 나는 왜 안 되는지 물었고 그 사람은 번역을 한 것이 아니라 번안adaptation을 한 것이고 따라서 그것은 진짜 번역이 아니라고 말했다.

이런 주장을 설복시키는 것은 매우 어렵다. 번역이 어디서부터 더 이상 번역이 아니고 번안이 되는지에 대한 논쟁은 수십 년 동안 지속되었지만, 그 둘 사이의 차이에 대한 적절한 정의를 줄 수 있는 사람을 나는 아직 만나보지 못했다. 그 구분은 다른 언어로 번역된 텍스트가 원본에서 얼마나 멀어지는가에 대한 정도의 차이에 있는 것 같다. 다시 말해 만약 알아볼 수 있을 만큼 원본과 가까운 것처럼 보이면 번역으로 분류될 수 있지만 원본에서 멀어지기 시작하면 번안으로 봐야 한다는 것이다. 그러나 문제는 그 번역이냐 번안이냐의 표식이 바뀌기 전에 번역가는 얼마나 원본과 가까워야 하고 얼마나 멀리 떨어져야 하는가이다.

나는 늘 이 구분이 마음에 들지 않았다. 원본을 출발점으로 이용했음을 분명히 하고 그 사실을 자신의 번역 작품에 표시한 작가들은 괜찮다. 에즈라 파운드Ezra Pound는 『섹스투스 프로페르티우스에 대한 경의』*Homage to Sextus Propertius*에서 '경의'homage라는 용어를 썼고, 영감을 위해 그 라틴어 작품을 이용했다는 것을 아주 분명하게 표시하였다. 사소한 문제에 신경 쓰는 학자가 파운드는 원본에 충실하지 않았다고 불평하면 자신은 절대로 번역물을 만들 의도를 가진 적이 없다고 잘라 말하면서 파운드는 그 비난에 맞섰다. 더 최근의 경우로는 2004년 조세핀 발머Josephine Balmer가 번역과 자신의 시를 혁신적인 방식으로 결합한 두 권의 책을 내 놓으며 둘 다 카툴루스Catullus를 자신의 출발점으로 삼고 아주 의미심장한 제목을 다음과 같이 붙인 일을 예로 들 수 있다. 『카툴루스를 쫓아서』*Chasing Catullus*와 『사랑과 증오의 시』*Poems of Love and Hate*이다. 그 두 저서에 카툴루스와 조세핀 발머 둘 다 함께 저자의 이름으로 제시된다. 그 책의 광고 문구는 우리는 '경계 영역, 즉 시와 번역 사이의 중간 지대'에 있다고 적고 있다. 이것은 이상한 표현이다. 발머는 분명히 다른 작가의 창작품과 관계를 맺으면서 자신의 창조성을 발휘하고 있는 것이기 때문이다. 중간 지대라는 것은 없다!

어떤 작가는 무슨 작품에 '근거를 둔' 또는 'X의 작품에서 온' 또는 무슨 작품에서 '번안된'과 같은 문구들을 사용하지만, 작가가 번역을 했다고 주장하면, 그렇게 봐야 한다고 나는 생각한다. 발머는 번역한다고 주장한다. 내 생각에 그녀는 번역을 하는 것이다. 원본의 실제 단어와 얼마나 가까운지에 상관없이 말이다. 번역은 원본과 절대로 똑같을 수 없기 때문에 그 옮기는 과정에서 어떠한 것도 변하지 않을 만큼 그렇게 충실할 수는 없다. 그렇게 하는 것은 그야말로 불가능하다. 언어는 다르다. 그러므로 능숙한 번역가는 원본을 새로운 독자를 위해 재구성하는 방식을 찾는다. 카툴루스의 경우처럼 어떤 때에는 원본자체에 의심스러운 것이 많아서 번역가가 판단을 해야 하고 의식적인 선택을 해야 한다. 발머는 원본이 실제로 무엇을 말하고 있는지에 대한 확신이 없어 더 이상 어떤 분명한 해석도 내놓지 못했다고 말한 학자의 사례를 인용한다. 게다가 어떤 '원본'은 그것 자체가 번역일 수 있다. 카툴루스 시 중의 하나는 실제로 사포 Sappho 시인의 그리스어를 번역한 것이고, 이것을 번역하기로 고민할 때 발머는 영어 독자가 '그들에게 제시된 것은 세 번째 손을 거친 버전'이라는 사실을 어떤 방식이든, 의식적이든 무의식적이든 알게 해야 하는 게 아닌지 고민한다. 그리고 만약 카툴루스의 시 51Poem 51이 그리스어를 번역한 것이라면 영어로 쓰인 것은 무엇인가? 번역의 번역인가? 번안인가? 메타번역 또는 어떤 다른 잡종인가?

번역이냐 번안이냐 하는 논쟁은 항상 문학 텍스트 주변에서만 집중된 것 같다. 예를 들면 법률 서류를 번역할 때 그 누구도 이 두 텍스트가 분명하게 다르다 할지라도 번안을 했다고 불평하지는 않을 것이며, 고객은 의도된 독자의 문화 스타일과 관례에 따라 그 서류를 다시 썼다는 것을 인정할 것이다. 편지를 쓰는 관례를 배우는 어떤 초보자도 직설적인 영어 표현 'Yours sincerely'이 그 편지가 프랑스어나 이탈리아어로 번역될 때 다른 종류의 수사로 옷을 갈아입어야 한다는 것을 재빨리 알아채게 될 것이다. 그러나 아무도 편지가 변형되는 것에 불평을 하지 않으며 오히려 사람들은 이것이 필요하다고 생각한다. 그렇다면 왜 우리는 문학 작품에 있어서만 유독 집착하는가? 모든 번역가들에게 어느 정도의 자유를 누릴 수 있다고 생각하는 것도 거부하면서 논쟁에 불을 붙이고 똑똑한 사람들을 참호에 웅크리고 앉아 있게 하는 것은 도대체 무엇인가?

여전히 만연된 잘못된 번역관에서 해답의 일부를 찾을 수 있다. 왜냐하면 번역은 단순한 언어적 전환의 과정이 아니기 때문이다. 그것은 두 단계의 활동이며 첫 번째 단계에서는 주의 깊은 읽기, 두 번째 단계에서는 솜씨 있는 글쓰기를 포함한다. 번역 작품이 주어질 때 우리가 쥐고 있는 것은 한 사람의 원본 읽기이다. 설사 그 차이점이 크지 않다하더라도 스무 명의 다양한 번역가들은 스무 편의 다양한 번역을 생산할 것이다. 왜냐하면 스무 가지의 서로 다른 읽기와 그 읽기를 글로 옮기는 노력이 포함되어 있기 때문이다. 번역가가 원본을 해석한 것은 최종 생산물에 반영될 것이다. 게다가 그 최종 생산물은 사실상 원본의 다시쓰기rewriting일 것이다. 앙드레 르페브르André Lefevere가 아주 유익하게 주장했던 것처럼 말이다. 다시쓰기인 번역은 어쨌든 번역이 원본과 똑같아야 한다는 어리석은 생각을 뛰어넘도록 도와준다. 절대로 똑같을 수 없다. 왜냐하면 언어적·문화적 차이를 지닌 번역가의 참여가 그것을 보장하기 때문이다. 다시쓰기라는 개념 또한 우리가 번역/번안의 구분을 피하도록 도와주기도 한다. 우리가 일단 한 텍스트가 한 언어에서 다른 언어로 이동할 때 무엇이 발생하는지 받아들이고 나면 번역과 번안 사이의 경계선을 세우려는 것은 더 이상 의미가 없다.

언어 교육이 번역에 관한 잘못된 편견에 대해 많은 책임이 있다. 왜냐하면 언어 교육에서 번역은 텍스트를 '재생산'함으로써, 즉 그것을 원본에 가능하면 가깝게 만듦으로써 다른 언어에 대한 지식을 테스트하는 기계장치로 종종 보이기 때문이다. 훌륭한 번역가들은 이런 종류의 연습을 뛰어 넘고 자신의 창의력을 동등한 선상에 가져다 놓는다. 그래서 테드 휴즈가 고전 텍스트를 전문적으로 다루는 노던 브로드사이즈Northern Broadsides 극단에서 공연하기 위해 에우리피데스Euripides의 『알케스티스』*Alcestis*를 영국의 북부 영어로 번역했을 때 그는 그리스 연극의 탁월한 현대 버전을 창조했다. 그는 어떻게 요크셔 언어 패턴의 기원이 중세 언어가 될 수 있는지에 대해 자주 말을 했었다. 이제 에우리피데스를 번역하면서 그는 현대 청중의 기대에 부응하기 위해 전통적인 형식과 언어를 변형시키고 동시에 고대 영문학 전통에 뿌리를 둔 작품을 창조하였다. 그리하여 그는 현대 영국 배우들이 공연할 수 있는 연극을 만들었다. 이런 종류의 작품이 어떻게 번역으로 여겨질 수 없는지 참으로 이해하기 어렵다.

1960년대 테드 휴즈와 다니엘 바이스보르트Daniel Weissbort는 『현대 번역시』*Modern Poetry in Translation*라는 저널을 출범시켰다. 이 저널 덕택에 전 세계의 많은 시인들이 영어 독자를 만날 수 있었다. 그 저널은 지금도 소중한 자원이고 읽는 즐거움을 선사한다. 그리고 내가 특히 좋아하는 것은 작품에 대한 번역가들의 간략한 평이다. 최근호에는 안나 아흐마토바Anna Akhmatova의 시를 멋지게 번역한 글이 있으며, 중요한 것은 그 시를 번역한 사람들 중에 두 사람이 러시아어를 모른다고 인정했다는 점이다. 콜레트 브라이스(Colette Bryce, 2005)는 다음과 같이 아주 중요한 말을 한다. 그녀에게 성공적인 시 번역은 '긴장과 음악은 번역이 불가능하기 때문에 그것들을 새롭게 성취하는 것'에 달려 있다는 것이다. 그녀는 글을 쓸 때 시 속에 '산다'inhabit고 설명하면서 그 관계를 강조하며, 자신이 번역가로서 어떻게 작업하는지 설명한다. 번역 결과물은 원작과 똑같이 특별한 시를 짓기 위해 번역가가 사용하는 창의성이라는 용액을 원본과 혼합한 것이다.

정말로 우리는 번역이 어디에서 끝나고 번안이 어디에서 시작되는지에 대해 이제 그만 싸워야 할 때이다. 훌륭한 번역은 원본처럼 읽히고 어쩌면 원본과 다른 방식으로 또는 어쩌면 비슷한 방식으로 우리를 놀라게 하고 감동을 주고 즐겁게 할 것이다. 그러나 훌륭한 번역은 항상 어딘가, 즉 다른 문화, 다른 시간에서 쓰인 것의 다시쓰기일 것이다. 그리고 다시쓰기의 정도가 번역가의 책임이기에 우리는 번역가를 더욱 더 믿고 그들이 하는 일의 가치를 인정해야 한다.

10

스타일 번역

최근에 나는 루이스Louise와 아일머 모드Aylmer Maude가 번역한 톨스토이의 『전쟁과 평화』*War and Peace* 옥스퍼드 판을 읽었다. 창피하지만 과거에 그 책을 읽어 본 적이 없다. 그래서 나는 그 소설이 낯설지 않고 제인 오스틴Jane Austin의 울림이 있는 것을 보고 깜짝 놀랐다. 이것은 전혀 예상치 못한 것인데, 왜냐하면 제인 오스틴은 일반적으로 톨스토이와 비교하면 불리한 것이 폭넓은 역사적 파노라마가 아닌 제한된 가족 주위 환경에 관해서만 쓰는 작가이기 때문이다. 그럼에도 읽고 있던 톨스토이 번역이 놀라운 것은 오스틴 스타일 언어로 쓰인 가족 관계의 오스틴 스타일의 디테일이었다. 문제는 이러한 스타일의 특징이 원래 톨스토이의 러시아어에도 있는 것인지 아니면 번역가들을 통해 들어간 것인지이다. 아마도 대답할 수 없는 두 번째 질문은 다음과 같다. 번역 과정에서 무엇이 추가되고 추가되지 않았는지 과연 나는 알 수 있을까?

우리는 번역가를 신뢰해야 한다. 번역가는 우리가 모르는 언어로 쓰인 텍스트를 옮겨서 쉽게 읽을 수 있는 언어로 가져온다. 우리 모두는 마치 외국 문학을 직접 읽고 이해할 수 있는 것처럼 말하는 것을 좋아하고, 그래서 '얼마 전에 『전쟁과 평화』 읽었어'라고 말하면 모든 사람들은 내가 톨스토이를 러시아어로 읽었다고 말하는 것으로 생각한다. 그러나 물론 나는 톨스토이를 읽은 것이 아니다. 러시아어를 모르기 때문이다. 나는 번역을 읽었다. 번역가가 창조한 톨스토이를 읽은 것이며, 내가 톨스토이 영어 번역에서 알아챈 제인 오스틴의 울림은 그 번역가에 의해 의식적으로든 무의식적으로든 거기에 놓인 것이다.

특정 텍스트에 대한 논의에서 한 발짝 물러나 번역은 무엇인지 의견을 맞추어 보도록 하자. 내가 번역에 관해 지적하고자 하는 첫 번째 사항은 번역은 다른 텍스트와 관계하여 존재하는 텍스트라는 것이다. 언제나 출발점이 있고, 우리는 그것을 원본original이나 출발source 또는 다른 무언가로 부른다. 만약 없다면 번역이 아닐 것이다. 대신 또 다른 원본이 될 것이다. 게다가 번역이 사전의 도움으로 단순히 단어를 옮기는 것 그 이상의 것을 포함하는 복잡한 활동이라는 사실에 동의하는 것이 중요하다. 『번역과 권력』*Translation and Power* 서론에서 마리아 티모코Maria Tymoczko와 에드윈 겐츨러(Edwin Gentzler, 2002: xxi)는 번역 과정의 복잡성을 다음과 같이 깔끔하게 요약한다.

> 번역은 단순히 충실한 재생산의 행위가 아니라, 그보다는 선택, 모음, 구조화, 제작이라는 고의적이고 의식적인 행위이며, 심지어는 변조하고 정보를 거부하고 위조하며 비밀 코드를 창조하는 경우도 있다.

문학적 실제로서 번역은 저자authorship 형식을 포함하며 번역가의 의사결정도 포함하고 물론 번역가의 다시쓰기도 포함한다. 이 점을 설명하는데 나의 번역이 도움이 될 것이다. 아르헨티나 작가 알레한드라 피사르니크Alejandra Pizarnik가 쓴 짧은 시 「피에스타」Fiesta의 첫 두 시행은 어떤 특정한 번역 문제를 제기하였고, 그것 때문에 나는 그 여류작가의 글을 많이 번역하였다. 그 문제를 해결하는 것이 매우 매혹적이었기 때문이다. 문제는 등가와 관련되었는데 단지 단어 대 단어 등가가 아니라 스타일과 시적 효과의 측면에서 본 등가이다. 피사르니크는 다음과 같이 썼다.

> *He desplegado mi orfandad*
> *Sobre la mesa, como un mapa.* (Bassnett과 Pizarnik, 2000)

직역하면 아래와 같다.

> I laid out my state of being an orphan
> Across the table, like a map.

위 직역에 추가로 두 가지를 수정했다. 첫째, 나는 잘 알려져 있지 않은 단어 'to unfurl'을 사용했는데, 지도를 펼치는 움직임의 느낌을 전달하기 위해서였다. 두 번째, 나는 orfandad를 번역하기 위해 'homelessness'를 택하였다. 'orphanhood'와 같은 단어를 선택할 수도 있었지만 그건 너무 극단적인 것 같아서 독자들이 정말 그것이 맞나 의아해 하고, 그래서 피사르니크가 모든 작품에서 이용한 많은 핵심어 중의 하나의 의미를 잃을 것 같았다. 결국 나는 'homelessness'를 선택했는데, 이유는 비록 어린 시절 버려진 것을 암시하지는 않아도 어디에도 속하지 않는 느낌을 줄 수 있기 때문이다. 또한 'homelessness'는 강력한 영어 단어라고 생각하는데('home'은 'house'와 비슷한 말이다), 물리적이고 감정적인 것 둘 다 포함하기 때문이다. 그 시인의 시 모양을 영어로 유지하는 것이 관건이었다. 그 시인은 항상 인쇄된 종이에 깔끔한 작은 공간을 차지하는 짧은 시를 썼기 때문이다.

우리는 번역이 변형이 일어나는 과정이라는 사실에 모두 동의할 것이다. 한 언어에 존재하는 글은 다른 것으로 변형된다. 원래 독자는 사라지고, 다른 곳, 다른 시대에 사는 새로운 독자들이 대신한다. 그 새로운 독자들이 읽을 때 다르게 읽을 것이며 독서 행위가 일어나는 시대상황도 또한 달라진다. 부활절에 이라크에서 영국 군대를 위한 예배가 열렸고, 그들이 부른 찬송가 중의 하나는 옛 빅토리아 시대 사람들이 가장 좋아하던 노래, 「저 멀리 푸른 언덕이 있네」There is a green hill far away였다. C. F. 알렉산더1823-1895가 쓴 찬송가이며 예수님이 십자가에 못 박힌 것에 관한 내용이다.

There is a green hill far away
Without a city wall
Where our dear Lord was crucified
Who died to save us all.

저 멀리 푸른 언덕이 있네
도시 성벽도 없고
그곳에 우리의 주님이 십자가에 못 박혀
우리 모두를 구하기 위해 돌아가셨네.

이 찬송가는 윌리엄 블레이크William Blake가 「예루살렘」Jerusalem에서 사용한 똑같은 이미저리를 이용하는데, 그 시에서 '잉글랜드의 푸른 산'은 신비스러운 변형을 통해 성지Holy Land와 동일시된다. 그러나 2003년 이라크에서 그 이미지는 다른 의미를 얻었는데, 신비스런 메시지가 아니라 머나먼 고국에 대한 향수의 메시지를 전하며 '번역되었다'. 이 똑같은 과정이 다른 컨텍스트에서도 수없이 일어났을 것이다. 이상화된 영국의 푸름이라는 이미지가 노래하는 사람들에게 고국을 기억나게 했던 것이다. 움베르토 에코Umberto Eco, 2001가 지적하듯이 번역은 주로 명시적 의미와 관련된 것이 아니라 함축된 의미와 관련된 것이며, 단어가 다른 컨텍스트에서 획득하는 함축된 뜻은 번역에서 매우 중요하다.

몇 년 전 나는 웨스토니아Westonia라고도 알려진 엘리자베스 웨스톤Elizabeth Weston, 1582~1610이라는 영국 인문주의 시인이 쓴 시를 번역하여 출판하였다. 그녀는 평생을 프라하에서 보냈고 라틴어로 글을 썼다. 「비가 끊임없이 내린 뒤의 프라하의 침수에 관하여」Concerning the flooding of Prague after constant rains는 환경에 관한 시 선집에서 출판되었는데, 작가는 이 출판을 결코 상상하지 못했을 것이다. 여기서 번역가가 직면한 딜레마는 처음에 출판된 책에서 시 한 편을 빼내어 현대 주제가 있는 모음집에 넣는 것이 윤리적으로 타당한가였다. 나는 그렇게 할 수 있다고 정당화했다. 그녀 시의 주제나 인생 이야기로 보건데 웨스토니아가 오늘날 살아 있다면 아마도 정치적으로 활발하게 활동하고 세상일에 관심이 많았을 것이라고 판단했기 때문이다. 나는 또한 그녀의 『파르테니콘』*Parthenicon* 마지막 판본이 18세기 중반에 나온 이후로 그 작품이 읽히지 않고 시들해지면서 이제 새로운 독자층이 그 작가를 재발견할 때가 되었다고 생각했다.

현재 웨스토니아를 번역한 뛰어난 영어본이 있다. 그러나 그 책은 학자를 위해 쓰인 것이고, 그래서 정확하긴 하지만 시적이지는 않다. 마지막 몇 행을 비교해 보면 번역가들이 이용한 다양한 전략을 알 수 있다. 아래 내 번역에서는 리듬이 중요하다.

> A boat ploughs through the square, a fish defiles God's shrine;
> runaway waters lap the altar steps.

Dazed crowds stand by, their garments streaming wet,
they grieve to see the wreck of all they own.
Such a sight it was to see the Molda range;
so like the flood that Deucalion knew.
Oh Jove, who tames wild monsters of the deep,
incline your head and down these many woes. (Weston, 1991: 48)

고전을 언급하는 말들이 홍수의 공포와 어우러져 있고 홍수는 교회를 휩쓸고 집과 생명을 파괴했다. 학술 번역본의 주석에 따르면 그 데우칼리온과 홍수는 오비디우스의 『변신』*Metamorphoses*에 나온다고 한다. 그 시는 직역하면 다음과 같다.

A skiff ploughs the main square; a fish defiles the shrines of the gods;
the altar drips with receding floods.
The crowds stand astonished
but with soaked clothing,
and grieve at the total loss to these strange woes.
Such was their expression, viewing angry Moldau;
the waves were like those of Deucalion.
Jehovah, you can tame the sea's monsters and their mad furies;
submerge all these woes with your nod. (Weston, 2000)

엄격히 말하면 두 번째 번역은 언어적 등가의 측면에서 더 정확하지만 나의 번역은 스타일에 집중했다. 나는 오늘날 시로 인정받을 수 있는 작품을 만들고 싶었다. 비록 웨스토니아가 사용한 모든 수사적, 형식적, 지시적 기술이 번역될 수 없다 하더라도 말이다. 그녀는 라틴어 시 형식의 대가였고, 짧은 인생 동안 유럽에서 가장 훌륭한 라틴어 시인 중의 한 명이었다. 나의 번역은 어떤 점에서 보면 부적절해 보일지라도 현대 독자에게 그녀의 시적 능력의 어떤 느낌을 전하고자 했다.

윌리스 반스톤Willis Barnstone, 1993은 「시 번역의 알파벳」ABC of Translating Poetry이라는 재치 있는 글을 썼으며 그 글은 번역가를 위한 중요한 충고를 담고 있다. 그는 시 번역가는 시인이어야 한다고 주장한다. 시에서 중요한 순간은 시가 언어를 바꿀 때이며, 그 시적 특징이 반드시 이해되도록 하는 것이 번역가의 책임이라는 것이다. 번역가(그에 의하면 시인이자 번역가)는 항상 현대어를 사용하고 의고체擬古體를 피해야 한다고 다음과 같이 말한다. '옛 작가들은 현대어로 들을 때만이 수 세기 전 자신의 시대를 잃지 않을 것이다'(Barnstone, 1993). 번역가-시인의 능력이 제약에 의해 테스트를 받는다고 말한 그의 발언이 합당한 것처럼, 이 조언도 합당하다. 때때로 원본에 너무 가까이 붙어 있어 결과물은 문자 그대로인 지루한 시가 되기도 한다. 그럼에도 문제는 원본이 부과하는 제약을 결코 잊으면 안 된다는 것이다. 반스톤은 원저자가 설정한 한도 내에서 일하면서 동시에 창조적이고자 애쓰는 역설에 관한 아름다운 이미지를 제시한다. '중국 사람들은 제약에 묶여 있으면서도 동시에 상상력으로 일하는 위대한 당나라 시인들의 방식을 "족쇄에 묶여 춤추기"라고 부른다.'

족쇄에 묶여 춤을 춘다는 개념은 우리가 작가의 개인적인 스타일을 번역할 때의 어려움을 생각해 보면 알 수 있다. 때로 번역은 도착 언어에 적절한 형식이 없기 때문에, 그러니까 상응하는 스타일적 전통이 없기 때문에 성공할 수 없다. 이탈리아어로 번역된 제인 오스틴Jane Austen의 작품이 이 경우에 해당하는데, 번역가들이 최선을 다해 노력했음에도 오스틴 작품은 예를 들면 에밀리 브론테Emily Brontë와 같은 인기를 결코 얻지 못했다. 왜냐하면 영어 독자들이 그렇게 사랑하는 오스틴의 특별하고 아이러니한 대화는 이탈리아 독자의 기대에 부응하지 못하기 때문이다. 영국 전통의 픽션과 에세이 글쓰기의 18세기 위트와 아이러니가 제인 오스틴에게 끼친 영향이 그녀의 천부적인 재능과 결합되어 그녀는 영어로 글 쓰는 가장 위대한 소설가 중의 한 명으로 자리매김할 수 있었다. 이탈리아어 번역에서 오스틴은 <밀즈 앤드 분>Mills and Boon 출판사가 내는 그런 종류의 엉터리 플롯의 작은 규모의 소설을 쓰는 중요하지 않은 여류 소설가 같은 인상을 준다.

그러나 때로 번역가는 불가능한 것을 해내고 새로운 스타일, 새로운 형식, 새로운 언어를 소개한다. 이러한 현상은 에즈라 파운드Ezra Pound가 1915년에 『중국』*Cathay*이라는 글을 출판한 이후 영어로 번역된 중국시에 나타났다. 파운드는 획기적인 번역가였고 많은 고대어 및 현대어를 번역했지만 동시에 논쟁의 중심에 선 시인이었으며 여전히 그러하다. 파운드는 어니스트 페넬로사Ernest Fenellosa와 일본 학자 가이난 모리Kainan Mori가 직역한 것을 바탕으로 그 중국 시를 지었다. 그러니까 파운드는 매개 없이 번역할 만큼 잘 알았던 이탈리아어나 라틴어 또는 프로방스어로 번역한 것과 다르게 간접적으로 번역을 했던 것이다. 파운드는 중국어나 일본어를 잘 알지 못해서 그리고 원본을 고의적으로 자기 목적을 위해 바꿔서 자주 비판을 받았다. 내가 파운드(1963)를 옹호할 때는 바로 원본을 바꿀 때마다 그 결과물이 아름다운 경우이다. 파운드는 스타일에 대한 관심 때문에 그리고 영어 독자를 위해 미학적으로 즐거운 번역을 하고자 하는 희망 때문에 그렇게 번역하였고 성공하였다. 그의 번역은 중국성에 대한 영어 담론을 만들고 중국어 번역에 기준을 마련하였다. 조지 스타이너(Geroge Steiner, 1992: 377)는 파운드의 『중국』에 실린 시 몇 편을 '걸작'이라고 칭하는데 '언어의 느낌을 바꾸고 현대 시를 위한 억양 패턴을 설정했기' 때문이다. 스타이너는 T. S. 엘리엇(1987)이 파운드의 중국어 번역을 '반투명'이라 표현한 것을 긍정적으로 보고, 전반적으로 파운드 시의 성공은 영어 독자들의 신뢰에서 기인한다고 주장한다. 영어 독자들은 파운드와 아서 웨일리Arthur Whaley의 번역이 서구 독자들의 모든 기대를 만족시킨 언어로 썼음을 인정했기 때문이다. 달리 말하면 중국시가 어떠해야 하는지에 대한 것은 이미 독자들 마음에 존재했고 파운드는 그 기대를 십분 충족시켰던 것이다.

파운드는 또한 영국인의 의식consciousness과 중국인의 의식이 어떻게 서로 다른지에 대해 글을 쓰려고 부단히 노력했다. 예를 들면 유럽 사람에게 어떤 것을 정의해달라고 하면 대개 추상 쪽으로 향할 것이다. '붉은색'을 정의하라고 하면 유럽 사람들은 색의 과학적 설명에 의존하려고 한다면 중국 사람들은 표의문자 형식으로 돌아간다. 그리하여 '붉은색'은 붉은 모든 것의 축약된 그림이 된다. 이를테면 플라밍고, 장미, 철의 녹과 체리 같은 것들 말이다. 파운드의 주장에 따르면 자신이 알아볼 수 있는 두 개의 다른 과정이 작동 중이었지만, 중국어는 페넬로사가 전에 말했듯이 '계속 시적이어야 했다. 그야말로 시적일 수밖에 없지만 영어 글은 시적이지 않았다'(Pound, 1960: 22)고 한다.

파운드는 독자에게 새롭게 보는 방식, 그리고 새롭게 읽는 방식을 보여줌으로써 새로운 스타일의 시를 영어에 성공적으로 도입하였다. 그의 성공은 의심할 여지가 없다. '하이쿠'는 많은 언어에서 문학적 형식으로 받아들여졌고 스타일에 관한 파운드의 실험은 다른 많은 작가들에게 길을 열어 주었던 것이다. 그는 독자에게 시 형식에 대한 일반적인 기대를 깨는 미지의 언어로 쓰인 미지의 작품과 씨름하도록 격려하였고 그것은 성공적이었다. 멕시코 작가이자 번역가인 옥타비오 파스Octavio Paz에 따르면 사실 파운드는 스스로의 번역을 통해 영어로 현대시를 쓰기 시작했다고 한다. 또한 파운드의 현대시는 이미지즘Imagism 스타일의 글쓰기를 영어에 도입하기도 하였다.

파운드는 다른 많은 작가들보다 번역이 문학에 새로움을 들여오는데 중요한 역할을 한다는 사실을 더 잘 알고 있었지만, 또한 번역의 한계도 충분히 알고 있었다. 솔직한 그의 의견은 논쟁을 불러일으키기도 했다. 예를 들면 그는 개빈 더글러스Gavin Douglas의 베르길리우스 번역이 라틴어 원본보다 더 훌륭하다고 말했지만 '만족할 만한 번역본이 없기 때문에'(Pound, 1960: 58) 영어 독자들이 고대 희랍어가 어떠한 것인지 배울 곳이 없다고 불평하기도 하였다. 찰스 톰린슨(Charles Tomlinson, 1982) 시인은 파운드가 개빈 더글러스에게 한 말을 받아 번역본이 실제로 도착어권 문학으로 들어갈 만큼 성공적인 것은 변형이 있었기 때문이며, 즉 어떤 신비스런 방식으로 되찾을 수 있는 과거의 어떤 것이 유의미한 현재로 변형되었기 때문이라고 말했다. 톰린슨은 『아이네이스』*Aeneid*를 번역한 더글러스 번역이 1513년, 그러니까 플로든 필드Flodden Field에서 스코틀랜드 군대가 비참하게 패배했던 해에 완성이 되었다고 지적한다. 불안정하고 무질서한 시대에 살던 독자들은 파운드의 중국어 번역에 담긴 강력하고 매우 감동적인 이미지에 반응하였다. 그러한 번역의 성공에는 자신의 세상에서 일어나고 힘겨운 사건들을 받아들이려 애쓰는 독자들을 위해 머나먼 곳에서 쓰인 작품을 재창조하는 번역가의 능력이 핵심적인 역할을 했다.

우리가 번역을 통해 텍스트가 조작되는 방식을 분석하고 번역 행위 속에 존재하는 많은 문화적, 이데올로기적 요소를 고려하지만 궁극적으로는 번역가를 잊지 않는 것이 중요하다. 번역가는 종종 고립 속에서 일하며 문학 시스템의 제약에 맞서 싸우고 선택을 제한하고 새로운 것을 축소시키는 시장의 요구와 싸우기 때문이다. 우리는 번역가들을 믿고 존경하고 새로운 형식과 새로운 글쓰기 스타일, 새로운 관점을 도입하여 문학을 부활시키는 번역가들의 중요한 역할을 인정해야 한다.

11

창작과 번역

나는 문학과 번역을 가르치며 오랜 시간을 보냈지만 왜 번역가와 작가가 우리 문화 속에서 두 개의 서로 다른 실체로서 보여야 하는지 아직도 이해할 수 없다. 결국 문학번역가도 독자를 만족시키기 위해 글을 잘 쓸 수 있어야 한다. 사실 번역가들이 다른 작가의 작품을 다시 '쓰는'write 것인데 '작가'writer라는 타이틀을 허용하지 않는 것은 이상해 보인다. 오르한 파묵Orhan Pamuk이라는 터키 작가가 현재 비평가들에게 칭찬을 받는 것은 부분적으로는 그의 문학적 재능 때문이기도 하지만, 또한 그의 작품을 영어로 번역한 모린 프릴리Maureen

Freely, 그 역시 호평 받는 소설가의 문학적 재능 때문이기도 하다. 문학상 심사위원들이 파묵의 작품에 상을 줄지 말지 고민하고 있을 때, 실제로 그들이 고려하고 있는 것은 프릴리의 파묵 번역이다. 그 번역가는 그의 영어 작가인 셈이다. 마찬가지로 러시아 소설에 영감을 받았다고 주장하는, 영어로 글을 쓰는 모든 작가들은 사실 그들이 읽은 '번역 작품'에 대해 얘기를 하고 있는 것이다. 나는 톨스토이 작품이 러시아어로 어떻게 쓰였는지 전혀 모른다. 그의 작품을 읽을 수 있던 건 전적으로 그의 번역가들, 주로 콘스탄스 가넷Constance Garnett을 통해서이다.

2006년 피터 부시Peter Bush와 나는 유명한 번역가들의 글을 모아 공편저하였고, 그 번역가들 모두에게 작가로서 일한 경험에 관해 논의해 줄 것을 요청하였다. 『글 쓰는 번역가』 *The Translator as Writer*라는 이름의 그 책은 어떻게 문학번역가들이 일을 하는지, 그리고 번역하는 텍스트의 원저자들과 비교하여 스스로를 어떻게 인식하는지 탐색한다. 몇몇 번역가는 살아 있는 작가들을 번역하여 그들과 함께 일한다. 다른 번역가들은 오래 전에 죽은 작가들을 번역하는데, 종종 이전에 여러 번 번역된 적 있는 권위 있는 인물의 작품을 번역한다. 그러나 번역가의 일은 여전히 똑같다. 즉 한 작가의 작품을 새로운 독자에게 가져오고 읽기의 즐거움이 제 2언어에서 효과적으로 재생산되도록 하는 것이다.

위 책을 계획한 주된 이유는 작가의 역할과 번역가의 역할 사이에 어떤 합당한 구분이 있는지 탐색하는 것이었다. 다양한 종류의 글쓰기 사이의 경계선은 아주 불분명하며 문학번역가에게 필요한 창의성은 한 가지 언어를 쓰는 작가에게 필요한 창의성보다 적지 않다는 것을 알 수 있었다. 다른 점은 번역가와 작가가 처음에 자신의 일에 다가가는 방식이다. 즉 번역은 다른 누군가가 쓴 작품을 자세히 읽는 예비적 단계를 포함할 수밖에 없다. 앤시어 벨Anthea Bell은 작가나 번역가가 무슨 이론을 갖든 두 경우의 최종 생산물 사이에는 차이가 설사 있다 하더라도 거의 없다고 지적한다. 조세핀 발머Josephine Balmer는 한 발짝 더 나아가 '작가의 글은 번역가의 글을 이끌고, 지속된 실제 속에서 그 두 개는 구분되지 않는다'(Balmer 2006: 184-195)고 선언한다.

창작과 번역의 이러한 불가분성은 일단 우리가 주로 소설, 연극, 시를 쓴 것으로 기억하고 있지만 번역도 했던 많은 위대한 문인들의 경력을 살펴보면 분명해진다. 현대는 알렉산더 포프*Alexander Pope*를 위대한 풍자가로 보지만 그는 생전에 호메로스의 가장 성공적인 번역가 중의 한 사람으로서 갈채를 받았다. 번역은 문학의 역사를 형성하는 힘으로서 중요성을 가지는데 비평가들은 그 중요성을 경시하며 유명한 작가들이 만든 번역 작품들의 중요성을 미처 보지 못했다. 작가 조지 엘리엇George Eliot이 독일어 작품을 번역한 뛰어난 번역가이고, 스피노자Spinoza의 『윤리학』*Ethics*을 포함하여 몇몇 중요한 철학 저서를 번역했다는 사실을 기억하는 사람이 있는가? 실로 새뮤얼 테일러 코울리지Samuel Taylor Coleridge, 토마스 칼라일Thomas Carlyle과 매슈 아놀드Matthew Arnold 등 유명한 인물들이 19세기 독일어 글에 매료되어 중요한 작품들을 번역하였다. 또한 월터 스콧 경Sir Walter Scott은 괴테의 초기 연극 『철권鐵拳 고트프리트 폰 베를리힝겐의 이야기』*Götz von Berlichingen mit der eisernen Hand*를 번역하였다. 시, 연극, 소설과 철학, 정치 전문서적이 모두 영어로 번역되었는데 칼라일이 그 번역물들을 통합, 조직할 때 주도적인 역할을 맡았다. 그러나 낭만주의 시대를 얘기할 때 우리는 번역의 중요성을 곧바로 떠올리지 않으며 작가들이 얼마나 많은 시간과 에너지를 번역에 쏟아 부었는지도 생각하지 않는다.

짚어봐야 할 두 가지 기본적인 질문이 있다. 왜 그렇게 많은 작가들이 번역을 하고자 했는가? 그리고 왜 그렇게 그들의 번역 작품들은 종종 주목 받지 못했을까? 두 질문은 서로 연결되어 있다고 생각한다. 번역이 문학의 역사에서 혁신의 주요한 원동력이라는 생각은 인정을 받지 못했다. 왜냐하면 이런 의견은 항상 창의성이라는 민족주의 이론과 잘 들어맞지 않았기 때문이다. 민족주의 이론은 '토착'native 창작물의 중요성을 강조하며 수입된 형식과 아이디어의 중요성을 축소하는 경향이 있다. 그러나 작가는 항상 영감을 찾아 더 넓은 세계로 나아가며 자신이 감탄하는 작품을 찾아내면 다른 언어로 그 작품을 재생산하려고 노력함으로써 자신의 문학 기술을 시험했다. D. H. 로렌스D. H. Lawrence는 조반니 베르가Giovanni Verga에 감탄을 금치 못한 나머지 그 위대한 이탈리아인의 소설과 단편소설을 다수 번역하였고 『카발레리아 루스티카나』*Cavalleria Rusticana*도 그 중 하나이다. 그는 베르가의 작품을 거의 집착하듯이 번역했고 베르가의 '베리스모'verismo 스타일은 그의 창작에 분명히 영향을 끼쳤을 것이다. 또한 로렌스가 러시아 작가 이반 부닌Ivan Bunin의 작품도 공동 번역하였다는 사실은 더욱더 잘 알려져 있지 않다.

한 작가가 다른 작가가 쓴 것을 시간을 들여 번역할 때는 항상 이유가 있다. 그것이 다른 방식의 글쓰기를 실험하는 것이든 자신의 스타일의 경계선을 확장하는 것이든 또는 단지 그 작품을 처음으로 자신이 쓸 수 있었더라면 하는 바람 때문이든 말이다. 다시 말해 어떤 작품을 번역하는 것은 종종 한 개인이 작가가 되어가는 과정에서 밟아야 할 자연스런 단계인 것이다.

셸리Shelley, 바이런Byron, 스윈번Swinburne 그리고 루퍼트 브루크Rupert Brooke와 같은 시인들은 고대어와 현대어를 가리지 않고 다양한 언어들을 번역하였다. 학교에서 다양한 언어들을 배운 사람들도 있지만 여행을 통해 언어를 배운 사람들도 있고 광범위한 읽기를 통해서 배운 사람은 더 많았다. 19세기에는 교육받은 사람들이 몇몇 고대어와 현대어를 능숙하게 읽는 것은 흔한 일이었다. 로제티Rossetti 가족처럼 어떤 경우에는 가족사가 언어 습득에서 어떤 역할을 하기도 하였다.

단테 가브리엘 로제티Dante Gabriel Rossetti의 초기 이탈리아 시 번역은 영어로 쓴 그의 시적인 발라드보다 질적으로 훨씬 훌륭하다. 게다가 라파엘전파Pre-Raphaelite의 또 다른 멤버인 윌리엄 모리스William Morris도 여러 언어 번역을 많이 했는데, 그 중 네 가지 정도만 들어보자면 고대 프랑스어, 라틴어, 그리스어와 아이슬란드어를 번역하였다. 그의 아이슬란드 무용담 번역은 그가 나중에 쓴 산문 글에도 직접적인 영향을 끼쳤다. 모리스는 아이슬란드를 여행하다가 무용담을 알게 되었고 또한 여행기를 쓰기도 하였다. 큰 성공을 거둔 19세기 미국 시인 헨리 와즈워스 롱펠로우Henry Wadsworth Longfellow도 번역가로서 큰 성공을 거두었고, 폭넓은 대중을 사로잡았던 『길가의 주막집 이야기』*Tales of a Wayside Inn* 같은 작품의 기초로서 자신의 번역을 이용했다.

고전 문학은 언제나 작가들에게 특별한 도전을 제시하였다. 존 키츠John Keats의 송시 「채프만의 호메로스를 처음 읽고서」On First Looking into Chapman's Homer는 호메로스의 위대한 첫 영어 번역에 찬사를 바친다. 그 당시 존 드라이든John Dryden과 알렉산더 포프는 라틴어와 그리스어 고전 작품을 번역하는 유명한 번역가들이었다. 흥미로운 것은 키츠가 특권계급의 교육을 받지 않아서 그리스어를 전혀 몰랐기에 그 번역을 존경했다는 사실이다. 반대로 매슈 아놀드는 현대 독자를 위해 고대 작품을 번역하는 올바른 방식을 두고 프란시스 뉴만Francis Newman과 격렬한 논쟁을 벌였는데, 그 과정에서 1860년에 출판된 「호메로스 번역에 관하여」On Translating Homer라는 유명한 글이 탄생하였다. 이 논문은 이상적인 번역에 대한 척도를 확립시켰다. 번역에 대한 아놀드의 견해는 현재에도 잘 알려져 있지만, 엘리자베스 바렛 브라우닝Elizabeth Barrett Browning도 그리스어를 번역해서 아이스킬로스Aeschylus의 『사슬에 묶인 프로메테우스』*Prometheus Bound*의 번역본을 1833년에 출판했다는 사실을 알면 놀랄 것이다. 로버트 브라우닝Robert Browning 또한 그리스어 비극을 여러 편 번역했고, 제럴드 맨리 홉킨스Gerald Manley Hopkins, 토마스 하디Thomas Hardy, 예이츠W. B. Yeats와 A. E. 하우스만A. E. Housman 등 많은 작가들이 연설문이나 단편들을 번역하기도 하였다.

20세기 들어서 W. H. 오든Auden, 스티븐 스펜더Stephen Spender, 루이스 맥니스Louis MacNeice, C. 데이 루이스Day Lewis, T. S. 엘리엇Eliot과 올더스 헉슬리Aldous Huxley 같은 작가들이 번역을 하였다. 에즈라 파운드Ezra Pound의 놀라운 저서,

『칸토스』*Cantos*는 수년 간 번역활동을 통해 쓰였고, 파운드는 아마도 중국 문학과 일본 문학에 관심을 불러일으킨 작가 중에서도 가장 중요한 작가일 것이다. 그러나 이 작가들뿐만 아니라 다른 많은 작가들의 문학 발전에 영향을 끼친 번역의 역할은 종종 주목 받지 못하는데 그 이유는 아마도 그 작가들 스스로가 번역의 역할을 충분히 강조하지 않았기 때문일 것이다.

그러나 오늘날의 작가들은 자신의 삶 속에서 번역의 중요성을 더 공개적으로 표현하는 경향이 있다. 데렉 월콧Derek Walcott과 셰이머스 히니Seamus Heaney같은 노벨 문학상 수상자들은 이례적으로 영향력 있는 번역 작품을 썼고 히니의 『베어울프』*Beowulf* 번역은 1999년에 베스트셀러가 되기도 하였다. 작고한 계관시인 테드 휴즈Ted Huges 또한 『오비디우스 이야기』*Tales from Ovid*라는 제목으로 오비디우스 작품의 여러 부분을 발췌 번역했고 그 책은 베스트셀러가 되었다. 휴즈는 많은 번역을 했는데, 휴즈의 번역 작품에 대한 다니엘 바이스보르트 Daniel Weissbort의 연구 덕택에 많은 독자들이 소위 '독창적인' 창작에 비해 번역은 부차적인 활동이라는 그릇된 생각을 바꿀 것이다.

창작과 번역의 만남은 토니 해리슨Tony Harrison, 에드윈 모건Edwin Morgan과 크리스토퍼 로그Chistopher Logue와 같은 인물들의 작품에서도 발견할 수 있으며, 그들의 글을 한 카테고리로 분류하는 것은 매우 힘들다. 모두들 실상 번역가이자 시인이며, 그들의 글은 다양한 종류의 영감을 이용하고 그것들 중 어떤 것은 이미 다른 사람들에 의해 다른 언어로 쓰였던 것이다.

지난 30여 년 동안 문학 비평은 혁명을 경험했고 정전 문학의 개념은 도전을 받았다. 어떻게 작가는 정전화되는가? 누가 정전을 결정하고 유지하는가? 왜 그렇게 많은 작가들이 정전 밖에 있는가? 특히 정전 밖에 있는 작가들이 여자라면? 분명 몇 세기 동안 사람들의 취향이 바뀌었음에도 세월을 견뎌온 작품을 쓴 작가들이 있을 것이다. 그러나 문학 정전의 형성을 문제로 삼을 때는 세계문학의 발전에서 중요한 역할을 한 번역을 반드시 기억해야 한다.

번역은 사소한 일 이기는커녕 문학을 형성하는 데 중요한 역할을 담당해왔다. 유명한 작가의 번역 활동의 중요성을 간과하고 일부 창작품만 기억하려고 하는 것은 그 작가들이 이룬 업적의 전체 그림을 왜곡하는 것이다. 그것은 역사적 왜곡이다. 여기에서 스탈 부인Madame de Staël의 발언은 의미심장하다. 스탈 부인은 1820년에 "문학에 제공할 수 있는 가장 탁월한 봉사는 한 언어에서 다른 언어로 인간 정신의 걸작을 옮기는 것이다"(Lefevere, 1992b에서 de Staël 재인용 17)라고 말한 바 있다.

12

오만과 편견

매년 가을 수백 명의 학생들이 영국 대학교의 학위 프로그램에 등록하고, 교수들은 학생들을 만나 인사하고 새로운 환경을 소개하느라 여기 저기 동분서주하는 모습이 자주 눈에 띈다. 그러나 올해에는 대부분의 교수들이 다른 문제들, 특히 연구 평가 과정Research Assessment Exercise의 마지막 준비 단계에 사로잡혀 있다. 그 평가 과정은 RAE라는 약자로서 알려져 있으며 오륙 여 년 마다 찾아오는 것으로, 동료들의 연구를 심사한다. 대학교수는 전문비평가단으로부터 평가를 받고 4점 만점으로 점수가 매겨질 독창적인 연구논문 네 편을 본인의 기관 연구 문화에 대한 세부 사항과 함께 제출해야 한다. 이것은 복잡하고 시간이 많이 걸리며 교수들이 매우 진지하게 여기는 평가과정인데 그 이유는 점수의 높고 낮음에 따라 연구비 지원 결과가 달라지기 때문이다. 마감일은 올 해 말에 있고 그래서 아무도 엉터리로 하고 싶어 하지 않는다. 그러나 RAE는 논란의 여지 또한 크다. 왜냐하면 최고수준의 연구가 무엇인지 정의가 분명하지 않고 연구로서 번역을 생각해보면 상황은 매우 복잡하고 혼란스럽기 때문이다.

많은 대학교수들이 번역 연구, 특히 실제 번역을 무시해 온 것은 오래된 사실이다. 30년 전 사회생활을 시작했을 때 나는 번역서를 중요한 출판물 목록으로 올리지 말도록 충고 받았고, 소설 한 권을 직접 실제로 번역하기보다는 두어 권의 소설에 대한 4,000자 비평 에세이 한 편을 쓰는 편이 직업을 얻는 데 훨씬 더 유리할 거라는 확실한 말로 상황을 이해하게 되었다. 나는 오랫동안 내 번역서들을 다른 누구에게 말하지도 이력서에 올리지도 않았다. 루이지 피란델로Luigi Pirandello의 극을 포함하여 시, 픽션, 극을 번역했지만 연구의 증거로서 오직 학술적인 책과 글만을 제출했다. 이상하게도 '번역에 관해' 쓴 것은 번역 작품 자체보다 더 높이 인정받는 것 같았다. 그러한 태도는 지난 몇 년에 걸쳐 바뀌었지만 아주 조금일 뿐이며, 원본과 비교해 볼 때 번역은 여전히 학문적 존경을 받지 못하는 사각지대에 놓여 있다. 내가 가장 자랑스러워하는 작품들, 그 중에서도 특히 시 번역을 올리지 말라고 자주 조언을 받았고, '연구'로서 더 진지하게 여겨질 거라는 사실을 잘 알기에 번역물보다 더 따분한 학술적 출판물 일부를 전문비평가단이 검토하도록 제출했다. 내가 결탁하고 있는 것이 잘못되고 어리석다는 것을 충분히 알면서도 그렇게 했다.

번역은 어느 누구의 기준으로 봐도 높은 수준의 지식과 능력 둘 다를 내포하는 모든 종류의 기술을 필요로 하고 문학 번역은 연구가 필수적이다. 소설을 번역하기 위해서는 세심하게 주의를 기울여 읽고 그 소설가에 대해 많이 알아야 하며 그 작가가 이용하는 스타일에 관한 기법을 이해해야 하는데, 이것은 그 작가가 쓴 다른 작품들을 모두 읽어야 함을 뜻한다. 또한 모든 뉘앙스, 모호성과 암시allusion를 번역하도록 노력해야 하고, 그 소설을 역사적 컨텍스트에 위치시켜 놓고 해석해야 한다. 그 다음에서야 다른 시대와 다른 장소의 새로운 독자들을 위해 그 소설을 다른 언어로 번역할 수 있다. 토마스 엘로이 마티네즈Tomas Eloy Martinez는 번역은 한 텍스트를 주의 깊게 읽기 훨씬 그 이상의 것(Martinez, 2002: 61)이라고 적절하게 요약한다. 문학비평가가 텍스트를 읽고 분석하는 반면 번역가는 텍스트를 읽고 그것을 다른 언어로 다시 쓴다. 그렇다면 왜 하나는 연구로 생각하고 다른 하나는 '고작 번역'으로만 생각하는가? 이 구분은 어불성설이다.

내 친구 중의 한 명은 한때 엄청난 인기를 누렸으나 그 인기가 유럽 문화 레이더망에서 거의 사라지고 지난 200년 동안 많이 읽히지 않은 한 라틴어 시인의 주요 작품을 새롭게 번역하였다. 따라서 번역은 두 배로 어려웠다. 그 친구는 오랫동안 죽어 있던 작가에게 생명을 불어넣었고, 그 부활의 과정 속에서 왜 그 작가의 글이 어느 특정한 순간에 인기를 잃어야 했는지를 이해해야 했다. 그러한 이해가 없다면 그 번역을 걸어놓을 올바른 문학적, 문화적 고리를 찾기가 힘들었을 것이다. 따라서 그 여류번역가는 계몽주의 시대에 취향이 어떻게 변화했는지를 조명하는 방대한 양의 문학사 연구에 착수하였다. 오늘날의 독자는 우리가 알든 모르든, 대중 취향의 급격한 변화에 영향을 받는다. 그 한 가지 사례로, 사람들이 자신의 주변 세계를 인식하는 방식을 바꿔놓은 낭만주의의 영향을 생각해 보기만 해도 충분히 알 수 있다. 17세기에 못생기고 야만스러워 회피했던 풍경이 18세기 후반에는 숭고하고 웅장하며 관광객들이 찾는 곳이 되었다. 괴테, 바이런 그리고 워즈워드는 이전 시인들과 똑같은 눈으로 세상을 바라보지 않았으며 따라서 그 시인들의 글은 완전히 달랐다. 그래서 왜 주요 라틴어 작품 하나가 사람들의 시야에서 갑자기 사라졌는지를 이해하기 위한 노력이 어떻게 하면 오늘날의 독자에게 원본을 가장 잘 가져올 수 있는지 아는 데 중요한 단계인 것이다. 내 생각에 이 모든 선행 연구는 중요한 연구로 인정될 수 있다.

또한 내 친구는 그 시에 언급된 장소 몇 군데를 직접 찾아가기도 했다. 이는 지형학, 기후, 장소에 대한 일반적인 느낌을 이해하면 번역가에게 종종 커다란 도움이 될 수 있기 때문이다. 많은 번역가들은 원본의 토대를 이루고 있는 물리적 환경을 이해하려 하고, 때로는 그러한 환경을 일부라도 이해하는 데 여행이 도움이 될 수 있다. 물론 여행이 꼭 필요한 것은 아니지만 도움이 될 때가 있다. 한 작가의 작품 분석을 할 때처럼 말이다. 나는 최근에 풍경을 매우 중요시했던 테드 휴즈Ted Huges 시인에 대한 책을 완성했고 그의 글을 이해하는 데 요크셔 Yorkshire에 대한 나의 개인적인 지식이 도움이 되었다고 확신한다.

문학 번역을 과소평가하는 것은 대학 세계에만 국한된 것이 아니다. 이는 번역 작품들이 심사를 받는 방식에서도 아주 분명하게 드러난다. 최근에 나는 원본과 번역가의 기술을 둘 다 칭찬한 훌륭한 심사평을 한 편 읽었고, 그러고 나서 그 리뷰를 쓴 사람이 영국 문학번역 센터 소장Director of the British Centre for Literary Translation임에 주목했다. 다른 비평가들은 자신이 비평하고 있는 책이 번역된 작품인지 아닌지 굳이 언급하지 않기 때문에 이것이 내가 본 것 중 유일하게 올바른 목소리를 내는 경우였다. 어떤 신문이나 학술지는 책이 번역되었는지 아닌지 알리는 문제에서 다른 곳보다 더 바람직한 모습을 보이지만 평론가에게 원저자의 이름뿐만 아니라 번역가의 이름을 주목하게 하는 신문과 학술지는 거의 없고 심지어 그 책이 번역본이라는 사실을 굳이 언급하는 곳은 더더욱 없다. 책 평론가의 일반적인 관행은 번역가와 번역과정을 무시한 채 모든 작품을 처음부터 영어로 쓰인 것처럼 다룬다는 것이다.

번역학 연구자들이 번역가가 직접 나서서 문제들을 다루고 번역가로서 자신의 존재를 좀 더 부각시킬 것을 촉구해 온지 어느덧 시간이 꽤 흘렀다. 그 촉구에 부응하는 데는 여러 가지 방식이 있는데, 어쩌면 번역가들이 자신의 번역에 짤막한 서문을 포함시키고 자신의 이름이 반드시 충분히 눈에 띄도록 출판사와 계약 협상을 하는 방식도 생각해 볼 수 있다. 그러나 리뷰 편집자 또한 책임이 있고, 국제화internationalisation가 유행어가 되고 모든 사람이 문화를 가로지르는 커뮤니케이션을 설교하고 있을 때 여전히 리뷰 페이지에서는 번역가의 업적을 마지못해 인정하다니 참으로 이상한 일이 아닐 수 없다. 엘로이 마티네즈는 번역을 작품이 생존하는 데 그리고 그 작품의 힘을 테스트하는 데에 중요한 것으로 보고 있다. 한 책이 또 다른 언어로도 성공한다면 그 성공은 상당 부분 번역가의 기술 덕분이다. 상대적으로 단조롭고 지루한 작품이 다른 곳에서 크게 성공하는 경우가 있는데 그것은 그 작품이 아주 잘 번역되었기 때문이다. 마치 성공적인 작품이지만 번역을 잘못해서 실패하는 경우도 있는 것처럼 말이다. 그러나 여기서 주목해야 할 것은 작품이 새로운 언어적 형태로 나타나는 데 번역가가 중요한 역할을 한다는 점이다.

문학 번역을 무시하는 것은 시대에 뒤떨어진 잘못된 생각이다. 한 가지 언어만 구사하는 독자는 번역이 얼마나 복잡하고 문학 번역에 얼마나 많은 연구가 들어가는지 이해하기 위해서 도움을 받아야 한다. 만약 문학 편집자들이 더 공개적으로 번역가들을 인정한다면 대학교수들의 그 옛 편견 역시 사라질 수 있다. 이런 현상이 일어나기 시작했다는 약간의 희미한 조짐은 있지만, 그 변화의 과정은 점점 더 다양한 언어를 사용하고 있는 세상에 비하면 턱없이 느리다.

13

외국문학 교육의 중요성

영어 시험 위원회가 제공하는 A 레벨[A-level, 영국의 대학 입학시험]의 현대 언어 과목에서 대표적인 유럽 작가의 시험 지정 텍스트를 2008년 9월부터 더 이상 공부하지 않을 것이라고 발표했을 때 거리에서 소리 지르는 사람은 아무도 없었다. 학생들은 이제 더 이상 19세기 러시아나 프랑스 시인의 작품을 읽지 않을 것이고, 토마스 만Thomas Mann과 몰리에르Molière 또는 카를로 레비Carlo Levi를 이해할 필요도 없을 것이다. 문학은 대폭 축소될 것이고 대신 학생들은 문학관련 주제를 직접 선택하여 짧은 에세이를 써야 할 것이다. 그 애매모호한 말이 무엇을 뜻하는지 모르겠지만 말이다. 고백하건데 이런 뉴스를 들으면 무척 마음이 아프다. 비록 외국어 공부가 하락세에 접어들었고 아마도 이 하락에는 지루해 보이는 작품을 빼서 가능하면 더 많은 학생들이 '관련된' 언어를 반드시 배울 수 있도록 하려는 의도가 있음을 알면서도 마음이 아프다.

14세 이후 외국어를 의무적으로 공부하는 것을 중단하기로 한 영국 정부의 재앙에 가까운 결정은 이미 다른 심각한 결과를 낳았다. GCSE[영국의 고등학교 졸업 자격시험]와 그 후 시험에서 언어를 계속 공부하는 학생 수가 공립학교에서 급락한 것이다. 이것은 주로 사립학교에서만 외국어를 진지하게 공부하고 있음을 의미하는 것이고, 가정 형편이 안 좋은 학생을 더 많이 대학에 보내려는 정부의 공식적인 미션과도 맞지 않다. 현대 언어[modern languages, 고대 희랍어나 라틴어가 아닌 스페인어, 프랑스어와 같은 유럽 언어]의 경우 이 상황은 더욱 더 심각한데, 몇몇 대학 학과들이 대폭 축소되었고 살아남은 학과들은 공립학교 출신이 아닌 학생들의 비율이 높기 때문이다. 최근에 캠브리지 대학은 참여를 확대하려는 정부의 의제를 따르기 위해 전통적인 외국어 GCSE 시험 필수요건을 빼겠다고 발표하였다. 아마도 A 레벨 시험의 교과목에서 문학을 잘라내는 결정은 고등교육higher education에서 언어를 제외하라는 이 일반적인 생각에서 기인했을 것이다.

왜 이러한 현상이 지금 일어나는 건지, 왜 특히 최근 몇 년 간 세계도처의 사람들을 기꺼이 받아들인 것을 자랑스러워하던 한 유럽의 선진 국가가 유럽의 유산에서 다음 세대를 잘라낼 만큼 근시안적인 것인지 도통 이해가 안 간다. 그 나라에는 학생들이 40개 이상의 언어로 말하는 학교도 있다. 여러 번 들은 한 가지 대답은 영국에 사는 우리는 다른 나라 사람들이 영어를 배우느라 바쁘기 때문에 그들의 언어를 배울 필요가 없다는 것이다. 그러나 그 대답은 전혀 말이 안 된다. 먼저 영국 영어British English는 현재 세계 영어의 수십 종 중의 하나이며, 어느 경우든 언어와 문화는 분리될 수 없기 때문이다. 한 언어를 배우면 그 언어를 사용하는 문화에 대해 배우게 되고 만약 영국 학생들이 불어와 스페인어 회화를 살짝 곁들여서 영어만 공부하고 어떤 다른 언어도 공부하지 않는다면 불행히도 세계의 다른 사람들이 어떻게 생각하고 행동하는지 제대로 알 수 없을 것이다.

물론 바로 이 지점에서 외국문학 연구가 아주 소중해진다. 왜냐하면 위대한 (그리고 아주 위대하지 않은) 작가들의 작품을 읽을 때 우리는 우리 자신이 아닌 다른 사람들이 어떻게 생각하고 행동하는지 그리고 어떻게 느끼는지 알게 된다. 『전쟁과 평화』*War and Peace*와 『오만과 편견』*Pride and Prejudice*은 훌륭한 소설이다. 그 소설에는 에너지와 열정이 가득한 등장인물들이 나오기 때문이다. 그들은 사라진지 오래된 과거의 러시아와 영국에서 같은 시대를 산다. 두 소설을 읽으면서 우리는 서로 다른 작가의 기술을 존경하는 것 외에도 두 문화 사이의 커다란 차이점을 더 많이 이해할 수 있다. 물론 번역가의 기술을 통해 우리 대부분이 그 러시아 작품을 이해하는데 도움을 받는다는 사실을 잊지 말아야 한다.

외국문학을 읽으면 우리는 다른 사회의 여러 모습을 알 수 있다. 게다가 다양한 방식의 글쓰기를 알게 되고 번역의 복잡성에 대해 더 많은 것을 이해할 수 있다. 나는 프랑스어 A 레벨 수업시간에 폴 베를렌Paul Verlaine의 「가을의 노래」Chanson d'automne를 처음 알게 되어 'les sanglots longs des violins d'automme'와 같은 시행을 읽는 기쁨과 그 소리의 패턴을 영어로 옮길 수 없음을 깨달았던 것이 지금도 생각난다. 그것은 아마도 문학 텍스트의 번역불가능성untranslatability의 문제를 처음 만난 것이라고 볼 수 있으며, 그 당시에는 그런 말을 들어본 적이 없었다. 그래서 나는 수업을 같이 듣는 친구들과 베를렌의 시를 번역하기 위해 다양한 방식으로 시도해 보고 쓸쓸하게 실패했던 것이 기억난다. 외국 문학을 A 레벨 교과목에서 삭제하면 몇 년 이후 문학 번역에 어떠한 일이 일어날지 궁금하다. ≪타임즈≫ 신문의 <스티븐 스펜더Stephen Spender 시 번역상>의 심사위원이었을 때 나는 일부 선생님들이 학생들이 A 레벨 시험 지정 텍스트를 직접 번역하여 18세 미만 범주에 응시하는 경쟁부문에 참여하도록 장려하는 것을 보았다. 일부 결과는 훌륭했지만 과연 A 레벨 시험에서 현대 언어를 택하지 않은 학생이 대학에서 그것을 배우지 않는다면 그 언어로 된 문학을 읽을 수 있을까? 정말 앞으로의 전망은 우울해 보인다.

외국문학 공부를 축소하는데 이의를 제기하는 이유는 그 축소가 유럽 문학이 현재에도 과거에도 언제나 상호 연결되어 있다는 사실과 위배되기 때문이다. 모든 유럽 문학은 서로서로를 번역하면서 풍요로워졌다. 푸시킨Pushkin에게 바이런Byron이 없었다면, 보들레르Baudelaire에게 포우Poe가 없었다면, T. S. 엘리엇T. S. Eliot과 셰이머스 히니Seamus Heaney에게 단테Dante가 없었다면 어떻게 되었을까? 언젠가 유명한 현대 소설가가 20세기 영국 소설이 19세기 러시아 소설가들의 영향을 많이 받았다고 주장하는 강의를 들은 적이 있다. 문학의 움직임은 언어 장벽을 뛰어 넘는다. 18세기 후반, 19세기 초반의 소위 영국 낭만주의 작가들은 여러 언어의 글을 열광적으로 읽었으며, 서로서로에게 아이디어, 주제, 형식을 빌리고 빌려주었다. 바이런의 걸작 『돈 주앙』*Don Juan*은 이탈리아어 8행시체를 새로운 단계로 수준을 드높였고, 코울리지Coleridge는 독일어 작품을 널리 읽었으며 심지어 영국인의 원형이라고 여기는 시인, 호수지방의 음유시인 윌리엄 워즈워스William Wordsworth도 여러 외국어에서 영감을 받았다. 특히 프랑스에 살았던 시기에 영감을 받았다.

작가들은 자신이 언어나 문화에 의해 구속당하도록 절대로 가만히 있지 않는다. 시와 번역에 대해 할 말이 많았던 매슈 아놀드Matthew Arnold는 어떤 하나의 사건이나 문학도 '다른 사건과 다른 문학과 관계하지 않고는 충분히 이해될 수 없다'고 선언하였다. 그 발언은 내가 학생들에게 자주 인용하는 말이다. 아놀드는 1857년에 그렇게 말했지만 오늘날에도 그 때만큼이나 유효하다. 아니 그 때보다 더 유효할 것이다. 여행이 훨씬 힘들었던 시절에 작가, 예술가, 지식인들은 자신들의 국가적 한계를 뛰어 넘었다. 그들은 여행할 만큼 특권이 있었거나 아니면 외국어를 배워 읽거나 번역본을 읽어서 다른 문화에 대해 더 알고 싶어 했기 때문이다.

영국 학교가 외국어 학습을 멀리 하면 또 다른 해로운 효과가 발생한다. 지난 몇 년간 유럽 전역의 대학교에 혁명이 있었는데 볼로냐 프로세스Bologna Process가 그것이다. 이것은 2010년까지 학생들이 국적에 상관없이 대학 사이를 자유롭게 이동할 수 있게 해주는 유럽 고등 교육 지역을 만드는 것으로 유럽 대륙 전체의 교육부 장관들이 서명한 협정이다. 이러한 이동의 자유를 가능하게 하기 위해서 공동 대학 시스템이 마련되어야 했고, 볼로냐 협정에 서명했던 유럽 대학 시스템의 거대한 구조조정이 있었다. 이 협정은 1999년 이후 때로 혼돈을 가져오기도 했지만 분명히 학생들의 이동에 도움이 되었다. 그러나 이 지점에서 영국은 늑장을 부렸고 그 결과 수십만 명의 다른 유럽 학생들이 외국에서 살고 공부하는 경험을 얻었던 반면, 다수의 영국 학생은 외국어 능력이 부족하여 단념하고 극소수의 영국 학생만이 유럽의 다른 나라로 유학을 갔다.

외국어를 통해 외국 문화를 접하고 이해하는 것은 특권이나 이상한 것으로 보아서는 안 된다. 훌륭한 교육의 근본적인 요소로 보아야 한다. 여러 나라에서 학위를 취득하는 기회를 누리는 젊은이들은 하나의 언어로만 활동할 수 있는 학생들보다 더 큰 경쟁력을 갖고 있으며, 점점 더 세계화하고 있는 이 세상의 시민으로서 더 많은 것을 갖춘 사람일 것이다. 그 젊은이들은 한 언어 이상으로 의사소통을 할 수 있을 뿐만 아니라 자신의 나라가 아닌 다른 나라의 역사, 문화, 정신을 이해할 수 있을 것이다. 중학교 교육과정에서 언어 학습을 뺀 것은 크나큰 실수였다. A 레벨 교과목에서 이미 별로 남아 있지도 않은 문학을 제외하는 것은 그 실수를 악화시키기만 할 것이다.

14

시 번역상

거의 매주 영국 신문에는 학교 언어 교육의 위태로운 상황에 대한 이야기가 실린다. 한때는 외국어 학습을 필수적인 것으로 생각했는데 지금의 학생들은 14살 이후에는 언어 공부를 조금도 신경 쓰지 않으며 설령 배우는 아이가 있다 하더라도 중학교 들어가기 전에 외국어를 배우는 아이는 극소수다.

학교의 이런 실정은 대학에 또한 연쇄반응으로 영향을 끼치며, 고대 희랍어나 라틴어가 아닌 스페인어, 프랑스어와 같은 유럽 언어를 전공하는 학과의 학생 수가 급격히 떨어져 총장들은 그 학과의 문을 닫게 만들었다. 정부는 2012년 이후 초등학생들이 외국어 공부를 할 수 있도록 하고 있지만 그 때쯤이면 한 세대 전체가 길을 잃을 것이고, 대학이 외국어 교육에 관심이 줄어드는 현실을 고려한다면 과연 그 외국어 교육을 작동시킬 만한 자격 있는 선생님들이 충분히 있을지 의문이 생긴다.

이러한 현 상황이 많은 동료들과 나는 우려스럽고 이것은 국제 시대에서 터무니없이 근시안적이고, 유럽의 다른 국가와 우리나라가 매우 가까운 위치에 있다는 사실을 고려해 보면 외국인 혐오에 가깝다고 볼 수 있다. 그래서 나는 젊은이들을 대상으로 하는 번역상 대회에 심사위원으로 평가를 해달라고 부탁 받았을 때 뛸 듯이 기뻤다.

≪타임즈≫ 신문과 협력하는 스티븐 스펜더 기념 재단The Stephen Spender Memorial Foundation은 작년에 시 상poetry prize을 발족하였고, 두 범주가 있었는데 하나는 18세 이하의 학생들을 위한 것이며 다른 하나는 19세에서 30세 사이의 번역자들을 대상으로 한 것이었다. 초 · 중 · 고등학교 학생과 대학생들이 참여하도록 장려하고, 그 대회가 일자리를 잃을 위기에 빠진 선생님들에게 긍정적인 신호를 보냈기를 하는 바람이 있었다. 응모작의 길이나 언어에는 어떤 제한도 없었지만 모든 응시자들에게 어떻게 자신들이 번역을 시작하게 되었는지에 관해 300자가 넘지 않는 짤막한 글을 쓰게 하였다.

결과는 우리 모두의 기대를 뛰어넘었다. 우리는 130편이 넘는 응모작을 받았고, 언어는 매우 다양했는데 고대어, 현대 언어도 있었고, 유럽 언어, 비유럽 언어도 포함되었다. 응시자들이 그 대회에 얼마나 진지하게 다가갔는지 그들의 번역물 자체와 그 짧은 글에서 분명히 알 수 있었다. 어떤 경우에는 선생님들이 반 학생들에게 지원하도록 격려했을 것이고, 따라서 같은 시에 대한 다양한 번역이 있었으며, 종종 그 시는 GCSE[영국의 고등학교 졸업자격시험]나 A/S 레벨 시험[대학 입학시험]의 지정 텍스트였다. 참가자들은 탁월한 개성과 창의성을 충분히 보여주었고 잘 알려지지 않은 작품을 선택하여 형식과 언어를 용감하게 실험을 한 경우도 있었다. 한 참가자는 겨우 아홉 살이었다.

심사위원들은 앞에 번역한 응시자들 전부의 나이를 알았지만 모든 응모작을 이름 없이 읽었다. 각각의 범주에서 1등, 2등, 3등 수상자들을 올리도록 요청받았지만 우리는 추천작 범주도 추가로 선정하기로 재빨리 동의했다. 많은 응모작들이 제각기 서로 달랐고 수준이 높았다. 정말로 일단 읽기 시작하자 언어학습의 쇠퇴에 대한 모든 심각한 이야기는 잊었다. 응모자 수와 번역물의 품질과 범위에서 영국 전역의 학교와 대학에서 나타나는 우울한 현실의 더 희망찬 모습을 볼 수 있었다. 학생 수는 줄었을 수도 있고 언어 학습은 전보다 흥미롭지 않고 바람직하지 않은 것으로 보일 수 있지만 이번 대회 응모자들로 판단해 볼 때 세상에는 실로 훌륭한 일을 하고 있는 많은 젊은이들이 있음을 알게 되었다.

우리 각각은 원본과 번역물을 받았고 모든 시를 혼자 따로 읽었다. 시는 좋지만 원본을 읽을 수 없을 때는 전문가의 도움을 받았다. 메모한 것을 비교하고 후보자 명단을 만들기 위해 우리가 모였을 때 생각이 모두 비슷해서 기뻤다. 물론 우리는 가장 좋아하는 번역이 서로 달랐지만 최소한의 차이가 있는 비슷한 결론을 갖게 되었다. 주요 기준은 당연히 그 시가 영어로 얼마나 훌륭했는지 번역가는 원본을 번역할 때 영어를 얼마나 잘 썼는가였다. 그 다음 기준으로 우리는 번역가들이 사용한 전략, 즉 어떻게 원본의 힘을 성공적으로 옮겼는지에 대한 전략을 검토하였고 번역본이 어떤 식으로든 잘못된 것이 아닌지 살폈다. 이것은 불충실한 또는 단지 부정확한 것을 의미하는 것이 아니라 번역가가 원본을 제대로 이해했는지, 그리고 번역 과정에서 생겨나는 많은 문제점들을 창조적으로 해결했는지를 확인하고 싶었다. 추천작 범주의 번역은 앵글로색슨 시 『울프와 이아드버커』*Wulf and Eadwacer*를 번역한 시였고 그 번역시는 혁신적이면서도 나름대로 원본에 충실하고 새롭고 현대적인 시를 창조하기 위해 원본의 형식을 탈피했다고 심사위원들은 생각했다.

최종 선정된 번역들을 보았을 때 우리는 매우 다양한 외국어에서 번역된 시를 선정했다는 사실에 깜짝 놀랐다. 18세 미만 응시자 범주에서 세 명의 수상작은 다음과 같다. J. C. 포츠J. C. Potts가 라틴어 작품 카툴루스Catullus의 시 63을 번역한 시, 아드리안 파스쿠Adrian Pascu가 이온 미눌레스쿠Ion Minulescu의 루마니아 작품 『죽은 남자의 발라드』*Dead Man's Ballad*를 번역한 시, 홀리 휴즈Holly Hughes가 빅토르 위고Victor Hugo의 『내일 새벽이 오면』*Tomorrow at Dawn*을 번역한 시이다. 불어와 스페인어 작품을 번역한 시들도 찬사를 받았다. 18세 이상 응시자 범위에서 세 명의 수상작은 마크 리치Mark Leech가 앵글로색슨 시 『십자가의 꿈』*The Dream of the Rood*을 번역한 시, 사샤 덕데일Sasha Dugdale이 엘리나 슈바츠Elena Shvarts의 러시아 작품 『기억의 곁눈질』*Memory's Sideways Glace*을 번역한 시, 두 번째 공동 수상자는 G. G. 벨리G. G. Belli의 로마 방언으로 쓰인 『좋은 인생』*The Good Life*을 요크셔 방언으로 번역한 폴 하워드Paul Howard이다. 추천작 범주의 번역 세 편은 중국어, 고대 스칸디나비아어, 앵글로색슨어를 번역한 작품들이었다. 수상작에서 언어가 성숙하게 사용된 점과 젊은 번역가들의 목표 의식을 보고 놀란 것만큼이나 폭넓은 범위의 고대어, 현대어 텍스트를 번역한 사실에 우리는 정말 놀랐다.

번역에 관한 지원자들의 글은 특히나 흥미로웠다. 대부분의 번역 응시자들은 자신들이 맞닥뜨린 어려움을 토로했고 어떤 이들은 자신의 부족한 점을 인정하는 자아 비평도 내놓았다. 가장 훌륭했던 글 중의 일부가 라틴어, 그리스어, 러시아어를 번역한 사람들이 썼다는 사실은 학문적으로 흥미로웠다. 이 사실로 인해 나는 더 많은 사람들이 배우고 회화 중심으로 가르치는 현대 유럽어보다 위 세 언어를 가르칠 때 문법과 시학에 더 강조점을 두는지 궁금해졌다. 어떤 학교에서는 응모작 여러 편을 제출하였는데 그것은 그 학교들이 수준 높은 교육을 시키고 언어 학습에 전념하고 있음을 보여주었다. 어떤 지원자들은 특정 작가나 시에 대한 자신의 열정에 대해 썼고, 또 어떤 지원자들은 전에 영어로 번역되지 않거나 잘 알려지지 않은 시를 사람들이 읽었으면 하는 희망 때문에 번역을 하게 되었다고 말했다. 극단적인 경우 응시자 몇 명은 자주 번역이 되었고 종종 기존의 유명한 작가들이 번역하였던 매우 유명한 시를 선택하기도 하였다. 그러한 용감한 시도를 과연 존경해야 하는 건지 아니면 셰이머스 히니 Seamus Heany나 테드 휴즈Ted Hughes와 같은 사람들과 경쟁하는 십대의 무모함에 고개를 가로저어야 할지는 알 수 없었다.

18세 이상 범주에서 상을 받은 마크 리치는 '번역은 항상 해석이다'라고 적었다. 물론 그의 말이 맞다. 우리는 그가 미래에 라틴어 시에 대한 아름다운 해석을 계속 하기를 바란다. 이 간단한 진술은 시 번역을 정말 흥미진진하게 하는 동시에 까다롭게 만들기도 한다. 번역가는 다른 언어로 재창조되는 시를 매개로 자신의 개인적인 해석을 독자에게 제공하고, 종종 시에서 그러하듯이 원본에 애매모호한 표현이 있는 곳에서 해석은 도전을 받게 될 수도 있다. 사실 심사위원들은 상을 받은 응모작 중의 한 번역물이 부정확한 언어를 쓴다고 불평하는 편지를 받았지만, 에즈라 파운드Ezra Pound가 자신의 번역 『섹스투스 프로페르티우스에 대한 경의』*Homage to Sextus Propertius*를 부정확하다는 이유로 불평한 학자를 바보로 만들었던 그 유명한 일화를 기억하며 우리는 그 지나치게 작은 것에 집착하는 것을 반박하였다. 파운드는 바보도 '5실링밖에 안 되는 본Bohn 판본 메모'를 가지고 직역할 수 있다고 말했다(Bassnett에서 Pound 재인용, 1980: 83).

시 번역에서는 아름답고 잘 읽히며 원본에 충실한 결과물을 만들어야 한다. 비록 그 충실함이 정의되는 방식이 번역가의 해석에 따라 다를지라도 말이다.

위 글이 통번역 기관지 『ITI 블루틴』*The ITI Bulletin*에 2005년 3월~4월에 쓰였을 때는 시 번역상이 막 시작된 상황이었다. 그러나 그때 이후로 연례행사가 되었고 일부 수상 응모작들은 출판되어 상당한 호평을 받기도 하였다. 이 상에 관한 정보는 www.stephen-spender.org에서 얻을 수 있다.

15

번역이 엉망이 될 때

실비오 베를루스코니Silvio Berlusconi는 이탈리아의 화려한 경력을 가진 우파 수상이다. 최근에 그는 이미 차지하고 있는 자리뿐만 아니라 외교부 장관의 일도 떠맡기로 결정을 했다. 지지자들은 그를 열렬히 사랑하고 많은 반대파들은 경멸하지만 베를루스코니는 자신의 세계주의와 세계와 소통할 수 있는 능력을 자랑스러워한다. 물론 선거 캠페인에서 주요 강령은 그가 통솔하는 강력한 미디어 제국의 도움을 받아 현대 이탈리아 국가의 이미지 홍보였다.

그리하여 영국의 ≪인디펜던트≫ 신문격인 이탈리아 신문 ≪라 레푸블리카≫*La Repubblica* 독자들은 베를루스코니의 미디어 프로젝트중의 하나였던 인터넷에 유포된 그의 내각 의원들의 최신 신상정보를 영어로 제공하는 일이 완전히 엉망임을 알고 깜짝 놀랐다. 그 신문은 베를루스코니의 캠페인에서 세 개의 'I'에 무슨 일이 일어났냐고 묻는다. 그 세 개의 I는 Internet, Impresa(비지니스), Inglese(영어)를 가리킨다. 인터넷에 유포된 그 신상정보가 아주 엉터리 영어 번역임을 고려한다면 분명 영어를 조금도 모르는 사람이 그 신상을 대중의 영역으로 내보내게 허가했을 것이다. 몇 가지 예만으로도 번역이 얼마나 엉터리인지 전체 상황을 알 수 있다. 부틸리오네Buttiglione, Ministro delle politiche comunitarie는 'been born to Gallipoli, conjugated, father of four daughters, he lives to Rome where he is ordinary university professor'[2]라고 적혀 있다. 이어서 'he graduated himself under the guide of Prof. the Augusto of the Walnut'라고 번역되어 있다. 보나유티Bonaiuti는 저널리즘 쪽의 경력이 있었던 것처럼 보인다. 왜냐하면 'from 1975 it is sended special, before I. economia and the finance. . . it knows four languages, it has collaborated with the BBC and with other average foreign'라고 번역되어 있기 때문이다. 보나유티는 'megaphone of the President Berlusconi and Italy Force'이라고 적혀있다. 독자는 정치인 클라우디오 스카졸라Claudio Scajola 엔트리에서 'Italy Force' 'is by now one agile efficient instrument, taken root on the territory, respected from allied and opposing, able to choose credible candidates to propose the constituents'라고 번역된 것을 볼 수 있다.

베를루스코니의 여자들 번역도 마찬가지로 엉망이다. 스테파니아 프레스티자코모Stefania Prestigiacomo는 'been born to Siracusa. . . in 1990, to 23 years, he has been elect Young president of the Group Entrepreneurs of Siracusa'로 번역되

2) 위 엉터리 영어 번역을 한국어로 대략 번역하자면, '갈리폴리로 태어났고, 동사 형태가 달라지고, 네 딸의 아버지이며, 평범한 대학교수로 로마로 살고 있다' 정도이다. 이처럼 그 뒤에 나오는 영어 번역도 엉터리이다. (옮긴이 주)

어 있고, 1994년에 'it has been elect to the Room in the proportional list of Italy Force'라고 적혀 있다. 똑같은 엔트리에서 she, he, it이라고 다양하게 불리는 프레스티자코모 정치인은 현재 'elect in the uninominale college of Siracusa'인데 도통 그 말이 무슨 뜻인지 알 수가 없다.

이처럼 어이없는 번역 실수는 항상 웃기는 일이지만, 이탈리아어를 아는 사람이라면 위 실수가 어디서 나오는지 알 수 있다. 그러나 문제는 이 문서 안의 번역 실수는 누구든 쉽게 할 수 있다는 점이다. 문법, 통사, 철자에 실수가 있고, 그 유명한 'false friends',[3] 즉 두 언어 간에 비슷한 단어 같지만 의미는 완전히 다른 단어들이 있고, 이름은 잘못 번역되었고(Professor Augusto of the Walnut는 존경받는 이름인 della Noce의 직역임), Italy Force는 베를루스코니의 당명인 Forza Italia(포르자 이탈리아)를 직역한 것이다.

≪라 레푸블리카≫ 신문이 신이 나서 이 번역 실수를 세상에 알리자마자 그 웹사이트는 사라지고 대신 그 문서는 그저 초안일 뿐이라는 공고가 떴다. 틀림없이 사람들은 문 닫고 어딘가에서 머리를 굴렸을 것이고, 그러한 뒤떨어진 문서를 허가한 데 책임 있는 사람들은 지금 다른 곳에서 돈을 벌고 있겠지만 애초에 그러한 문서가 등장할 수 있었던 사실이 의미심장하다. 그 사실에서 수백만장자이며 언론 재벌이자 국제 정치 인물임에도 베를루스코니는 번역에 수반되는 그 복잡한 과정을 전혀 알지 못했음을 알 수 있다.

포르자 이탈리아당 신상정보에는 컴퓨터 프로그램이 번역한 사실을 알려주는 모든 특징들이 있고 컴퓨터 번역은 이제 새로운 것이 아니다. 그러나 누군가는 그 프로그램을 시작해야 하고 누군가는 모니터해야 하며 누군가는 최종결과물의 질적 수준에 책임을 져야 하지만, 분명히 이번 사례에서는 이러한 일들이 일어나지 않았다. 국제화와 새로운 테크놀로지에 전념하는 모습을 보여주고자

---

3) 예를 들면, 앞서 나온 영어 단어 conjugate는 동사의 형태가 달라지는 것을 뜻하는 반면 이탈리아어 congiugato는 '결혼하다'를 뜻한다. (옮긴이 주)

하는 정부가 그러한 기본적인 실수를 하다니 정말 어처구니없지만 슬프게도 그런 일은 보기 드문 것이 아니라는 점이다. 번역을 제대로 해보지 못한 사람들은 그 어려움을 이해하지 못하고 중요한 것을 번역하는 데 얼마나 많이 조심해야 하는지 알지 못한다.

번역가들은 종종 형편없는 보수를 받고 이름도 존재하지 않지만 오늘날 세상에서 없어서는 안 될 존재이다. 2001년 9월 11일의 테러사건은 모든 사람이 자신들처럼 생각할 거라 여겼던 영어 원어민들이 안주하는 모습, 그 끔찍한 태도를 보여주었다. 또한 국제 테러리스트 네트워커들이 세계 도처에서 눈에 띄지 않은 채 섞이기 위해 언어와 문화의 지식을 활용할 수 있음을 보여주었다.

영어를 말하는 곳에 사는 다수의 사람들은, 절대로 번역된 적이 없기 때문에 자신의 의견이 남들에게 들린 적이 없었던 수백만 사람들의 분노의 깊이를 알고 깜짝 놀랐다. 이것은 물론 글로벌 영어의 확산이 가진 불리한 면이다. 더 많은 사람들이 영어를 배움에 따라 더 많은 영어 원어민들은 다른 언어를 배울 필요성을 느끼지 못하고 번역에 의존하며, 그 잘못될 수도 있는 번역들이 어떻게 잘못되었는지 고민하지 않는다. 미국 정부는 번역은 단순히 단어를 한 언어에서 다른 언어의 단어로 대체하는 것 훨씬 그 이상의 것이라는 것을 깨닫고 빈 라덴 비디오를 분석하기 위해 아랍 언어 및 문화 전문가 팀을 모집하였다. 다른 언어는 다른 사고 과정, 다른 문화적 가치, 다른 세계관을 반영한다. 훌륭한 번역가는 이를 알고 단일 언어 사용자들이 그 존재도 알지 못하는 여러 층의 복잡한 차이를 협상하고자 한다. 외국어 학습이 이 나라 영국에서 전보다 더 급속하게 후퇴하고 있고, 정부가 그 흐름을 막기 위해 행동해야 하는 이유는 우리는 상호 문화 이해에 관한 더 많은 전문가들이 필요하고 견고한 언어 학습 프로그램 없이는 훌륭한 번역가들을 양성하지 못하기 때문이다.

그런데 한 가지 질문이 아직도 신경이 쓰인다. 1쪽의 신상정보의 첫 번째 엔트리는 베를루스코니 자신의 것이었고, 그것은 완벽했고 단 하나의 실수도 없는 자연스러운 영어였다. 이것 때문에 다른 것들이 더더욱 우스꽝스러워 보였다. 누군가 우리 번역가보다 번역을 통한 미디어 조작에 대해 더 많이 안다는 것일까?

16

살아 있는 언어

두 개 언어 사용bilingualism에 대한 토론에 참여했을 때 나는 누군가가 훌륭한 번역가는 출발 언어와 도착언어 둘 다 '완벽하게 알아야' 한다고 말하는 것을 듣고 흥미를 느꼈다. '완벽하게 알아야' 한다는 그 구절이 내 신경을 건드렸다. 결국 완벽하게 안다는 것은 무엇이고 그것은 과연 존재할 수 있을까? 좀 더 적절하게 질문한다면 우리가 두 언어는 말할 것도 없거니와 한 가지 언어라도 완벽하게 아는 것이 가능할까? 내 경우 잘 모르는 방식으로 쓰이거나 전에 한 번도 본 적 없는 어떤 단어나 구를 찾기 위해 사전을 찾지 않고 일주일이 그냥 지나가는 법이 없다. 그리고 나는 항상 동의어 사전을 부엌에 두고 찾아본다. 동의어 사전은 크로스워드 퍼즐에 특히 편리하다! 작가와 번역가는 그러한 참고도서가 필요한데, 그 이유는 어떠한 언어도 '완벽하게' 알 수 없다는 것을 우리는 인정하기 때문이다.

물론 더 큰 문제는 어떻게 정확하게 언어 능력을 측정하느냐이다. 여기에 두 개 언어 사용에 관한 연구가 아주 흥미롭다. 몇 년 전만 해도 두 언어를 말하는 사람들은 한 가지 언어를 사용하는 사람들보다 더 작은 두뇌를 갖고 있다고 생각했다. 왜냐하면 그 누구의 머리에서든 두 언어가 존재하는 것이 두 언어의 '완벽한 앎'을 감소시킨다고 생각되었기 때문이다. 미국의 초기 IQ 테스트 일부는 두 언어 사용자들이 한 가지 언어 사용자보다 지적으로 열등하다는 것을 보여주기 위해 만들어진 것처럼 보인다. 그것은 한 국가가 이민자들이 사회적 먹이 사슬에서 열등하다는 사실을 보여줄 때 필요한 쓸모 있는 가정이었다. 고맙게도 두 언어 사용에 대한 그러한 낙인이 사라지고 요즘은 자산으로 보지만 여전히 우리는 어떻게 두 언어 사용을 정확하게 정의 내릴지 확신이 서지 않는다. 예를 들면 처음부터 두 언어를 배우는 사람들과 모국어가 있지만 나중에 또 다른 언어를 유창하게 잘하는 사람들을 우리는 구분해야 할까? 그렇다면 전자는 일부 학자들이 제안하듯이 '진정한' 두 언어 구사자로 볼 수 있을까?

나의 개인적인 경험에 따르면 이것은 분류될 수 없는 아주 복잡한 영역이다. 태어날 때부터 배워서 두 개 언어를 구사하지만 어느 쪽도 눈에 띌 만큼 유창하다고는 할 수 없는 사람들을 나는 만나왔고, 성인이 된 후에 또 다른 언어를 배워서 어느 원어민 못지않게 유창하게 말하고 그 언어를 잘 알고 있는 사람들을 만나기도 했다. 그리고 언어란 그것이 사용된 배경과 결코 분리될 수 없다는 점을 고려한다면, 언어로는 실력이 좋아도 그 문화에 대해서는 잘 알지 못하는 사람들을 어떻게 이해해야 할까?

최근에 나는 리스본에서 열린 학회에 참가하던 중 언어와 관련된 신기한 경험을 한 적이 있다. 나는 포르투갈어와 특별한 인연이 있는데, 어렸을 적 그 언어를 유창하게 잘 했고 포르투갈어와 영어 사이를 자유자재로 넘나들며 구사했다. 그러고 나서 우리 가족은 이탈리아로 이사를 갔고, 완전히 새로운 언어로 공부를 시작하기 전에 이탈리아 학교 입학 준비를 위해 단기 시험 준비 학원에 들어가야 해서 포르투갈어는 제쳐두어야 했다. 이탈리아어는 나에게 중요한 제2언어가 되었다. 그 이유는 무엇보다도 라틴어와 프랑스어 같은 다른 언어의 공식적인 학습이 이탈리아어를 통해서 이루어졌기 때문이었다. 나는 라틴어 산문을 이탈리아어로 옮겼고 이탈리아어 문단을 라틴어로 옮겼다. 이탈리아어는 나중에 배운 모든 언어를 배울 때 다리 역할을 하는 언어가 되었다. 지금까지도 나는 다른 언어를 배울 때 그것이 스페인어든 프랑스어든 영어 억양이 아니라 이탈리아어 억양을 쓴다.

그러나 포르투갈어와의 인연이 완전히 끝난 것은 아니었다. 나는 꾸준히 그 언어로 책을 읽었고, 대학을 마칠 무렵에는 사전이 늘 옆에 있긴 해도 포르투갈어를 잘 구사했다고 자신 있게 말할 수 있다. 성인이 되었을 때 나는 가족과 함께 포르투갈에 휴가를 가기 시작했고 포르투갈 구어를 다시 만났다. 그러나 여기에 나에게 문제가 있었다. 포르투갈 구어는 너무 어려웠고 한때 그렇게 잘 알던 언어로 되돌아 갈 수가 없었다. 그 경험은 꼭 자동차 앞 유리창에 비를 경험한 것과 흡사했다. 젖어 있고 춥고 빗방울이 소리를 내지만 차 안에는 그런 것을 하나도 실제로 느끼지 못하는 것이다. 거기에 그냥 앉아 있고 비가 있음을 알지만 실제로 그것을 느끼거나 듣지는 못한다.

몇 년이 지나자 나는 포르투갈어가 그러니까 어떤 방식으로 나에게 직접 비처럼 뿌려지고 내 몸을 적시고 있다는 것을 알게 되었다. 그 언어와 더 가깝게 느껴졌다. 그때쯤 나는 비록 내 포트투갈어가 스페인어에 물들고 이탈리아어 발음의 특징을 갖고 있을 지라도 포르투갈어를 말하기 시작했다. 그러다 며칠 전 새로운 단계의 깨달음이 다가왔다. 학회가 반 쯤 지났을 무렵 나는 사람들이 포르투갈어로 말하는 것을 다 이해할 수 있었고 농담을 듣고 웃을 수 있고 뉘앙스를 잡아낼 수 있었다. 그날 저녁 파두 레스토랑에서 나는 포르투갈어가 어떤 식으로 내재화되고 있다는 느낌을 갖게 되었다. 그 언어는 외부에서 나에게 비를 뿌리기보다는 내 안에서 흐르고 있었다. 나는 어린 시절부터 내 머리 속에서 어떤 구절이 울리고 있다는 것을 알았고 아마도 어디선가 묻혀 있던 언어적 지식의 깊이를 헤아릴 수 있음을 알게 되었다. 그것은 특별한 감각이었다. 그 언어가 어떤 방식으로든 내 안에서 되살아나 더욱 심오한 의미를 부여받고 기억을 되살려 냈다.

그러나 나의 이야기를 신기하게 만드는 것은 포르투갈어가 훨씬 이전에 배운 언어, 즉 내가 아주 어렸을 때 배운 덴마크어를 대체했다는 것이다. 하지만 어떤 종류의 공식적인 학교 교육을 받기 전에, 그러니까 내가 읽고 쓸 수 있기 전에 그 언어를 배웠기 때문에 아무것도 남아 있지 않다. 나는 잃어버린 덴마크어 일부를 다시 배우기를 바라는 마음에 대학교 다닐 때 일 년 간 수업을 들었지만 결국 배우지 못했다. 그러나 나는 한때 억양에 관한 전문가로부터 인터뷰를 요청받았는데 그 전문가는 나의 일상 구어 영어에 이탈리아어와 포르투갈어, 심지어 스칸디나비어의 흔적이 있음을 정확하게 발견하였다. 그것은 두뇌가 비상하게 언어 물질을 처리한다는 것과 아무것도 완전히 상실되지 않는다는 것을 보여준다.

나처럼 평생 동안 똑같은 언어들은 아니어도, 머릿속에 두 개 언어가 항상 있는 사람은 어떤 부류의 두 언어 구사자냐고 누군가는 물을 수 있다. 여기 완벽한 앎이라는 것은 없고 오히려 변화하는 현실만이 있다. 게다가 우리는 나라에서 나라로 이동할 때 문화적 컨텍스트는 즉각성을 잃고 사라지기 시작한다. 요즘 나는 이탈리아에 갈 때마다 집처럼 느끼지만 포르투갈에선 편안하지만 외국인이고, 덴마크는 그저 그 나라를 열렬히 좋아하는 방문객일 뿐이다. 시간과 부재는 언어 능력에 커다란 영향을 끼치고 친숙한 것은 살아가면서 의미를 잃을 수 있다. 두 개 언어를 구사하는 사람들이 자주 하는 불평이란, 두 언어 중 한 가지 언어를 말하는 곳에서 너무 오랫동안 멀리 떨어져 있으면 그 언어가 발전하고 변화할 때 자신들은 변하지 않고 입지를 잃기 시작한다는 것이다. 한 친구가 6개월마다 집에 가야한다고 나에게 말했는데, 오랜 시간 멀리 떨어져 있으면 거리감을 느끼기 때문이라고 했다.

물론 모든 사람들이 이렇게 할 수 있는 사치를 갖고 있는 것은 아니다. 망명자, 난민, 이민자는 종종 자기나라를 영원히 떠나고, 비슷한 방식으로 고국을 떠날 수밖에 없던 다른 사람들과 교류함으로써 그리고 기억을 통해 자신의 언어를 살아 있게 한다. 그런데 몇 년이 지났을 때 그들은 여전히 두 언어를 구사한다고 말할 수 있을까? 내 생각엔 그렇다. 내 경험에 따르면 두 언어 구사를 정의하는 것은 불가능하고, 완벽하게 알 수 있다고 주장하는 것은 확실히 불가능하고, 두뇌가 언어를 처리라는 방식은 아주 복잡하다. 처음부터 한 가지 언어 이상에 노출된다고 해서 반드시 아이가 자라서 두 언어를 잘하게 되는 것은 아니다. 그러나 그것은 언어적 다양성에 대한 가능성과 나중에 언어를 배울 수 있는 가능성을 열어놓을 것이다.

내가 아는 많은 번역가들이 자신이 말하는 언어와 잃어버린 언어, 다른 나라에서 자랐던 사실, 부모가 한 가지 언어 이상으로 말했던 것에 관한 흥미롭고 다양한 이야깃거리를 갖고 있다는 사실은 주목할 만하다. 번역가들은 종종 자신이 말하는 언어에 관한 아주 재밌는 개인적인 역사를 갖고 있다. 비록 대학교에서나 어른이 되어 제 2언어를 배우는 번역가들이 있을 지라도, 많은 번역가들이 어린 시절부터 다른 언어와 조우했다. 간단히 말해 번역가 다수가 그 직업을 택한 이유는 아마도 그 설명할 수 없는 다른 언어와의 인연 때문이다. 우리의 앎이 완벽할 수 없기 때문에 우리 모두는 사전이 필요하다는 것을 기꺼이 인정하고 마음을 열게 하는 것은 바로 그 인연이다. 완벽은 불가능하다는 사실을 인정하는 것이야말로 훌륭한 번역가가 되는 지름길이다.

17

마음속에만 존재하는

얼마 전 나는 통번역 기관지인 『ITI 블루틴』*The ITI Bulletin*에 어린 시절에 말하던 포르투갈어를 다시 발견한 묘한 경험에 관해 쓴 적이 있다. 한때 아주 잘 알았던 그 언어는 11살 때부터 주요 언어로 자리 잡은 이탈리아어와 그 이후에 배운 다른 언어들로 인해 흐릿해지며 사라졌다. 나는 포르투갈어를 항상 편안하게 읽을 수 있었지만, 더 이상 말할 수는 없었고 포르투갈어 원어민을 이해하는 데 다소 어려움이 있었다. 그러나 시간이 지나면서 포르투갈로 떠난 가족 여행과 자주 있는 학교 업무 덕택에 포르투갈어 회화에 집중할 수 있게 되고, 요즘은 그 언어에 다시 한 번 편안함을 느낀다.

최근에 나는 잊어버렸던 것 같던 언어가 사람의 의식에서 부활하는 것에 대해 많은 생각을 했다. 사실 이런 주제를 꺼낼 때 어떤 용어를 사용해야 할지 모르겠다. 한 언어가 무의식으로부터 어떤 방식으로든 다시 출현하기 시작하는 것을 재발견이라고 해야 할지 아니면 회복이라고 해야 할지, 아니면 그것은 잠재의식 속마음인가? 단지 내가 아는 건 포르투갈어에 발생했던 일이 내가 아주 오래 전에 알았던 또 다른 언어, 덴마크어에게도 일어나고 있다는 것이다.

글을 쓸 수 있기 전 그러니까 내가 아주 꼬마였을 때 덴마크어를 배워서 내 머리에는 오직 그 언어의 소리만 존재한다. 대학 다닐 때 덴마크어를 다시 배우기 위해 1년 코스 수업에 등록했다. 단편소설과 시 정도를 읽을 수 있었지만 덴마크어 회화를 너무 못했고 선생님은 내가 이탈리아어 억양이 강하다고 말했다. 덴마크어를 배우려는 노력은 지속되지 않았고, 덴마크어는 가족 휴가나 좋은 친구들을 만나거나 주기적으로 방문해서 배우게 된 또 다른 언어인 스웨덴어 아래로 가라앉아버렸다. 스웨덴어 회화를 덴마크어보다 훨씬 잘한 것은 아니었다. 한 번은 친구 한 명이 내가 셀프학습용 스웨덴어 CD를 틀고 우스꽝스러운 문장을 반복해 말했더니 웃다가 차에서 떨어질 뻔했었다. 글쎄 내가 1930년대 영화 이후로 들어 본 적이 없는 억양으로 말했다는 것이다.

그러나 이러한 회상에 대한 핵심은 오랫동안 묻혀 있던 언어들이 지난 12개월 동안 나에게 돌아오고 있다는 것이다. 내가 독일어를 특히 잘한다고 한 번도 생각한 적은 없지만 최근에 베를린에서 그 지역 택시 운전사와 이런저런 얘기를 나눈 적이 있다. 택시에서 내렸을 때에서야 나는 내 자신이 독일어, 그것도 독일어 방언이 아주 편안했던 사실을 깨달았다.

이러한 묘한 언어 부활의 과정이 나이가 들어가는 것과 관련이 있는지 궁금해지기 시작했다. 나는 환갑이 되었고, 남자친구의 전화번호나 어제 읽었던 책 제목이나 가게 문 닫기 전에 사러 나갔던 물건의 이름을 잊어버리는 나이든 사람들이 흔히 겪는 곤혹스런 순간들이 점점 더 많아지고 있다. 우리 어머니는 아흔 살이고, 최근에 일어난 일은 항상 기억을 잘 못하시지만 예전에 있었던 일은 기가 막히게 잘 기억하신다. 어머니는 40년에서 70년 전에 만났던 사람들의 이름, 있었던 일, 날짜, 시간을 감정과 함께 똑똑히 기억하실 수 있다. 이처럼 나이든 사람들은 종종 먼 과거의 일을 잘 기억한다. 마치 과거가 현재에 침입하기 시작해서 어떤 방식으로든 더 중요해지는 것처럼.

만약 어린 시절을 생각나게 하는 기억이 떠오를 수 있다면 아마도 언어 역시 빛을 향하여 돌아가는 길을 찾을 수 있을 것이다. 어찌되었든 나는 포르투갈로 이사 갈 때까지 덴마크어를 유창하게 했고 이탈리아로 이사 갈 때까지 포르투갈어를 유창하게 했던 것이다. 그래서 한때 내 일상의 일부였던 그 두 언어들은 분명 지금도 두뇌의 어딘가에 박혀있을 것이다. 이탈리아에서 살 때 나는 라틴어, 프랑스어, 독일어와 같은 여러 언어들을 학교에서 정식으로 배우기 시작했다. 스페인어는 우연히 알게 되었는데, 영화나 책을 통해 더더욱 잘 알게 되었다. 그것은 아마도 내가 다른 로망스어를 알고 있기 때문일 것이다. 마침내 미국에서 대학원 수업을 들었을 때 나는 스페인어를 꽤 잘했다. 이것은 단지 내가 어쩌다 다양한 언어들을 더 많이 이해할 수 있었기 때문이 아니다. 나는 또한 여러 개의 언어로 꿈을 꾼다. 눈 뜰 때 정확한 구절과 대화를 기억할 수 있기 때문에 그 사실을 알 수 있다.

이 모든 것이 참 신기하다. 지금까지 배운 여러 언어들을 제대로 연습하지 않은 것을 개탄하기 시작하던 바로 그 순간에 나는 우연히 내 자신이 점점 더 많은 언어를 구사하고 있음을 알게 된다. 올해 초 박사학위논문을 심사하기 위해 덴마크에 갔을 때 나는 힘들지 않게 남자친구를 위해 안내문이나 신문을 번역해 주었다. 그러고 나서 오랫동안 그 언어를 사용하지 않고도 어떻게 그렇게 잘 하는지 궁금해졌다. 몇몇 언어는 생각했던 것보다 훨씬 더 잘 하는 것 같았다. 무슨 이유에선지 그 언어들의 기억이 돌아오고 있고, 나처럼 머릿속에 다양한 언어의 흔적이 있는 다른 사람들도 이러한 경험을 하는지 궁금해지기 시작했다. 비슷한 경험을 하는 독자나 이런 현상에 어떤 연구가 이루어졌는지 아는 사람이 있다면 정말 그들의 얘기를 듣고 싶다.

나는 이 예기치 못한 그러나 아주 반가운 언어 기억의 자물쇠를 풀면서 동시에 언어 변화와 타협해야 했던 작가들에게 내 자신이 빠져드는 것을 알게 되었다. 베스나 골즈워디(Vesna Goldsworthy, 2009)는 아름다운 회고록인 『체르노빌 딸기』*Chernobyl Strawberries*에서 자신이 두 언어와 어떻게 타협하게 되는지 살펴본다. 그녀에게 두 언어란 어린 시절의 세르비아어와 그 모국어보다 어떤 때는 훨씬 그 이상이며 동시에 훨씬 그 이하라고 말했던 영어이다. BBC 월드 서비스에서 일했던 시절에 대해 쓰면서 그 여류 작가는 언어의 측면에서 분열된 삶을 표현하려고 애쓴다.

> 수많은 단어를 썼고, 수천 번 사랑을 나누었고, 아팠고, 영어로 꿈을 꾸고 기도도 했다. 내 마음 속 다른 언어로는 존재하지 않는 이름의 허브와 향신료를 가지고 셀 수 없을 정도로 많은 음식을 만들었고, 구식이 되어 가고 있는 벨그레이드의 교육받은 상류층이 말하는 '표준 발음'Received Pronunciation으로 방송도 했다. 영어는 나의 언어이기도 하지만 동시에 나의 언어가 아니다.

베스나 골즈워디는 모국어가 아닌, 자신이 선택한 언어로 글을 쓰는 재능 있는 국제적인 작가 중의 한 명이며, 그러한 작가의 수는 점점 늘어나고 있다. 그녀가 선택한 언어는 영어이며 남편이나 시댁과 대화할 때 사용한다. 그녀의 책은 자신이 다양한 언어 세계를 어떻게 차지하고 있는지 살펴본다. 문화를 옮겨 다니고 언어를 상실하거나 재발견하는 비슷한 경험을 가진 다른 작가들처럼 그녀 또한 언어의 육체성, 즉 단어가 수반하는 소리와 몸짓을 강조한다.

이 언어에서 저 언어로 옮겨 다니는 사람들은 각기 다른 언어들을 다른 방식으로 육체적으로 경험한다. 소리는 몸의 각기 다른 부위에서 울린다. 예를 들면, 아랫배, 가슴, 목, 머리가 있다. 나는 항상 어떤 언어가 더 편안하게 느낄수록 내 몸의 더 낮은 부분에서 목소리가 나오는 것처럼 느낀다. 간단히 말하면 언어는 언제나 육체적인 것이고 우리가 말하는 방식에는 이것이 반영되어 있다.

언어를 육체적으로 경험하는 것은 이자벨 드 코티브론(Isabelle de Courtivron, 2003)이 편집한 언어와 두 언어 구사bilingualism에 관한 글을 모아 놓은 책에서 쉽게 찾아 볼 수 있다. 그 책에서 아리엘 도프만Ariel Dorfman은 두 언어 구사를 이중결혼으로 비유하고, 실비아 몰리Silvia Molly는 '아직 그곳에 가지 못한'에 관해 쓰고, 일란 스타반스Ilan Stavans는 '러브 어페어'love affair라는 은유를 사용하며, 레일라 세브하Leila Sebhar는 '침묵당한 아버지 언어'에 대하여 쓴다. 에바 호프만(Eva Hoffman, 2003/1989)은 자신의 아름다운 책 『번역의 상실』*Lost in Translation*에 대한 일종의 추신이라고 말하는 논문에서, 언어의 상실이 불러일으키는 두려움을 분석한다. '우리가 사랑했지만 잃어버린 것에 돌아오는 것은 과연 언제 안전한가?'라고 그녀는 묻는다. 호프만은 독일 난민수용소에서 얼마동안 살다가 어린 시절 이스라엘로 보내졌던 한 러시아 시인의 이야기를 한다. 자라면서 그 시인은 독일어를 잘 기억할 수 있지만 러시아어는 사라졌음을 알게 되었다.

> '내가 그것을 죽였어요. 그렇게 하기로, 그러니까 내 안의 러시아어를 죽이기로 한 그 결정이 기억나는 것 같아요'라고 그는 말했다.

이것에 대한 에바 호프만(2003/1989)의 설명에 따르면 러시아어를 붙드는 것은 모국어로서 아무리 사랑스러워도 훌륭한 히브리어 작가가 되고자 하는 그의 열망을 위협하게 된다는 것이다. 호프만도 폴란드어를 죽이기로 하지는 않았지만 '그 언어를 어떤 지하 저장고에 밀어 넣는 그 뚜렷한 행동'을 기억한다고 인정한다.

러시아어가 말년에 그 이스라엘 시인에게 계속 되돌아오는 것은 아닌지 나는 궁금해진다. 나의 경우 어떤 방식으로든 어렸을 때 말했던 언어들이 돌아오고 있기 때문이다. 언어는 또한 정체성과 밀접한 관련이 있고, 어른이 되면 언어를 선택할 수 있지만 아주 어려서 언어를 배울 때는 선택을 할 수 없다. 덴마크어와 그 다음엔 포르투갈어를 잃어버린 내 경험이 이사 다니던 트라우마와 관련이 있는지 궁금해지기 시작했다. 나는 어린 시절 기억에 큰 틈이 있는데, 예를 들면 사람들 대부분에게 뚜렷이 각인되는 학교를 다니기 시작했던 기억이 전혀 없으며 덴마크를 떠난 기억도 전혀 없다.

에바 호프만은 인지적 기억이 있는 것과 마찬가지로 인지적 망각도 있다고 주장한다. 어떻게 자신의 폴란드어가 돌아오기 시작했는지, 갇혔다가 풀려난 것처럼 서둘러 되돌아오기 시작했는지, 그리고 어떻게 자신의 두 언어가 의식 내에서 서로를 위협하지 않으며 조화롭게 살 수 있게 되었는지 얘기한다.

나는 나에게 무슨 일이, 왜 일어나고 있는지 어떠한 권위를 가지고 글을 쓸 입장도 아니고 다 이해할 수도 없지만 어떤 이상한 일이 일어나고 있음은 분명하다. 그것은 또한 신비롭게 아름답기까지 하다.

18

몸짓 언어

우리 집 셋째, 넷째 아이가 이탈리아어를 배우는데, 그것은 두 아이에게 아주 행복한 경험이었다. 그 아이들은 자랄 때 이탈리아어가 주변을 맴돌았기 때문에 꽤 많이 이해할 수 있지만 지금에서야 정규 수업을 듣고 그 수업을 통해 기본 문법에 대해 많은 것을 배우고 재미있어 했다. 나는 회화로만 언어를 배우는 방식이 늘 의심스러웠는데, 왜냐하면 내가 알고 있는 언어 중의 하나를 회화를 통해 배웠고 내 지식을 고정시킬 문법을 몰라서 거의 모든 것을 다 잊어 버렸기 때문이다. 그러나 잠시 나의 편견을 접어둔다면 그 수업에서 내 아이들의 상상력을 정말로 사로잡은 것은 손 제스처였다.

'몸짓 언어'body language에 대해 이야기하면서도 언어를 배우는 것이 단어 그 이상의 것임을 우리는 종종 잊는다. 다양한 문화는 다양한 신체적 표현방식을 갖고 있다. 인사하는 방식에서부터 얼마나 가까이 옆에 서거나 앉는지에 이르기까지 다양하다. 인도 남자들이 거리에서 너무나도 쉽게 악수하는 것은 유럽 사람들 눈에는 놀라운 것이며, 남인도South India에서 어떤 사람들이 머리를 좌우로 살짝 흔들기 위해 목의 근육을 이용하는 방식 또한 놀랍다. 나는 한 번도 그것을 제대로 따라하지 못했다. 악수는 어떤 상황에서는 공손함의 제스처이지만 다른 상황에서는 상대의 개인적 공간에 대한 침입이다. 일본인이 허리를 굽혀 인사하는 것은 외국인들에게는 도무지 이해할 수 없는 것이고, 일본에 있을 때 따라 해 보려 하면 우리 모두 처음에는 잘 못한다. 동의하거나 동의하지 않는 것에 보편적인 시스템이 없는 것처럼 인사하는 것도 모든 곳에 통용되는 시스템은 절대로 없다. 어떤 경우 고개를 끄덕이는 것이 동의를 나타내지만 다른 경우 고개를 흔드는 것이 동의를 표현한다. 북유럽과 남북 아메리카에는 고개를 흔드는 것이 거절을 뜻한다. 한 소설에서 '그는 동의의 뜻으로 고개를 끄덕였다'he nodded assent라는 표현을 만난다면 번역가는 머리를 흔드는 것이 동의를 나타내는 언어로 번역할 때 그 제스처를 바꿔야 하고 그렇지 않으면 독자는 헷갈릴 것이다.

좋은 인상을 주기 위해 여행할 때 해야 할 것, 하지 말아야 할 것을 경고하며 문화 사이의 행동지침에 대한 조언을 제공하는 온갖 종류의 책을 공항에서 살 수 있다. 이러한 책 중 어떤 것은 도움이 되는 정보를 주기도 한다. 예를 들면 독일에서는 초대한 여주인에게 종이로 포장한 꽃을 주면 안 되고 남유럽에서는 공동묘지를 연상시키기 때문에 국화꽃을 가지고 나타나면 안 된다. 그러나 나는 이렇게 재빨리 만들어낸 문화를 가로지르는 성공 가이드 일부가 때로는 얼마나 잘못될 수 있는지 알고 깜짝 놀란다. 그 책들을 노예처럼 맹종하는 사람들은 있지도 않는 문제를 만들어낼 수 있다. 얼마 전에 나는 학교에서 저녁식사 파티를 열었고, 한 귀빈에게 인사하는 방식에 대한 반쪽 자리 지시사항을 전달받았다. 그 여자 귀빈이 원하지 않으면 악수하지 말 것을 분명하게 경고하는 내용이었다. 따라서 그녀가 나에게 손을 내밀며 밝게 웃을 때까지 내 얼굴은 굳어 있었고 손은 옆구리에 두었다. 우리는 악수를 하고 저녁 내내 이야기를 나누었다. 나는 왜 내가 그런 조언을 받았는지 알지 못했다.

몇 년 전 그리스의 올림픽 항공Olympic Airlines이 올림픽Olympic의 'O'를 강조하기 위해 강구한 광고 캠페인을 출범시켰다. 잡지에는 전면 광고가 실렸는데, 다양한 민족의상을 입은 비즈니스 클래스 승객인 세 명의 남자와 한 명의 여자가 모두 오른손을 내밀고 검지와 엄지손가락으로 O 모양을 만들고 있는 사진 네 장이 있었다. 수업 시간에 한 학생이 이 이야기를 해서 알게 되었는데, 많은 나라에서 외설적인 것으로 보는 제스처를 국제적인 회사가 순진하게 사용했다니 정말 믿을 수가 없었다. 그 광고는 얼마 되지 않아 사라졌고 아마도 다른 사람들이 그 항공사의 결례를 주목했기 때문일 것이다.

아일랜드계 미국인 남편과 함께 약 30년 전 아일랜드 주변을 운전하고 있을 때였다. 우리에게 즐겁게 손 흔들던 사람들이 남편이 운전대에서 V 표시로 응답해 주면, 왜 우리에게 주먹을 휘두르기 시작하는지 나는 남편에게 설명해 주어야 했다. 남편은 영국의 자동차 번호판 때문이라고 처음에 생각했지만, 승리Victory 표시의 V 모양을 만드는 것은 손가락을 잘못 들면 매우 경멸적인 것으로 보일 수 있다고 설명하니 평정심을 찾고 대신 답례로 손을 흔들어주기 시작했다.

이탈리아어 수업에서 내 아이들은 다양한 손 제스처를 배웠다. 어깨 으쓱하기, 악마의 눈을 피하기 위해 두 손가락을 내밀기, 손을 피고 양팔을 가슴 쪽으로 가져 오며 질문하듯이 '베?'Beh라고 말하는 것들을 배웠다. 이 마지막 제스처는 온갖 종류의 것들을 뜻할 수 있지만, 대체로 금방 들은 것은 중요하지 않다는 것을 말한다. 내 딸이 이 몸짓들을 아주 잘 하니까 반 친구가 어떻게 그 모든 것을 잘 아냐고 물어보았다. 딸은 엄마의 제스처와 함께 자라면서 알게 되었다고 대답했다.

그러나 그 모든 제스처를 나는 무의식적으로 한다. 내가 그 제스처를 하는지 의식하지 못한다. 그 제스처는 내 삶 그리고 살아온 삶의 커다란 부분을 차지한다. 아이들이 그 언어수업을 받은 지 얼마 안 되어, 나는 몇 년 전 핀란드에서 박사학위 심사를 하고 있는 내 모습이 담긴 비디오를 보았다. 거기서 나는 바람개비처럼 내 팔을 흔들고 있었다. 정말 나는 내 팔을 단순히 흔드는 것이 아니라 찰스 디킨스Charles Dickens 소설의 우라이어 히프Uriah Heep가 하듯이 두 손을 움켜잡고 비비고, 뭔가 주장하기 위해 내 팔을 내밀고 누군가를 껴안듯이 손을 가슴에 갖다 대기도 하였다. 그건 정말 보기 민망했지만 재밌었고, 그동안 얼마나 많은 학생들이 이상하게 보이는 나의 몸짓 행동을 못마땅하게 생각했을지 궁금해졌다. 그 몸짓 다 나는 무의식적으로 했던 것이다. 보디랭귀지를 최소한으로 사용하는 핀란드에서 그들이 이것을 어떻게 받아들였는지 나는 결코 알 수 없을 것이다. 초대한 사람들은 북유럽 방식으로 너무 친절해서 나에게 말할 수 없었기 때문이다.

몸짓 언어를 가르치고 동시에 외국어를 가르치는 것은 감탄할 만한 것이라고 생각한다. 우리가 만약 언어 외적인 것의 중요성을 가르치려고 한다면 그것은 훌륭한 출발점인 것 같다. 단어는 항상 어떤 상황에서 발화된다. 그리고 어떻게 특정한 몸짓과 동반되어 그 단어가 발화되는지는 의사전달에서 여러 층의 의미를 추가한다. 어떻게 다른 문화가 작동하는지 이해하는 능력은 번역과 통역의 중요한 부분이며, 따라서 단어를 동반하는 (또는 대체하는) 몸짓 언어를 읽을 수 있는 것은 단어 자체를 번역할 수 있는 능력만큼이나 중요하다. 또한 문학번역가가 소설이나 무대 지시문에 나오는 몸짓의 의미를 이해하는 것도 중요하다. 만약 등가물을 찾을 수 없다면 가능하면 청중에게 더 의미가 있는 대체물을 찾는 것이 중요하다.

흥미로운 것은 몸짓은 문화마다 다양할 뿐만 아니라 시대에 따라 또한 다양하다는 것이다. 사람들의 일상 습관에 대해 풍부한 감수성과 관찰을 통해 글을 쓰는 개스켈Gaskell 부인이나 샬롯 브론테Charlotte Brontë와 같은 19세기 초 소설가들은 오늘날 똑같은 의미를 갖고 있지 않은 다양한 제스처를 기록한다. 자주 나타나는 한 가지 몸짓은 다음 음식이 나오기를 기다리거나 가게에서 점원이 주목하기를 기다릴 때 테이블을 손가락으로 치는 것이다. 이러한 것은 1830년대 영국의 점잖은 사교계에서 허용되는 행동이었지만, 내가 푸딩을 내오기를 기다리면서 우리 집에서 식탁을 치는 사람이 있다면 그게 누구든 우리 집에 다시는 초대받지 못할 것이다. 저렇게 참을성 없음을 드러내는 몸짓은 한때 평범한 것이었지만 오늘날에는 예의 없는 것으로 보일 것이다.

다양한 몸짓 언어를 이해하는 법을 배우는 것은 다른 문화를 언어와 신체적인 측면에서 이해하는 것을 배우는데 매우 중요한 단계이다. 원어민이 어떻게 움직이고 서로 반응하는지 언어 학습자들에게 가르치는 것은 기본 단어와 문장 구조를 가르치는 것만큼이나 중요하다. 지금도 우리는 일본인들이 허리를 굽혀 인사하는 것을 똑같이 따라할 수는 없지만 적어도 그 시스템에 대해 무언가를 배울 수 있다. 나는 몸짓 언어를 가르치는 내 아이들의 선생님께 만점을 주겠다. 언어를 가르치는 모든 사람들이 그 분처럼 지각 있기를, 깨어 있기를 바랄 뿐이다.

19

욕은 번역할 수 있다?

친구들은 내가 언어에 관심이 많은 것을 알아서 가끔 특이한 책들을 우편으로 보낸다. 지난 크리스마스 또한 예외가 아니었고, 받은 책 중 가장 재미있는 책의 제목은 아주 특이하게 도발적이었다. 옥스퍼드 대학 언어 센터 소장인 로버트 밴더플랭크Robert Vanderplank가 쓴 『원숭이 겨드랑이보다 더 못 생긴』*Uglier than a Monkey's Armpit*, 2007의 부제목은 '세계 곳곳의 번역할 수 없는 욕, 모욕적인 말, 악담'Untranslatable Insults, Put-Downs and Curses from around the World이다. 그 책은 아주 이상한 욕들을 모아 놓았고 각각의 욕에는 작가의 설명이 덧붙여 있다.

이 책은 수상쩍은 문화관련 고정관념－예를 들면 핀란드 사람들은 위트로 유명하지 않다거나, 체코 사람들은 다른 나라 사람들에 비해 마음 상하지 않고 쉽게 비판을 잘 받아들인다와 같은－에 대한 거부감만 극복한다면 많은 독자들이 흥미롭게 읽을 법한 그런 종류의 책이다. 밴더플랭크는 모욕적인 말들을 수집하여 언어별 제목 밑에 놓았다. 아주 개인적인 선별이었고, 아마도 계획 없이 여기저기서 가져온 것을 조금씩 모아 놓은 것 같다. 목록 중의 어떤 표현들은 문학에서 가져온 것이 분명하고, 다른 어떤 구절은 잘 알려져 있지 않은 것이고, 또 어떤 것은 오래된 표현이고, 다른 어떤 것은 아주 최근의 욕이며, 어떤 것은 일상 속에서 일반적으로 사용되는 욕이었다. 저자는 다양한 종류의 욕을 이렇게 뒤죽박죽 놓음으로써 거창한 백과사전이라기보다는 재미를 추구하는 책으로 만들었다.

물론 욕과 악담에는 심각한 국면도 있다. 2008년 1월에 열렸던 인도의 호주 크리켓 투어는 욕 문제로 발칵 뒤집혔었다. 인도의 하비잔 싱Harbhajan Singh은 호주 선수 앤드류 사이몬즈Andrew Symonds를 모욕하여 기소당한 후 3개월 동안 활동이 정지되었다. 하비잔은 앤드류를 원숭이라고 불렀다고 한다. 그것은 사이몬즈가 서인도 출신West Indies임을 고려한다면 인종주의 욕으로 여겨질 수 있었다. 그러나 ≪데일리 텔레그래프≫ 신문에서 BBC 스포츠 편집자인 미히르 보즈Mihir Bose는 그 모욕에 대한 다른 이야기를 전한다. 그의 버전에 따르면 싱은 자신의 상대를 원숭이라고 부르지 않았고, '데어 마 키'There maa ki라는 힌두어 말로 모욕을 줬다는 것이다. 물론 그 표현은 영어 단어 '원숭이'로 쉽게 잘못 들릴 수 있다. 아이러니한 것은 마Maa가 어머니Mother를 가리키는 단어가 되면서 사이몬즈의 어머니를 언급하는 욕설이 담겨 있는 이 구절은 너무 심하게 모욕적이어서 인도 팀은 그 표현이 영어로는 인종차별을 내포한다는 것을 알지 못하고, 훨씬 덜 모욕적인 단어라고 생각한 원숭이를 선택한 것 같다. 보즈는 인도에서는 종종 말 안 듣는 아이들을 원숭이라고 부른다고 말한다. 그래서 누군가를 원숭이라고 부르는 것은 특별히 모욕적인 것이 아니다. 그가 구성하는 이야기는 실로 흥미로운데 여기, 인종주의 발언을 하여 기소당하고 번역하기에 너무나 창피한 아주 심한 모욕적인 말을 다른 언어로[힌두어로] 한 선수가 있다. 그러나 영어로는 흑인 선수를 원숭이로 부르는 것은 점점 더 흔하게 사용되고 있는 motherfucker보다 훨씬 더 모욕적이다.

서로 다른 문화가 모욕적인 말을 인식하는 방식은 언제나 날 매료시켰다. 틀림없이 이것은 문화와 뗄 수 없는 현상이기 때문이다. 어떤 욕은 번역하면 밋밋해지거나 다소 우스꽝스럽게 보인다. 당나귀를 가리키는 심한 욕은 여러 중동 사회의 특징이지만 누군가를 영어로 ass(엉덩이)라고 부르는 것은 꽤 순한 표현이다. 이탈리아어나 스페인어에서 신성모독적인 욕은 심한 욕이라기보다는 헷갈리게 하는 것이다. 예를 들면 Porca Madonna는 끔찍한 표현이지만 영어 원어민은 그 표현이 어느 정도로 터부가 되는지 이해하는 데 어려움을 겪을 것이다. 모욕적인 말과 욕은 쉽게 번역할 수 없고, 설사 번역된다 해도 원어민이 느끼는 그 무게감을 아는 것은 매우 힘들다.

밴더플랭크의 책은 그가 모은 욕은 번역할 수 없다고 주장하는데 일면 그것은 사실이다. 영국 영어 섹션에 있는 예 중의 하나인 'He couldn't organise a piss-up in a brewery'는 문자 그대로 번역하기 힘들 것이고, 누구든 직역하면 결과는 우스꽝스러울 것이다. 마찬가지로, 어떤 헝가리아어 표현은 대충 번역하면 'looks as if he/she has been pulled through a hedge backwards'의 뜻이지만 직역을 하면 'looks as if he/she has been pulled out of a cow's mouth'가 된다. J. C. 캣포드Catford가 『번역의 언어적 이론』*A Linguistic Theory of Translation*, 1969이라는 책을 40년도 전에 썼지만 지금도 그 책은 매우 유용하다. 그 책은 'it's raining cats and dogs'와 같은 격언, 속담, 표현들의 직역의 부조리함을 논하고 있는데 그것은 욕에도 해당된다. 소설이나 희곡에서 등장인물들이 서로에게 욕할 때, 번역가는 도착어권에서 통하는 해결책을 찾아야 하고, 또한 모욕의 정도를 정확하게 번역하는 해결책을 찾아야 한다.

단어나 관용구의 모욕 수준을 정해야 할 필요성을 가장 잘 보여주는 사례 중의 하나는 영어에서 찾을 수도 있다. 『마이 페어 레이디』*My Fair Lady* 뮤지컬로 변형된 버나드 쇼Bernard Shaw의 『피그말리온』*Pygmalion*의 엘리자 두리틀Eliza Doolittle이 'Not bloody likely'를 말해서 좋은 인상을 주려 한 귀족 사회를 오히려 충격에 빠뜨렸다. 그 시대에 숙녀가 입에 담기엔 너무 충격적인 말이었기 때문이다. 그러나 'bloody'가 평범한 말이 되자 더 이상 큰 영향을 주지 못했고, 이후의 감독들은 그 말을 나중 세대들에게 더 충격적인 욕으로 '번역하였다'. 나는 엘리자가 'Not fucking likely'라고 말한 영화나 연극을 적어도 두 편은 보았다. 머지않아 이 말 또한 강해져야 하겠지만 말이다. 지난주만 해도 기차 안에서 경찰 아버지와 함께 런던 여행에서 돌아오는 남자 아이가 너무도 쉽게 f로 시작하는 욕을 말했는데 아빠나 할아버지 둘 다 그것을 대수롭지 않게 생각하는 것 같았다.

욕의 무게 문제가 번역가에게 곤혹스러울 수 있다. 예를 들면 'stupid'라는 단어를 보라. 사실 나는 그 단어를 우리 집 개들에게 항상 애정을 담아 사용한다. 이탈리아어 'Stupido'는 훨씬 더 강한 표현이고, 영어 희곡에서 등장인물이 누군가를 stupid라고 말하면 'Cretino'라는 이탈리아어로 번역하는 것이 더 낫다. 아들에게 이것을 설명했더니 아들은 경악하였다. '그럼, 이탈리아어로 stupid라고 말하는 것보다 cretin(백치)이라고 말하는 것이 더 낫다는 얘기야? 그래, 엄마?'라고 물었고, 본인에게 그것은 꽤 잘못된 것처럼 보인다고 말했다. 욕의 무게는 원어민이 아닌 사람들이 이해하기에 가장 어려운 것 중의 하나지만, 욕하는 사람과 욕을 듣는 사람 둘 다에게 중요한 것이다.

지금까지 진행해 본 것 중 가장 흥미로웠던 번역 워크숍은 신성모독적인 말, 외설적인 말과 욕에 관해 토론한 것이었다. 학생들은 늘 흥미진진한 예를 가져왔고, 나는 그 예를 통해서 많은 것을 배웠다. 흥미로운 것은 어떤 사람들은 원본의 단어 무게가 줄어들고 더 안전하게 되기 때문에 원어가 아닌 번역에서 금기어를 말하는 것이 훨씬 더 쉽다고 생각한다는 점이다. 그러나 또 어떤 사람들은 그런 단어를 전혀 입에 담을 수가 없고 오직 글로만 쓸 수 있었는데, 이것은 어떤 문화권에 존재하는 경멸적인 언어의 힘을 입증한다. 나이, 계급, 성별 또한 특정 단어나 구절을 이용하거나 이용하지 않는 데 중요한 역할을 한다.

각기 다른 언어는 각기 다른 종류의 욕을 개발했다. 밴더플랭크에 따르면 헝가리어는 외설적인 발언이 가장 빈번하게 등장하는 언어라고 한다. 네덜란드어와 아프리칸스어가 외설적인 욕을 놀라울 정도로 다양하게 갖고 있다고 항상 들었기 때문에 나는 그 말을 듣고 깜짝 놀랐다. 어떤 문화에서는 외설적인 발언이 발달되었는가 하면, 또 어떤 문화에서는 배설물과 관련된 욕이 발달했고, 많은 경우 두 가지 욕이 함께 나타난다. 각 섹션의 아주 짧은 도입부에서 밴더플랭크는 흥미로운 토막 소식을 제공한다. 그가 다양한 많은 사회에 지금도 존재하는 욕과 모욕의 문학 전통에 대해 꽤 빠져 있음은 분명하다.

욕이 이전 세대보다 오늘날 더 폭넓게 사용되고 있다고 주장하는 사람들도 있겠지만, 이것은 잘못된 생각이다. 예를 들면 18세기 유럽 전역에서 욕은 훨씬 더 널리 이용되었고 욕하기 대회는 많은 술집의 특징이기도 했다. 미국인 존 바스John Barth의 『더 솟 위드 팩터』*The Sot Weed Factor*는 과거의 술집 욕 경쟁을 잘 보여준다. 시 형식으로 말싸움하고 욕을 주고받고 하는 것은 여러 문화에서, 특히 스코틀랜드의 영국 제도British Isles에서 많이 찾아볼 수 있고, 그 기원은 앵글로색슨과 고대 노르웨이로 거슬러 올라갈 수 있다. 다채로운 욕, 악담, 모욕적인 발언은 작가, 이야기꾼이나 코미디언의 경우 종종 특정 재능의 표현으로 여기기도 한다. 내가 가장 좋아하는 욕 중의 하나는 셰익스피어의 희곡에서 마가렛 여왕이 왕위를 찬탈한 리처드 3세에게 한 욕이다. 마가렛 여왕은 그를 'an elvish-mark'd abortive rooting hog'라고 불렀다. 여왕은 그는 자신의 어머니 자궁을 모욕하고, 자신의 아버지 음부가 낳은 혐오스런 것이라고, 'a rag of honour'[4]

라고 말했다. 이것은 강한 표현이고 무운시는 그것을 강조한다.

그러나 원숭이 겨드랑이 뒤에 있는 이야기는 어떤가? 음, 정말이지 아무것도 없다. 스페인어에서는 비유가 과장되면 과장될수록 더 웃기게 들린다고 한다는 것을 제외하면 말이다. 원숭이 겨드랑이 비유는 밴더플랭크가 스페인어 섹션에 모아놓은 욕 일부와 비교하면 아무것도 아니다. 'You can see less than a fish through his arse'는 꽤 다채롭지만 'You're more stupid than peeing standing up'는 훨씬 더 흥미로운 이미지이다. 내가 가장 좋아하는 예는 이디시어Yiddish 섹션인데, 'You should marry the Angel of death'와 'God should visit on you the best of His ten plagues'가 있다. 시적이고 짜임새가 좋으며 요점을 바로 보여 준다. 욕을 하고자 한다면 바로 그와 같은 욕을 해야 한다.

---

4) 저자가 이 채프터에서 설명하듯이, 위 'an elvish-mark'd abortive rooting hog'과 'a rag of honour'는 사실 다른 언어로 번역하기 어려운 욕이다. 대략적으로 이 표현은 저주, 동물, 성적인 것과 관련이 깊다. (옮긴이 주)

20

번역의 상실

9월에 나는 늘 가보고 싶었지만 가보지 못한 스페인 북부의 갈리시아Galicia에 갔다. 한 번은 포르투갈 국경까지 가고, 레옹에서 강의를 하며 며칠을 보냈지만 어찌된 일인지 가지 못했었다. 갈리시아에 가고 싶었던 이유는 산티아고 데 콤포스텔라Santiago da Compostela 성지에 가 본 적이 없었고, 스페인 북부의 그 지역에 흩어져 있는 선사시대 유적지를 탐험해 보고 싶었기 때문이다.

갈리시아는 환상적인 곳이다. 그래서 나는 자연 그대로의 아름다운 바다의 모습, 울창한 산을 오르는 것을 좋아하고 해산물 특히 그 바다의 특산물로 유명한 문어를 좋아하는 사람이라면 누구든 꼭 갈리시아를 추천하고 싶다. 그러나 그곳은 또한 언어학자가 가 볼만한 이상적인 곳이기도 하다. 왜냐하면 갈리시아어는 스페인어도, 포르투갈어도 아닌 그러나 그 두 언어 사이 어딘가 존재하는 이베리아 언어Iberian이기 때문이다. 오늘날 두 언어로 된 표지판은 어디서든 볼 수 있고, 덕분에 우리는 갈리시아어 아니 그 지역에서는 갈레고Gallego로 불리는 그 언어가 표준 스페인어와 어떻게 서로 다른지 분명하게 알 수 있다. 이것은 또한 그 지역 사람들이 자신의 언어를 자랑스러워하고 있음을 보여주는 것이기도 한데, 그 언어는 프랑코 정권에서 금지되었지만 지금은 회복 중이다. 갈리시아는 매년 켈트Celt 축제를 열어 브리타니, 콘월, 웨일즈, 아일랜드와 스코틀랜드 음악가들이 모여들며, 사실 켈트 디아스포라diaspora의 완전체라고 할 수 있다. 적대적인 중앙 정부 정책에 맞서 생존을 위해 몸부림쳐야 했던 문화, 언어 유산에 대해 자부심을 가진 측면에서 위에 언급된 모든 지역은 서로 매우 유사하다.

나는 갈리시아 문학을 읽기 시작하면서 갈리시아를 발견하게 되고, 그 발견의 과정이 지금까지도 얼마나 흥미진진한 것인지 이 글에 모두 담을 수도 있다. 그러나 내가 집중하고자 하는 것은 그것이 아니라 아마도 많은 독자들도 경험했던 것으로, 학생 수준의 프랑스어 실력 말고는 사실상 한 가지 언어만 하는 누군가와 여행할 때 겪는 경험이다.

먼저 여기서 얘기하는 G는 많은 칭송을 받는 여행 작가로 여행을 자주 하는 사람임을 밝히고 싶다. 그래서 그와 함께 여행하면 날카로운 관찰력과 세세한 것들을 놓치지 않는 눈을 얻게 된다. 그는 프랑스어를 중고등학교 학생 수준으로 약간 할 줄 알고, 우르두어Urdu를 아주 조금 알지만 스페인어나 포르투갈어는 전혀 알지 못하며, 따라서 나는 그를 위해 모든 것을 번역해야 했다. 그는 대답하기 어려운 질문을 종종 던지는 훌륭한 문화 관찰자라고 말할 수 있다. 그는 갈리시아어가 그것 자체로 독특한 언어라는 사실을 깨닫자, 정말로 대답하기 어려운 질문들을 던졌다. '어느 단계에서 이베리아 반도의 언어들이 서로 눈에 띄게 달라졌지?' 그 질문은 도서관에 가지 않고서는 대답할 수 없다. '그 언어들은 정확히 어떻게 다르지?' '문법이 다른가? 어휘가 다른가? 발음이 다른가? 아니면 세 개 모두 달라?' 확실치 않은 추측들을 해보았지만, 나는 언어 역사에 대해 확실히 알지 못했다. 어떤 추측은 나중에 확인해 보니 완전히 틀리기도 했다.

점심 때 우리는 작은 마을 레스토랑에 있었는데 한 포르투갈 커플이 들어와서 우리 옆에 앉았다. 그곳에 우리만 식사를 하고 있어 자연스레 서로 대화가 시작되었다. G는 내가 그 커플의 말과 갈리시아 웨이트리스의 말을 어떻게 구분하는지 알게 되자 재밌어했다. 그는 그들 사이의 어떤 차이도 알아들을 수 없었기 때문이다. 무엇을 들었는지 설명해 달라고 했을 때 나는 그것이 쉽지 않음을 알았다. 직관적으로 경험하는 것을 설명하기란 쉽지 않아서 나는 영어의 다양한 지방 사투리에 대해 그리고 영어와 스코틀랜드어에 대해 생각해 볼 것을 권하면서 그 질문을 해결하려고 했다.

어떤 언어를 알고 있지만 함께 있는 사람이 알지 못할 때 우리는 어쩔 수 없이 통역사가 된다. 누군가에게 길을 알려달라고 물은 다음 운전하고 있는 사람을 위해 들은 것을 통역해 줄 때처럼, 때로 이런 건 간단하다. 레스토랑 메뉴가 흥미로울 수 있는데 특히 우리가 그 지역 언어로 쓰인 메뉴를 갖고 있고 상대방은 형편없는 영어로 쓰인 메뉴를 갖고 있어 계속 그 번역을 설명해달라고 할 때 그렇다. 그러나 시간이 지나면서 나는 다양한 대화의 뉘앙스를 전달하는 다양한 방식을 알게 되었고 그래서 간접적이지만 내가 경험하는 것의 일부를 G가 경험할 수 있었다. 이러한 방식은 우리가 함께 알고 있는 언어에서 일종의 공통점을 찾는 것임을 알게 되었다.

어느 날 오후 우리는 무시아Muxia라는 마을에 갔고, 그 곳에는 바다 바로 옆에 위치한 '성모 마리아의 배'Our Lady of the Ship라는 유명한 성당이 있다. 부서지는 파도 바로 앞에는 해안가를 따라 보기 드문 돌, 더 정확히 말하면 바위라고 할 수 있는 것들이 있었고, 이 거대한 돌 중 두 개는 서로를 넘어지지 않게 받치고 있는 것처럼 보이고, 그래서 썰물 때에 누군가가 그 밑으로 기어갈 수 있을 만큼의 공간이 있다. 무시아 성당은 그 지역 전통에 따라 고대 선사시대의 성스러운 곳에 지어졌고, 기독교와 기독교 이전의 의례가 겹치는 갈리시아의 몇몇 안 되는 장소 중의 하나이다. 우리가 그 커다란 돌 위를 내려다보며 서 있었을 때, 두 중년 아주머니들이 나타나더니 가방을 가까운 바위 위에 내려놓았다. 그러고 나서 그들 중 한 명이 그 두 개의 커다란 바위 아래로 기어가기 시작했다. 그 아주머니가 재빨리 내려가서 다시 기어 오른 다음, 다시 기어가기 위해서 한 번 더 재빨리 내려가는 것을 우리는 몇 분간 지켜보았다. 호기심이 생겨서 나는 더 자세히 보기 위해 아래로 내려갔다.

그 바위에 도착할 무렵 그 첫 번째 아주머니는 배낭 옆에서 헐떡이며 서 있었고, 두 번째 아주머니는 이미 기어가기에 몰입해 있었다. 이것을 지켜보던 한 젊은 스페인 여자가 그들에게 다가와서 무엇을 하냐고 물었다. 첫 번째 아주머니가 다채롭게 풍부한 표현으로 설명했다. 그 다음에 나는 G를 위해 그 내용을 영어로 번역했다. 번역은 다음과 같다.

> We're here on a pilgrimage because these rocks do wonders for your back. You have to do it nine times, nine times mind, no less than nine times, and make sure you rub your shoulders on that bit of rock just down there. I came here last year because my back had been troubling me something awful, but since I did it, I haven't had the slightest twinge, no, not even a twinge, so I'm back again to make sure it stays like that. I used to have dreadful backache, I really suffered, I did, but since I did this I haven't felt even a twinge.

이 바위가 허리에 효험이 있어서 우리는 여기에 왔어요. 아홉 번 해야 해요, 아홉 번, 기억하세요, 아홉 번이나 해야 하고, 저 아래 바위 위에 어깨를 꼭

> 문지르세요. 저는 허리가 너무 아파서 지난해 여기에 왔는데, 그렇게 하고 난 이후로 통증이 조금도 없었어요, 전혀, 심지어는 통증이 하나도 없었어요. 그래서 계속 허리가 아프지 않도록 다시 왔어요. 전에 허리가 끔찍하게 아팠거든요. 정말 아팠어요. 하지만 이렇게 한 이후로 전혀 쑤시지 않아요.

그리고 그 아주머니는 이렇게 했던 말을 계속 또 하고, 옆 친구 아주머니는 바위 밑으로 기어가다 잠시 쉬기 위해 멈추고 우리한테 아주 힘들다고 말했지만 결국 그럴만한 가치가 있다는 것을 알았다. 스페인 아가씨와 나는 소리 내어 응원하였다. 말이 많은 그 아주머니는 그 다음에 나보고 직접 한 번 해보라고 했고, 나는 허리 안 아프니 괜찮다고 말했더니 놀라운 표정을 지으며 나도 분명히 돌봐야 할 어떤 통증이 있을 거 아니냐고 물었다. 내가 두통이 있었나? 두통에 효험이 좋은 또 다른 돌이 있었기 때문이다. 그 아주머니는 파도가 부서지는 바다의 끝 아래에 있는 바위 하나를 가리켰다. 거기에 머리모양의 구멍이 있었다. '그냥 저기로 가서 머리를 그 구멍에 넣어 보세요'라고 말했다. 나는 그곳이 꽤 위험해 보인다고 거절했다. 결국 우리는 유감스럽게 이름 지어진, 죽음의 해변을 뜻하는 코스타 다 모르테Costa da Morte를 걸었고 그 파도는 어마어마해 보였다.

내 영어 번역에서 전달하려고 애썼던 것은 간단히 말하면 그 아주머니 말의 생생함, 일상적인 표현, 그 분의 성격이었고, 그렇게 하기 위해 나는 영어 대응어를 찾아야 했다. G에게 두 명의 <코로네이션 스트리트>Coronation Street TV 드라마 등장인물이 특정한 표현을 사용하고 강조하기 위해 똑같은 말을 계속 되풀이하는 것을 상상하라고 말했다.

그 후에 그 일을 생각할 때면 그러한 번역 전략이 과연 합당했는지 궁금했다. 나는 그 대화를 다른 문화로 완전히 옮긴 것이었고 그 코믹한 요소를 패러디가 될 정도로 강조하였다. 그러나 내가 전달하지 못한 것은 허리통증이 돌에 의해 기적적으로 나았다고 주장하는 그 아주머니의 확신, 말할 때 모든 것을 받쳐주는 그 진지함, 즉 믿음에서 나온 진지함이었다. 내가 아주머니 말을 번역한 것은 유머가 있었는데, 정말 그 만남이 약간 코믹했기 때문이었다. 그러나 다른 차원은 모두 빗나갔고 이유는 영어 대응물을 찾을 수 없었기 때문이었다. 만약 내가 아일랜드 사람이라면 더 잘 해냈을 것이다. 왜냐하면 아일랜드에서는 성지순례가 특별한 것이 아니기 때문이다.

모든 통역사들은 원본 텍스트에서 다양한 방식으로 멀어진다. 메시지가 적절하게 청자에게 전달될 수 있도록 통역사들은 다시 만들고 다시 구성하고, 주석을 달고, 추가하고, 생략하고, 분명하게 표현하는 등 모든 종류의 언어 수정을 할 것이다. 갈리시아 여행을 하면서 나는 각기 다른 시점에서 이 모든 것들을 했지만, 대화를 번역하게 되었을 때에서야 기호와 코드를 이용하는 공연적인 요소performative element가 들어 있음을 알았다. 그 공연적인 요소는 G가 내 번역을 더 잘 이해하고, 화자가 어떤 사람인지 감을 잡도록 도와줄 수 있다. 번역 이론가는 이것은 문화적응acculturation의 전형적인 예라고 말할 것이다. 즉 우리 자신의 문화로 외국적인 것을 전유하여 친숙하게 만들고 우리는 출발 언어와 문화를 알지만 청자가 모를 경우 의미 있어 보이는 대응물을 찾는 것이다.

그러나 그렇게 할 때, 어떤 식으로든 문화적 차이를 감소시킬 위험이 있을까? 그리고 대화를 통역할 때 또 다른 언어로 등장인물을 다시 만들어내면, 엄격한 의미에서 원래 발화자에게 공정한 것인가? 오랫동안 나는 강의실에서 이 문제를 논의했지만 어떤 이유에서인지 무시아에서 만난 아주머니들과 얘기한 다음 G를 위해 번역했던 그 경험은 나에게 성찰의 여지를 남겼다.

21

중세 영문학과 번역

2007년의 번역은 출발이 좋았다. 사이몬 아미티지Simon Armitage 시인이 『가웨인 경과 녹색기사』*Sir Gawain and the Green Knight*라는 새로운 번역을 출판했기 때문이다. 비평가들은 이 책에 열광하였고, 읽어보니 그 이유를 알 수 있었다. 아미타지는 이야기의 힘과 언어의 역동적인 에너지의 균형을 아름답게 잘 맞추었고, 자신의 북부 사투리를 사용하는 영어를 일부러 선택하였다.

원저자는 14세기의 마지막 삼십년 중의 어딘가에서 그 시를 창조한 이후 세월이 흐르면서 사라졌다. 텍스트 또한 몇 세기 동안 분실되었다가 19세기에 필사본이 다시 나타나면서 1839년에 출판되었다. 그리고 어린이를 위한 산문 번역을 포함하여 여러 번 번역되었다. J. R. R. 톨킨J. R. R. Tolkien이 번역을 했고 작고한 테드 휴즈Ted Hughes 시인도 죽기 직전까지 번역을 했다. 그 시는 독자에게 언제나 흥미롭고 왜냐하면 비상할 정도로 다채롭고 흥미진진하며 유머와 마술을 결합시키고 촘촘하게 엮은 플롯 구성과 함께 강력한 대화와 자세한 묘사를 결합시키기 때문이다.

그 시는 어느 크리스마스에 낯선 녹색 기사가 카멜롯에 나타나서 아서왕의 궁궐에 도전장을 던지는 이야기를 한다. 그 기사는 한 용감한 기사에게 일 년 후에 자신을 찾아와서 똑같은 공격을 받을 각오를 하는 조건으로 자신의 머리를 도끼로 치라고 요청한다. 가웨인은 어쩔 수 없이 녹색 기사의 머리를 적절히 벤다. 그 기사는 죽기는커녕 머리를 주워 들고 말을 타고 멀리 달아나버린다. 일 년 후 가웨인은 그 기사를 만나기로 한 그 신비에 싸인 녹색 교회당을 찾아 원정을 떠난다. 그러고 나서 그는 성을 발견하고 영주와 그의 부인의 환대를 받는다. 영주는 사냥을 하러 세 차례 말을 타고 나가고, 영주가 떠나면 부인은 가웨인을 유혹하려 하고 그는 유혹에 저항한다. 그 기사와 가웨인은 낮에 무엇을 얻든 서로 교환하기로 동의해서 매일 저녁 기사는 가웨인에게 자신이 죽인 짐승을 주고, 가웨인은 영주 부인이 그에게 한 키스로 응답한다. 마지막 날 그 부인은 가웨인에게 해로운 것에서 보호해 줄 수 있는 녹색 허리띠를 주고 그는 이것을 그녀의 남편에게 말하지 않는다. 그러고 나서 그는 지정된 장소로 말을 타고 나가 녹색 기사의 도끼에 항복한다. 그러나 녹색 기사는 그를 죽이려 하지 않고 단지 그의 목 뒤를 살짝 베고 다음과 같이 설명한다. 사실 그는 그 성의 영주이고 가웨인이 그 녹색 허리띠에 대해 완전히 솔직하지 않았음을 상기하기 위해 상처를 낸 것이라고 말한다. 그는 완전한 정직보다 자신의 몸을 보호하려고 했기에 부끄러워 어쩔 줄 몰라 한다. 가웨인은 카멜롯으로 돌아가고, 아서왕은 녹색 허리띠를 매는 것은 그 때부터 모든 사람에게 고귀한 심성의 표시라고 명을 내린다.

가웨인 이야기는 여러 면에서 재밌지만 번역가에게 가장 흥미로운 것은 그 언어이다. 가웨인을 쓴 시인은 북쪽 중부지방 출신이고 아마도 오늘날의 체셔Cheshire 쪽 어딘가, 위럴Wirral과 더비셔Derbyshire 사이의 어딘가에서 태어났을 것이다. 그 동안 다른 지역에서 그 성과 녹색 교회당의 위치가 있었다고 주장을 했지만 언어 그 자체 외에는 결정적인 근거가 없으며 그 언어는 초서가 쓰던 런던 방언과 멀리 떨어져 있다. 아미타지는 다양한 중세 영어 사투리로 쓰인 시나 희곡을 의도적으로 선택하는 휴즈나 토니 해리슨Tony Harrison과 같은 훌륭한 시인 중의 한 사람이다. 여기에서 문제의 핵심은 영시는 어떤 단 하나의 언어 전통에서 나온 것이 아니라는 점이며, 또한 지역별 방언의 그 풍요로움이 시에서 발견될 수 있다는 것이다. 표준 철자와 표준 영어 발음을 만들어 그러한 방언들을 구석으로 몰아넣기 전의 일이었다. 아미티지는 자신의 번역 전략은 그 알려지지 않은 시인의 북부 언어의 특성을 강조하는 것이고, '가웨인과 그의 시가 페나인Pennines 산맥으로 되돌아가도록 설득하는'(Armitage, 2007) 것이라고 부끄러움 없이 진술한다. 그 전략은 그의 고향 출신인 옛 시인에 어쩔 수 없이 빠져들며 자신을 북부의 시인으로 바라보는 관점에서 기인한다. 뭔가를 떠오르게 하는 많은 지식이 담긴 책 『북부란 무엇인가?』*The Idea of North*에서 피터 데이비드슨Peter Davidson은 우리에게 '가웨인은 여러 세대의 영어 독자에게 북쪽을 상상하는데 중요한 텍스트였음'을 상기시킨다(Davidson, 2005).

그러나 아미티지는 이 번역에서 단순히 그 시인의 방언에 초점을 맞추기보다는 더 많은 일을 하고 있다. 그는 중세 설화시를 번역함으로써 셰이머스 히니Seamus Heaney와 똑같은 진영에 들어가게 되었는데, 히니의 『베어울프』*Beowulf* 번역은 몇 년 전 베스트셀러 리스트에 진입한 바 있다. 아미티지는 히니, 해리슨, 휴즈처럼 현대 독자에게 잃어버린 중세의 삶에 대한 통찰력을 주기 위해 번역을 이용했다. 그 상실은 고대 영어나 중세 영어로 쓰인 원본으로 작품을 읽을 수 있는 사람들의 수가 점점 더 줄어들 때 증폭된다.

내가 대학생이었을 때 앵글로색슨 문학 과목은 필수였고 그 다음에 우리는 중세 영문학 수업을 들었다. 30년 전 일종의 문헌학적 훈련을 받지 않은 우리 세대 학생들이 훌륭한 주석이 달린 판본을 이용하여 『가웨인 경과 녹색 기사』를 원본으로 읽는 것은 당연한 것이었다. 맏딸이 1980년대 후반에 A 레벨 시험[영국의 대학입학시험] 영문학을 공부했을 때, 초서Chaucer의 『캔터베리 이야기』*Canterbury Tales*는 시험지정 텍스트였다. 오늘날 현대 영어로 번역된 것이 아니라면 눈을 크게 뜨고 찾아봐도 대학에서 중세 작품을 읽을 수 있는 영문학 전공 학생은 거의 없을 것이다. 이것은 중세 영문학 유산이 고대 그리스어가 20세기 초에 사라진 것과 마찬가지로 빠르게 사라지고 있음을 의미한다. 곧 서른 살 아래로는 아무도 중세 작품 어느 것도 읽을 수 없으며, 번역은 그 작품의 생존을 위해 반드시 필요하게 될 것이다.

중세 문학에 관한 지식의 부재는 학자들만의 걱정이 아니다. 16세기 이전의 문학은 어마어마하게 풍요로웠고 그 후 작가들에게 큰 영향력을 끼쳤다. 최근 스트랫퍼드에서 『리처드 3세』*Richard III* 연극을 보면서 셰익스피어가 거대한 스케일로 자신의 작품을 창조하기 위해 중세 드라마의 캐릭터와 전통적인 스타일을 이용한 사실을 알고 깜짝 놀랐다. 도덕 이야기, 괴물 죽이기와 기사의 원정에 관한 서사적 전설, 기사도 사랑의 노래 가사와 비극적, 희극적 미스터리 희곡 모두가 중세 시대에 만들어진 것처럼, 아서왕 전설의 전체 정본 목록도 중세 시대에 만들어진 것이다. 내 말이 공룡의 말처럼 들릴 수도 있겠지만, 내가 고대 영어 문법 수업을 끝까지 들은 것은 참으로 감사한 일이다. 적어도 나는 사라져 가는 위대한 문학을 어느 정도는 이해할 수 있기 때문이다.

그러므로 사이몬 아미티지가 그 시를 번역하기로 한 결정은 정말로 획기적인 사건이다. 하나는 다양한 영문학 전통을 확고히 한다는 점에서, 다른 하나는 과거 세대만큼 운이 좋지 않은 세대들이 읽을 수 없는 작품들을 즐기고 혜택

받을 수 있다는 점에서 중요하다. 그의 번역 기술은 그 결정을 돋보이게 한다. 그 이유는 비록 그가 번역에서 강세 있는 음절 패턴이 있는 원본의 두운을 살리고 있지만, 원저자가 다양한 상류계급 영어와 하류계급 영어 둘 다 사용한 것처럼 그도 일상 언어와 현대 언어를 사용하는 것을 피하지 않았기 때문이다. 예를 들면 여기에 녹색 기사의 출현을 묘사하는 시행들을 아미티지가 번역한 것이 있다.

Yet he wore no helmet and no hauberk either,
no armoured apparel or plate was apparent,
and he swung no sword nor sported any shield,
but held in one hand a spring of holly—
of all the evergreens the greenest ever—
and in the other hand held the mother of all axes,
a cruel piece of kit I kid you not

마지막 두 행의 원본은 다음과 같다.

and an axe in his other, a hoge and unmete
a spetos sparthe to expoun in spelle, quo-so might

이것을 직역하면 아래와 같다.

and an axe in his other (hand)huge and monstrous
a cruel battle-axe to describe in words, whoever tries to

위 두 시행이 보여주는 것처럼 시 일부는 현대 독자에게 즉시 이해될 수 있지만 'spetos sparthe to expoun in spelle'는 사전의 도움이 필요하다. 아미티지는 이 점을 알아보았고, 현대 독자들이 거의 이해할 것 같지만 사실 대다수는 이해하지 못하는 그 시행에 제일 많이 매료되었다고 서문에서 밝힌다. 그는 독자로서 그리고 번역가로서 자신의 테크닉을 설명하기 위해 아래와 같이 아름다운 이미지를 사용한다.

> 훈련받지 않은 눈(eye)에게 마치 시는 닿을 듯 가깝지만 좌절할 만큼 흐릿한 얇은 얼음 아래에 놓여있는 것 같다. 서사와 형식에 관심 있는 현대 시인이며, 그 시의 많은 방언을 알아 볼 뿐만 아니라 원본 안에서 자신의 말 리듬의 메아리를 알아보는 북부지방 사람인 나에게, 성에가 낀 그 얇은 층에 작은 따뜻한 숨을 불어놓고 싶은 충동은 거부할 수 없는 유혹이었다. (Armitage, 2007: vi-vii)

시 아래에 도달하고자 얼음을 녹이는 이미지는 강렬하고 번역가가 하는 일은 문학 풍경의 중요한 부분임을 상기시킨다. 번역을 설명하기 위해 『킹 제임스 성서』*King James Bible* 번역가들은 빛을 들여오기 위해 창문을 열거나 안의 알맹이를 갖기 위해 껍데기를 부수는 것과 같은 이미지를 사용하지만, 아미티지는 이 낯선 위대한 시를 번역하고자 하는 충동을 설명하기 위해 겨울의 이미지를 이용하고, 실로 그 시의 배경이 겨울인 점에서 더욱 적절한 선택이다. 그는 이 번역을 훌륭하게 해냈고 어쩌면, 정말로 어쩌면 이와 같은 시 번역의 장점은 소수의 독자라도 노력을 기울여 소멸의 위기에 처한 위대한 영문학 작품을 원본으로 읽도록 이끌어 내는 것이리라.

22

여성의 번역

최근에 나는 11편의 중세 이야기를 엮은 위대한 웨일즈어 시리즈 『마비노기온』*The Mabinogion*의 새로운 번역을 읽고 있다. 전에 어떤 번역본을 읽었지만 2008년에 출판된 이 번역본은 읽기 아주 좋은데 아마도 그 이유는 원본 이야기가 청중에게 큰 소리로 읽혔다는 점을 번역가가 염두에 두고 그런 공연적인 측면을 강조하려고 노력했기 때문일 것이다. 번역가는 카디프 대학Cardiff University에서 웨일즈어를 전공한 사이언드 데이비스Sioned Davies 교수이며, 그녀는 이 새로운 번역본을 만드는데 이전의 성공한 여성 번역가, 샬롯 게스트Charlotte Guest

의 발자취를 따랐다.

레이디 샬롯 게스트는 1838년부터 1846년까지 몇 년 간 웨일즈 이야기를 영어로 번역하였다. 상세한 학술적 메모를 포함하는 그녀의 위대한 작품은 수십 년 동안 계속 표준 번역으로 남았다. 실로 그녀의 번역으로 인해 유럽 전역에 걸친 혁명 운동이 민족 정체성을 수립하는 수단으로서 자국의 문학적 기원을 찾고 있었던 역사적으로 중요한 시기에 세상의 이목이 웨일즈 중세 문학에 집중되었다고 주장할 수 있다.

레이디 샬롯은 자랄 때 웨일즈어를 하지 않았다. 그러니까 나중에, 결혼한 후에서야 그 언어를 배웠지만 샬롯은 소외된 문학 작품의 위대함을 알리는 수단으로 번역을 이용하는 데 전념하였다. 레이디 샬롯은 아마도 레이디 오거스타 그레고리Lady Augusta Gregory에 비해 덜 알려져 있지만 샬롯이 한 일은 아일랜드 안팎의 새로운 청중 전체가 아일랜드의 전통적인 노래와 이야기에 관심을 갖게 만든 오거스타의 업적에 필적할 만한 것이다. 레이디 샬롯은 분명히 언어에 재능이 있었을 것이고 웨일즈어에 집중하기 전에 약간의 아랍어와 히브루어를 스스로 배우기도 했다.

번역의 측면에서 문학의 역사를 보면 여성 번역가들의 역할은 흥미롭다. 그 여성 번역가들의 작품은 종종 거대한 영향을 끼쳤지만 사람들은 그들의 공헌을 간과하고 이름조차 기억하지 않는다. 그러한 여성 번역가 중의 한 명은 콘스탄스 가넷Constance Garnett이며, 그녀의 번역 작품은 영어 소설에 큰 영향을 끼쳤고 그녀는 71권이나 되는 놀라울 정도로 많은 러시아 책을 번역하였다. 러시아어에 대한 그녀의 관심은 캠브리지 뉴넘 대학Newnham College에서 고전을 공부하면서 시작되었고 시간이 지나면서 점점 더 커졌다. 1893년 가넷은 러시아로 가서 톨스토이를 만났고, 그녀의 노력을 통해 전 세대의 영어 독자는 위대한 미지의 러시아 문학을 알게 되었다. 그러나 나는 사람들이 『전쟁과 평화』*War and Peace*나 『안나 카레니나』*Anna Karenina*를 읽었다고 말하면서 그 누구도 콘스탄스 가넷을 언급하는 것을 들은 적이 없다. 그녀가 없었다면 수십 년간 톨스토이를 알 수 없었을 텐데 아무도 그에 대해 말하지 않는다.

문학 번역의 역사를 들여다보면 재능 있는 많은 여성 번역가들이 있음을 알 수 있다. 초창기 번역가 중 한 명인 앵글로색슨 왕인 알프레드Alfred에게 문학 예술을 가르친 사람은 바로 그의 어머니였고 수 세기 동안 번역에 종사하는 교육받고 총명한 여성들이 많이 있었다. 르네상스와 종교개혁 때 많은 여성들이 고대 작품과 종교 텍스트를 번역하는 일을 맡았는데, 레이디 메리 시드니Lady Mary Sidney와 성 토마스 모어St. Thomas More의 딸 마가렛 로퍼Margaret Roper도 그들 중의 하나이다. 엘리자베스 1세 여왕은 평생 번역을 했고, 11살에 새어머니 캐서린 파에게 프랑스 여왕 마르그리트 드 나바레Marguerite of Navarre의 작품을 번역한 『죄 많은 영혼의 거울』*The Glasse of the Synnefull Soule*을 선물로 주기도 했다. 엘리자베스 여왕은 자주색 꽃다발로 직접 수놓은 표지 안에 넣어서 그 선물을 돋보이게 했다. 나이가 들어서는 보이티우스Boethius를 번역하기도 했으며, 분명 여왕에게 번역은 자신의 창의력과 소통할 수 있는 기회였다. 그리고 아마도 번역은 또한 그녀가 좋아하고 보람 있다고 생각하는 것, 따라서 국무에서 벗어나 얻을 수 있는 너무나도 필요한 휴식이었을 것이다.

왜 르네상스 시대에 여성이 번역가로 등장하기 시작했는지를 두고 많은 논쟁이 있었다. 한 학파는 이러한 현상을 번역과 여성의 낮은 지위를 보여주는 것으로 본다. 여성에게 번역이 허용된 것은 번역은 어차피 그다지 중요하지 않은 주변적인 것으로 보였기 때문이다. 이런 해석을 거부하고 번역은 르네상스 시대 결코 사소한 것이 아니라 실로 굉장히 중요했다고 주장하는 다른 견해도 있다. 성경 번역가 윌리엄 틴달William Tyndale과 에티엔 돌레Etienne Dolet는 둘 다 전복적이고 이단적인 번역을 해서 화형을 당했다. 미국 번역학자 더글러스 로빈슨(Douglas Robinson, 1995)은 르네상스 시대가 여성이 대중에게 자신을 표현하는 수단으로서 번역을 이용하기 시작한 시기라고 말한다. 로빈슨은 이것을 번역의

'여성화'feminisation라고 부르며, 그의 이론은 17세기와 그 후의 여성과 번역의 관계를 조망해 볼 때 어떤 중요성을 갖고 있다. 애프라 벤Aphra Behn에서 메리 울스턴크래프트Mary Wollstonecraft에 이르기까지 그리고 스탈 부인Madame de Staël에서 조지 엘리엇George Eliot에 이르기까지 많은 여성 작가들이 번역을 했다. 여성들은 극, 시, 소설, 철학 서적 그리고 과학 서적을 번역했다. 그들은 17세기부터 지금까지 상업 번역에도 적극적인 활동을 하였고 출판사들에게 라틴어 같은 고대 언어와 프랑스어 및 스페인어 같은 유럽의 현대 언어를 번역한 원고를 조달했으며, 특히 18세기에는 무대용 연극 번역에서 두드러진 활동을 했다. 또한 19세기에 칼 마르크스Karl Marx의 딸 엘레노르Eleanor는 프랑스에서 부도덕성의 이유로 비난받았던 플로베르Flaubert의 『보바리 부인』*Madame Bovary*을 번역했다. 빅토리아 시대 영국 여성들은 불명예스러운 에밀 졸라Emile Zola의 글과 그 충격적인 입센Ibsen의 글을 번역하였다. 번역은 여성에게 '집안의 천사'Angel of the House라는 전통적인 역할을 부수고 또 다른 작가의 작품을 통해 발언할 수 있는 기회를 종종 급진적인 방식으로 제공하는 것 같았다.

학생들이 끝없이 묻는 질문이자, 나 역시 대학생이었을 때 던졌던 질문이며 오늘날에도 자주 던지는 질문이 있다. 그것은 과연 우리가 글쓰기에서 성별을 구분할 수 있는가이다. 다시 말하면 남자와 여자는 글을 다르게 쓰는가? 그들은 다른 방식으로 언어를 사용하는가? 익명의 글과 마주친 독자는 주제와 상관없이 글쓴이의 성별을 알아차릴 수 있을까? 이 질문들은 번역에 대해 생각해 볼 때 특별한 중요성을 지닌다. 왜냐하면 여자가 쓴 작품을 남자가 적절하게 번역할 수 있는지 그리고 그 반대 역시 질문해 볼 필요가 있기 때문이다. 실제로 어떤 페미니스트 번역가는 번역가와 원작자의 성별이 일치되어야 한다고 주장해왔다.

그러나 이런 접근은 젠더와 글쓰기에 대해 확실하지 않고 입증되지 않은 추정에 근거를 두고 있는 데다 번역가의 영역을 제한시키기도 한다. 성별의 문제와 상관없이 뛰어난 번역을 생산해내는 아주 훌륭한 여성, 남성 번역가들이 있다. 작고하신 조반니 폰티에로Giovanni Pontiero는 브라질 작가 클라리세 리스펙토르Clarice Lispector를 훌륭하게 번역하였고, 수잰 질 르바인(Suzanne Jill Levine, 1991)은 라틴 아메리카 남성 작가들을 훌륭하게 번역하였을 뿐만 아니라 자신의 번역 전략에 대해 우아하고 위트 있는 글을 썼다. 『전복의 필사가, 라틴 아메리카 소설 번역하기』*The Subversive Scribe: Translating Latin American Fiction*에서 그녀는 페미니스트 번역가가 여성을 혐오하는 남자의 글을 다뤄야 할 때 나타나는 문제를 살피면서, 번역을 통해 젠더 정체성이라는 곤란한 문제와 맞붙는다. 그러한 환경에서 번역가는 전복적으로 되어간다고 하는 것이 그녀의 주장이지만, 그녀가 말하듯이 번역은 다른 모든 형태의 글쓰기처럼 '자신의 언어'를 찾아가는 탐색과 관련된다(Levine 1991).

오늘날 뛰어난 여류 번역가들이 매우 많지만 그들을 하나하나 다 나열하는 것은 불가능할 것이다. 젠더 문제와 상관없이 훌륭한 번역본을 만든 훌륭한 남녀 번역가들이 있다. 그리고 어떤 식으로든 일부만 나열하면 불공평하겠지만 지난 몇 년간 즐겁게 읽은 번역가들을 아래와 같이 열거하고자 한다. 마가렛 세이어스 페든Magaret Sayers Peden, 아만다 홉킨슨Amanda Hopkinson, 앤시어 벨Anthea Bell, 티나 너널리Tiina Nunnaly, 로스 슈워츠Ros Schwartz, 조세핀 발머Josephine Balmer, 캐롤 메이어Carol Maier, 일레인 파인슈타인Elaine Feinstein, 루이스 폰 플로토Luise von Flotow 등 이들은 서로 다른 언어와 다른 장르에서 남녀 작가의 성별을 따지지 않고 번역한다.

작가와 번역가의 젠더 문제를 제쳐둔다 하더라도 젠더가 언어적인 특징을 갖는다는 중요한 문제가 있다. 그 문제는 서로 다른 방식으로 제기된다. 문법에 젠더 구분이 없는 영어 같은 언어에서는 작가들이 모호성을 갖고 노는 것이 가능해진다. 미국 시인 아드리엔 리치Adrienne Rich의 스페인어 번역가는 자신이 리치의 연애시 일부를 스페인어로 번역하는 데 어려움을 겪고 있음을 알게 되었다. 왜냐하면 리치의 시에서 화자가 사랑하는 이는 또 다른 여자였고 결과적으로 스페인어는 이를 반영할 수밖에 없었다. 미리암 디아즈-이도카레츠(Myriam Diaz-Diocaretz, 1985)는 리치의 시 번역에 대한 책을 썼다. 스페인어가 작동하는 특징 때문에 영어에서는 은연중에 내포되어 있던 레즈비언 관계가 스페인어에서는 어떻게 분명하게 드러나는지를 보여주었고, 이것이 동성애에 비교적 덜 관대한 사회에서 어떻게 문제를 일으키는지 논하였다. 나 역시 번역을 하다가 아기의 성별이 무엇인지 처음부터 알려주어야 했던 적이 있다. 이는 영어에서는 중성인 단어 'baby'가 성별 구분 없이 쓰이는데 내가 작업했던 언어는 그것을 허용하지 않기 때문이다. 이런 결정은 시가 읽히는 방식에 영향을 주지만 해당 언어의 구조에서 비롯된 것이기 때문에 불가피하다.

번역과 젠더에 대해 도발적이고 재미있는 의견들 대부분은 캐나다 번역가들에게서 비롯되었다. 나는 바바라 고다르(Barbara Gordard, 1990)의 말장난, 텍스트를 '부드럽게 다루기'woman-handling를 특히 좋아한다. 그 말장난은 그녀가 '겸손한 번역가를 대체하기'로 표현한 것과 관련된다. 고다르와 르바인 같은 번역가들은 번역가가 작업하고 있는 작가들과 똑같은 성이어야 하는지에 관한 질문을 훨씬 뛰어 넘어 번역가의 역동적인 역할과 번역의 창조성을 역설한다. 또한 번역이 특별한 기술과 이해를 필요로 하는 재창조 행위라는 사실을 강조하는데 이는 어떤 번역도 그것이 기원을 두고 있는 원본과 똑같을 수는 없기 때문이다. 이러한 점에서 셰리 사이몬(Sherry Simon, 1996)이 젠더와 번역에 대한 연구에서 간단명료하게 번역을 '창조적 다시글쓰기'creative rewriting로서 강조하듯이, 원본이 번역보다 우위에 있다는 가정은 무너지기 시작한다. 마치 남성이 여성 위에 있다는 가정이 무너지는 것처럼 말이다. 이를 통해 젠더와 상관없이 모든 번역가들이 자신의 작가적 권위를 주장하고 자신만의 독특한 목소리를 찾을 수 있는 길이 열린다.

23

셰익스피어와 번역

스트랫퍼드 온 에이븐Stratford-on-Avon에 위치한 셰익스피어 생가에 꽤 훌륭한 전시회가 열려 나는 종종 손님들을 모시고 간다. 며칠 전에는 영문학을 전공하는 학생 한 명을 데려갔는데 셰익스피어가 실제로 자신의 극을 집필했던 방식을 보고 놀라던 그 학생의 모습이 흥미로웠다. 이 전시회는 엘리자베스 여왕 시대의 극장에 대해 많은 것을 설명해주고, 셰익스피어 같은 작가가 배우들을 위해 어떻게 이탈리아의 콤메디아 델 아르테commedia dellarte 시나리오와 비슷한 배우들의 대본을 썼는지 그리고 그 배우들이 어떻게 자신들만의 특별한 방식으로 그 대본을 발전시켰는지 보여주었다.

그 학생이 깜짝 놀랐던 것은 셰익스피어의 집필 방식이 자신이 상상했던 것과 달랐기 때문이다. 그는 극작가가 책상에 앉아 손에는 깃펜을 들고 막과 장면으로 이루어진 완성된 극을 쓴다고 생각했던 것이다. 이는 학교 다니는 동안 내내 셰익스피어는 영어로 글 쓰는 작가 중 가장 위대하고 그의 희곡은 영어라는 언어 안에서 완벽에 가깝다고 배웠기 때문이다. 사실 극들이 조각조각 씌어졌다가 합쳐진 것이고 우리에게 전해 내려온 텍스트는 수 세기 동안 이루어진 편집의 산물이었다는 사실은 충격에 가까웠다.

대학생이었을 때 나 역시 똑같이 생각했고, 셰익스피어 희곡은 손을 대서는 안 된다고, 완벽한 실체이며 영문학의 절정이라고 항상 들었다. 나이가 들면서 다른 언어로 된 흥미진진한 셰익스피어 작품들에 더욱 더 설레게 되었는데, 그 작품들은 기준이 되는 영어 희곡을 오히려 지루해 보이게 만들었다. 나의 박사 논문(유럽 무대에서의 아인슈타인의 상대성 이론에 관한 걷잡을 수 없이 야심 넘치는 엉망진창 논문. 다행히 세상의 빛을 보지는 못했지만!)을 심사한 극 비평가 마틴 에슬린Martin Esslin은 어떤 중앙 유럽 감독의 얘기를 나에게 한 적이 있다. 그 감독은 영국인들은 셰익스피어 원전을 다뤄야 해서 손을 대기에 너무 높은 지위의 작품들에 손발이 묶여 꼼짝달싹 못하고, 갈수록 인구 대다수가 이해받지 못한다며 불쌍한 영국 사람들을 동정했다는 것이다. 번역된 셰익스피어 희곡을 읽을 수 있는 특권을 가진 독자들은 작고한 폴란드 학자 얀 콧Jan Kott이 공언한 것처럼 자신과 동시대 사람인 작가의 작품을 즐길 수 있었다. 영국 사람들은 셰익스피어 희곡에 손댈 수 없지만 다른 문화권의 독자들은 셰익스피어 희곡의 새롭고 혁신적으로 번역된 작품을 즐길 수 있다.

내가 셰익스피어와 번역의 문제로 계속 되돌아오는 이유는 특정 사회가 정전 작품과 번역의 실제를 보는 방식에 대해 그 문제가 여러 면에서 근본적으로 중요하기 때문이다. 유감스럽게도 영어를 쓰는 세상은 번역을 높이 평가하지 않는데 이는 아마도 영어가 몇 세기 동안 전 세계적으로 중요한 언어가 되어서일 것이다. 처음에는 식민주의 언어로서, 그 다음엔 미국의 꿈(그 다음엔 캐나다, 호주, 뉴질랜드의 꿈)의 언어로서, 좀 더 최근에는 글로벌 비지니스와 인터넷의 언어로서 영어는 급부상했다. 이런 역사를 고려해 볼 때, 영어 원어민이 자신이 언어 면에서 독특한 특권을 갖고 있다고 생각하는 것은 그리 놀라운 일이 아니다.

그러나 정치적으로 그리고 경제적으로 성공을 거둔 언어가 언제까지나 그 우위를 주장할 수 있는 것은 아니다. 기본적으로 셰익스피어의 언어는 그의 재능에도 불구하고 현대 영어 원어민에게 갈수록 접근성이 떨어지고 있다. 셰익스피어의 희곡들은 그 정전적 위상에도 불구하고 사실 처음부터 위대한 문학 작품이 되려고 쓰인 것이 아니고, 당대의 재능 있고 인기 있는 배우들을 위해 조금씩 단편적으로 쓴 대사와 장면들을 합해 모아놓은 것이다. 그래서 유명한 체코 번역가이자 감독인 사람이 나에게 한때 지적했듯이 어떤 경우 플롯과 성격묘사 글이 논리적이지 않은 것처럼 보인다. 때때로 인물들이 막마다 다르게 행동하기도 하고 플롯이 다소 이상한 방향으로 흘러가기도 한다. 비평가는 종종 그 불일치 때문에 안절부절 못하고 둘러대려고도 하지만 일단 잠깐 멈춰서 어떻게 배우의 대사, 즉석에서 만들어낸 것, 그리고 나중에 편집한 것과 함께 그 희곡들이 합쳐졌는지 생각해 보면 그 불일치성은 그다지 놀랄 것이 못 된다.

극은 함께 일하는 것이며 늘 그래왔다. 배우, 기술자, 작가, 감독, 기획자, 후원자를 포함한 많은 다양한 사람들이 함께 만나서 연극을 만든다. 대본은 하나의 요소이고, 희곡은 다양한 종류가 있다. 소위 잘 만들어진well-made 문학 작품으로 여겨지는 희곡이 있다. 그래서 루이지 피란델로Luigi Pirandello나 아놀드 웨스커Arnold Wesker같은 극작가는 배우들이 대본에 충실하고 대사를 암기하여 텍스트를 온전하게 재생산하기를 기대한다. 마이크 레이트Mike Leight같은 감독과 배우들이 참여하여 만드는 희곡devised play이 있는데 이런 희곡은 고정된 대본이 없고 합동 작품으로서 협력하여 만든다. 셰익스피어가 쓴 것처럼 조각조각 모아 최종 출판을 하는 종류의 희곡도 있다. 이 모든 다양한 종류의 희곡의 공통점은 모두가 희곡을 청중 앞에서 현실화하기 위해서 공동협력이 필요하다는 사실이다.

번역학자들은 종종 다른 문학 장르에 비해 극 번역 분야의 연구가 부족하다고 입을 모은다. 사람들은 많은 양의 잉크를 시 번역과 산문 번역을 논하는데 소비하지만, 극에 대해서는 많지 않으며 이런 현상은 다소 반복적이다. 희곡은 공연될 수 있도록 번역되어야 한다고 우리는 알고 있지만 아무도 공연 가능성 performability이 무엇인지 잘 설명할 수 없다. 왜냐하면 공연성의 기준은 시대와 문화에 따라 아주 급진적으로 변해서 일관성을 찾을 수 없기 때문이다. 셰익스피어 시대에는 남자들만이 공연을 했고 라신Racine 시대의 배우들은 높은 굽의 부츠를 신었고 높은 음의 부자연스러운 목소리로 말하면서 무대에서 종종 걸음을 쳤다. 19세기 배우들은 마치 살아 있는 조각상처럼 웅장한 포즈를 취하고 대사를 소리쳐 말했다. 다른 종류의 극을 위한 희곡은 분명히 공연성에 대한 다른 의견을 반영할 것이다. 그리고 문학 텍스트로 여기는 희곡은 아마도 여러 명의 배우들이 단기로 고용된 작가와 함께 일해서 만든 희곡과는 아주 다를 것이다.

극 번역가가 직면하는 문제는 복잡하다. 그러나 실제 스크립트가 극이라는 전체 과정의 일부라는 사실을 인정하는 것이 매우 중요하다. 극 번역이 어려운 이유는 글로 쓰인 희곡, 즉 전체의 한 가지 부분만 다뤄야 한다는 데 있다. 번역가는 실제 극 제작과 고립되어 웅장한 꿈에 현혹되어 모든 것을 다하는 번역을 만들려고 한다. 즉 번역가는 도착 언어로 번역하고 배우가 맡는 일인 신호를 부호화하고 컴퓨터 앞에 앉아 있으면서 감독과 배우가 되려고 한다.

셰익스피어는 대본을 나눠주며 무대에서 활보하였다. 분명히 배우들은 그가 쓴 대본의 일부에 불평을 했을 것이고 대사를 바꾸게 했을 것이다. 셰익스피어가 작가로서 천재라는 사실은 논쟁의 여지가 없지만, 그도 당대의 극장의 틀 안에서 글을 썼던 것이다. 이상적으로는 오늘날의 번역가들도 그처럼 똑같이 해야 한다. 중요한 것은 번역가가 제작에 참여할 때 자신의 번역 텍스트에 지나친 자신감을 갖고 공연 가능성performability이니 발화 가능성speakability이니 하며 이러쿵저러쿵 탁상공론하지 않는 것이다. 왜냐하면 번역가들은 진공 상태에서 일하는 것이 아니라 실제 공간 속에서 참여해야 하기 때문이다.

극을 번역하는 것은 시나 소설을 번역하는 것과 다르다. 극 번역은 고독한 작업이 아니고 또 고독해서도 안 된다. 극의 속성은 공동협력이고 이는 이상적으로 번역가가 앙상블의 나머지처럼 그 과정에 참여해야 하는 것을 의미한다. 이것이 예를 들면 피터 브루크Peter Brook의 극이 성공을 거두었던 이유를 설명해 주는데 그의 극에서 작가와 번역가는 고립 속에서 일하지 않기 때문이다. 번역가들은 배우가 어떤 것을 공연할 수 있다고 생각하는지 알 수 없고 오직 추측만 할 수 있다. 그러나 일단 배우와 함께 일하면서 공연에서 쓰이는 표현들을 고치고 다듬으면, 그 희곡은 활력과 흥겨움을 얻을 수 있다. 이것이야말로 번역가가 16세기 언어를 의미 있는 현대의 표현으로 만들기 위해 배우와 감독과 함께 나란히 작업을 했던 영어 아닌 다른 언어로 쓰인 셰익스피어 희곡에 일어났던 일이다.

나는 연극 번역 이론이 부족한 이유는 이론가들이 극작을 시나 산문 소설의 글쓰기와 똑같은 것으로 잘못 생각하고 극에 대한 자신의 생각을 제한적 틀에 끼워 맞추려했기 때문이라는 결론을 내렸다. 시나 소설 번역가들은 시나 소설가처럼 혼자 작업한다. 희곡 번역가들은 그래선 안 된다. 희곡 번역가들은 극 제작의 일에 참여하려고 노력해야 한다. 왜냐하면 훌륭한 극작가는 바로 그렇게 똑같이 행동할 것이기 때문이다. 라신의 배우들은 오늘날 우리가 보기에는 이상한 방식으로 무대에서 이리저리 몸을 움직일 것이다. 그러나 바로 그런 종류의 극을 위해 라신은 안무가의 주의 깊은 태도로 희곡을 썼다. 오늘날의 라신 번역가들은 그런 종류의 글쓰기를 아마도 재생산할 수 없을 것이다. 그러니 그들은 자신과 같은 시대를 살아가는 배우들과 함께 일하고 자신이 살아가는 시대의 극을 위해 번역을 해야 한다. 극을 살아 있게 하는 것은 자기 혁신의 능력이다. 극 번역가들은 대담하고 협력적이어야 한다. 책상에 홀로 앉아 완벽하고 완성된 극을 쓰는 셰익스피어의 이미지는 단지 헛된 상상일 뿐이라는 것을 명심해야 한다.

24

행간의 번역

우리 모두가 아는 것처럼 번역은 한 언어로 쓰인 단어를 다른 언어로 옮기는 것과 관련된다. 번역가는 이상적으로는 완전히 새로운 독자층이 이해할 수 있는 형태로 원저자가 쓴 단어를 다시 쓴다. 여러 세대의 작가들과 비평가들이 번역의 어려움과 그 옮기는 과정에서 나타나는 거의 불가피한 상실에 대하여 글을 쓰고, 번역에 대한 논문은 '배신'betrayal, '불충실'infidelity, '번역불가능성'untranslatability과 같은 단어로 짓눌려 있다. 그러나 이것에도 불구하고 번역가들은 계속 번역을 하고, 그들의 노력 덕분에 우리 모두는 외국어를 알지 못해 읽을 수 없는 작품들을 읽을 수 있게 되었다.

그러나 번역은 모든 번역가가 다 아는 것처럼 단어 이상에 관한 것이다. 단어, 구, 숙어, 속담 등의 사전 대응어가 있을 수도 있고 없을 수도 있지만 프랑스 작가 말라르메Mallarmé가 말하듯이 우리가 읽는 것의 행간에 존재하는 또 다른 텍스트가 있으며, 이 부분에서 번역가의 능력이 가장 많이 시험받는다. 번역가들은 단어 그 훨씬 이상의 것뿐만 아니라 단어 사이의 침묵과 공간들도 다루어야 한다. 또한 단어가 불러일으키는 함축적 의미 그리고 독자가 생각하는 단어의 뉘앙스도 다뤄야 한다.

최근에 나는 펀치Punch가 '그 시대 최악의 운문 작가'라고 부른 19세기 스코틀랜드 시인 윌리엄 맥고나걸William McGonagall의 시집을 읽었다. 맥고나걸의 시는 정말 끔찍하기 짝이 없는데 행의 길이는 들쭉날쭉하고 운율이 맞지 않으며 언어 선택은 터무니없었다. 게다가 그 시는 거창하기까지 하여 여러 세대의 독자들이 가장 좋아하는 코믹한 시가 되었다. 가장 잘 알려진 그의 시는 『테이 브리지 재앙』*The Tay Bridge Disaster*이고, 첫 번째 연은 맥고나걸이 얼마나 형편없는 시인인지 아래와 같이 잘 보여준다.

> Beautiful Railway Bridge of the Silv'ry Tay!
> Alas I am very sorry to say
> That ninety lives have been taken away
> On the last Sabbath day of 1879,
> Which will be remembered for a very long time.

만약 누군가 맥고나걸을 번역하기라도 한다면 무슨 일이 일어날까? 물론 일반적인 시 번역의 모든 문제를 만나게 될 것이다. 예를 들면 어떤 형식을 이용할지 소리의 형태를 재생산해야 할지 말지 이미저리를 언어에서 언어로 옮겨야 할지 말지 등등. 그러나 주된 문제는 이 시가 정말 형편없는 시여서 번역가는 도착언어권 독자들에게 왜 심각한 의도를 가진 시가 정반대로 폭소를 터뜨리게 하는지 반드시 이해시켜야 한다는 점이다. (자칭 '시인이며 비극작가'인) 맥고나걸은 역사 속의 위대한 전투, 『테이 브리지 재앙』이나 난파선과 같은 재난, 유명한 사람들의 죽음, 빅토리아 여왕의 기념일과 같은 고귀한 주제를 선택했고 그 모든 것들을 엉터리 시로 변형시켰다. 그 코믹함은 심각한 주제와 시시한 언어 사이의 불균형에서 그리고 그가 압운rhyme을 시도했지만 그 형식을 제대로 다루지 못하는 데서 나온다.

그 코믹함을 알아보려면 독자는 나쁜 것을 알아보기 위해 필요한 훌륭한 시에 대한 충분한 지식이 있어야 한다. 이것은 번역가에게는 종이 위의 단어를 뛰어 넘는 것이고, 독자 입장에서는 사전 지식뿐만 아니라 취향과 미학의 정의를 포함하는 번역 문제가 있음을 인정하는 것을 의미한다.

제임스 조이스James Joyce의 『피네건의 경야』*Finnegan's Wake*만큼이나 커다란 어려움을 주는 맥고나걸의 글을 번역하려한 용감한 사람이 있었는지 나는 모른다. 그러나 분명히 번역가들은 똑같이 힘든 딜레마가 있는 다른 작품들과 씨름했을 것이다. 그러한 한 가지 경우는 영국의 가장 성공적인 극작가 중의 한 명인 해롤드 핀터Harold Pinter의 작품이다. 특히나 영국적인 핀터의 블랙 코미디는 많은 나라에서 호평을 받았는데 그의 극에는 한 가지 특징 때문에 특별한 어려움이 생긴다. 바로 '휴지'pause라는 지문을 그가 자주 사용한다는 점이다.

몇 년 전 나는 이탈리아 밀라노에서 핀터 극 공연을 보러 갔다. 정말 끔찍했다. 왜 그랬을까? 속도가 완전히 잘못되었다. 번역은 그럭저럭 괜찮았고 배우들은 경험이 풍부했지만 공연의 속도는 거의 광기 수준이었고 내가 영국에서 본 그 느릿하고 신중하고 정확하게 시간을 맞춘 핀터의 공연과는 달라도 너무 달랐다. 영국에서는 휴지가 배우의 대사를 강조하는 역할을 한다. 그 공연을 보았을 때 비로소 왜 내가 『성난 얼굴로 돌아보라』*Look Back in Anger*의 이탈리아어

버전도 질색했는지 알게 되었다. 영어 원본의 휴지와 침묵의 사용은 알아볼 수 없을 정도로 변형되었고 그 결과 등장인물들은 공연 내내 서로에게 소리만 치는 꼴이 되어 버린 것이다.

분명 침묵은 어디에서나 침묵이라고 주장할 수도 있을 것이다. 우리가 오직 단어 대응어만 생각한다면 핀터의 무대 지시문은 이탈리아어로든 다른 언어로든 완벽하게 잘 번역될 수 있을 것이다. 이탈리아어에도 'pause(휴지)'와 'silence(침묵)'에 해당하는 단어가 있다. 문제는 침묵이 다양한 컨텍스트에서 다양한 의미를 지닌다는 점이며, 그 점을 완전히 이해하지 못한다면 극 제작의 최종 결과는 졸렬한 모조품으로 전락할 것이다. 영국의 사회적 상황에서 침묵은 창피함을 뜻할 수도 있고, 핀터가 아주 미묘하게 표현하듯이, 협박이나 암시적 위협을 의미할 수도 있다. 영국의 저녁 식탁에서 갑자기 누군가 침묵하면 그것은 금방 무엇이 일어났거나 곧 일어날 것이다. 침묵이 이탈리아의 똑같은 상황에서 발생하면 어떤 끔찍한 것이 일어난 것이고 사람들은 그 위험한 공백을 메우려 달려든다.

반대로 핀란드에서는 완전히 편안한 침묵이 있다. 헬싱키에서 저녁 먹을 때 처음으로 이러한 것을 경험했는데 처음에는 불편했지만 곧 북유럽 국가에서 침묵은 사교상 용인될 수 있고 매우 기분 좋을 수도 있다는 사실을 알게 되었다. 때로 공백을 메우기 위해 이런저런 이야기를 해야 하는 의무감 없이 친구들과 함께 조용하게 식사하는 것은 좋은 일이다. 핀란드, 영국, 이탈리아의 사회적 상황에서 갑작스런 침묵의 의미는 크게 다르고 몸으로 느껴질 만큼이나 그 차이는 크다.

번역가가 주목해야 할 점은 침묵은 문화마다 완전히 다른 의미를 갖고 있다는 것이다. 유럽 밖, 예를 들면 일본과 같은 아시아 국가에서 침묵은 존중을 뜻할 수 있고, 종종 침묵은 젠더와 관련되는데, 남자가 여자보다 더 크게 얘기한다. 번역가가 직면하는 문제는 침묵의 다양한 의미를 이해하는 것이고, 이것은 극장에서 특히 중요하다. 특정 문화에서만 통용되는 방식으로 침묵을 사용하는 핀터와 같은 극작가는 침묵을 혐오스러운 것으로 여기는 사회에서나, 긴 침묵이 용인되는 사회에서도 공연할 때 의미는 매우 달라질 수밖에 없다.

극 번역은 복잡한 것이고, 이상적으로는 번역가, 감독, 배우 사이의 협력이라 할 수 있다. 속도 문제는 배우와 감독에게 맡기는 것이고, 번역가의 임무는 스크립트가 도착언어로 옮겨지기만 하면 끝난다고 주장할 수 있다. 그러나 배우들은 핀터가 말하는 그 수수께끼 같은 '휴지'가 자신들이 이해하는 것과 다를 수 있음을 어떻게 알 수 있을까? 만약 번역가들이 그 차이를 어떤 식으로든 알려주지 않는다면? 그런 경우 번역가의 역할은 로만 야콥슨(Roman Jakobson, 2000)의 용어를 사용한다면 두 언어 간interlingual의 번역가의 역할이라기보다는 두 기호 간intersemiotic의 번역가의 역할로, 다른 기호 체계를 알고 이해를 돕기 위해 문화 경계를 가로질러 중재할 수 있어야 한다.

핀터와 맥고나걸을 번역할 때 번역가는 두 가지 선택의 기로에 서게 된다. 맥고나걸의 경우 도착언어로 그의 시를 향상시키려는 강력한 유혹을 분명히 받을 것이다. 그렇게 하거나 또는 그 반대로 번역가는 영어로 이미 패러디인 것의 패러디를 창조하고자 할 수도 있다. 그 이유는 그 코믹함은 심각한 의도를 가지고 쓰인 그 시의 끔찍함에서 나오기 때문이다. 두 전략 모두 실패의 위험이 있다. 핀터의 경우 그리고 큰 효과를 내는 휴지와 침묵을 사용하는 또 다른 극작가 톰 스토파드Tom Stoppard의 경우 고립 속에서 일하는 번역가는 단어 대 단어 번역을 뛰어 넘어 할 수 있는 일이 아무것도 없다고 생각하고, 제작사에게 그 극본으로 하고 싶은 것을 알아서 하도록 맡길 것이다. 그러나 다른 사람들과 함께 협력하여 일하는 번역가는 배우들이 침묵이 문화적으로 무엇을 함축하는지 이해할 수 있는 방식으로 중재할 것이다. 실로 번역가의 임무는 종종 단어뿐만 아니라 단어 사이의 공간도 번역하는 것이다.

25

극 번역의 특징

번역이 진지한 연구의 주제가 되면서부터 번역학자들은 주로 문학 번역에 집중하였는데, 이는 문학 번역이 많은 문제점과 동시에 가능한 해결책들을 제시하기 때문이다. 시 번역에 대한 수백 권의 책과 논문이 출판되었고 특히 성경과 같은 종교서적 번역에 대한 연구서는 더 많으며 번역을 논의하는 문학작품 속 서문의 수는 상상할 수 없을 정도로 많다. 그러나 한 가지 특정한 종류의 번역에 대해서는 놀라울 정도로 관심이 거의 없다. 그것은 다름 아닌 극 번역이다. 어떤 번역학 전문가는 극 번역을 번역학의 '신데렐라 분야', 달리 말하면, 가장 적게 연구되고 있으며 아마도 가장 낮은 학문적 이해를 받은 분야이다.

가독성이 뛰어난 『무대 위의 유럽, 번역과 극』*Europe on Stage: Translation and Theatre*은 극 번역에서 가장 유명한 전문가 중의 한 사람인 구닐라 앤더맨(Gunila Anderman, 2005)이 영국 무대에 선 유럽 드라마를 연구한 저서이다. 그 저자는 그 책에서 단순히 페이지를 위한 것이 아니라 무대를 위한 번역에 대해서 논한다. 외국 희곡을 스웨덴어로 번역하고 스웨덴 희곡을 다른 언어로 번역하는 유명 번역가였던 앤더맨은 2007년 불행히도 세상을 떠났고, 그 두 가지 과정, 즉 텍스트 번역과 무대 번역 사이에는 차이점이 있음을 올바르게 인식하였다. 희곡은 몇 가지 차원으로 존재하는 형식이고, 단어는 한 가지 요소일 뿐이다. 극의 경험은 듣기와 보기, 그리고 때로는 다른 감각들도 포함한다.

연극을 창조하는 데는 한 사람 이상이 필요하고, 심지어 원맨쇼도 기술적 지원과 안무가 필요하다. 그 결과 극 번역가에게는 배우, 기술자, 연기하는 공간 및 청중이 포함되는 극의 대중적 차원과 스크립트를 생산하는 사적인 행위 사이에 긴장이 생긴다. 바로 이 긴장 때문에 번역학자들이 유용한 이론을 만드는 데 흥미를 잃는 경향이 있다. 그러나 그 긴장 때문에, 뜻도 모르면서 자신의 번역이 얼마나 '공연 가능한'performable 지에 대해 거들먹거리기 좋아하는 번역가들이 흥미를 잃지 않았다는 사실은 불행한 일이다.

어떻게 극이 공연 가능한지를 정의하는 것은 매우 힘들다. 때때로 '공연 가능한'은 '말할 수 있는'speakable과 동의어로서 사용되곤 하지만 책상에 홀로 앉아 일하는 번역가에게 말할 수 있는 것처럼 보이는 것이 배우에게는 그 반대가 될 수도 있다. 번역가의 임무는 배우에게 주어질 스크립트를 만드는 것이고, 번역가는 배우가 그 대본을 가지고 무엇을 할 것인지 추측하지 말아야 한다고 나는 늘 믿어왔다. 이 말은 이상적으로는 극을 번역하는 일은 작가와 번역가, 배우, 감독들이 포함되는 협동 작업이어야 함을 의미한다. 언어에 전문가인 사람과 언어를 신체적 경험으로 옮길 수 있는 사람들은 서로를 필요로 한다. 혼자 한다면 위험에 빠질 수 있을 것이다.

2007년 왕립 셰익스피어 컴퍼니가 제작한 『갈매기』*The Seagull* 극은 공연에 대해 의견이 갈려 호평과 혹평이 엇갈렸다. 안톤 체호프의 기존 희곡 번역을 사용하거나 완전히 새로운 번역을 주문하지 않고 감독은 혼합형 해결책을 택했다. 그로 인해 배우들도 대사를 직접 썼고 극은 연습을 통해 형태가 잡혔다. 이 전략을 좋아하지 않는 비평가들의 주장에 따르면 그 극은 체호프가 알아보지도 못할 어떤 것이 되어 버렸다는 것이다. 반대 의견에 따르면 이 버전은 적어도 2007년을 위한 것이라는 것이다. 한 가지 분명한 점은 극작가와 번역가 둘 다 '새로운' 버전을 만드는데 중요한 역할을 하지 못한 것처럼 보인다는 것이다.

극 번역은 다른 종류의 번역보다 더 많이 세월의 영향을 받는 것 같다. 그것은 청중의 요구를 아주 많이 고려하여 번역되는 극의 언어는 보통 그 시대의 언어라는 사실에 있다. 언어가 역동적이고 항상 변화한다는 사실을 염두에 둔다면 극은 다른 장르보다 더 빨리 나이들 수 있다. 루이지 피란델로Luigi Pirandello의 번역 작품들을 연구한 결과 나는 1920년대의 번역들은 1960년대 청중에 더 이상 적절하지 않고 30년 전에 만들어진 번역들은 이제 더 이상 오늘날의 목적에 맞지 않음을 확신할 수 있다.

『무대 위의 유럽』에 입센의 『인형의 집』*A Doll's House* 번역에 관한 훌륭한 예시문이 실려 있다. 그 작품은 당시에 아주 많은 성공을 거두어 할리 그랜빌-바커Harley Granville-Barker는 여학생을 위한 드라마 스쿨 입학시험의 일부로 이용되어야 한다고 제안하기도 했다. 여기 1880년에 그랜빌-바커에게 깊은 인상을 준 T. 웨버T. Weber의 번역에 실린 노라와 남편 사이의 대화 샘플이 있다.

> Helmer: Has my thoughtless bird again dissipated money?
>
> Nora: But, Thorvald, we must enjoy ourselves a little. It is the first Christmas we need not to spare.

Helmer: Know that we cannot dissipate.

Nora: Yes, Thorvald, we may now dissipate a little, may we not?

위와 같은 번역은 오늘날에는 분명 사용될 수 없지만, 그 언어의 민망함을 고려한다면 위 번역이 과거에는 아무런 문제없이 통용되었다는 점이 흥미롭다.

극 번역 연구가 부족한 또 한 가지 이유는 문화적 차원과 관련된다. 다양한 극 전통은 완전히 다른 규범과 기대를 만들어냈다. 예를 들면 독일 청중은 영국의 청중보다 훨씬 더 긴 공연을 참을 것이다. 영국에서는 셰익스피어와 같은 고전 작가도 전통적인 2시간 반 공연 시간에 맞추기 위해 텍스트 일부를 잘라내야 할 것이기 때문이다. 서로 다른 연기 전통은 서로 다른 방식의 연기를 필요로 하고 어떤 극장은 동작 연극을 선호하고 다른 극장은 대사 전달을 더 강조한다. 어떤 배우들은 속도를 내서 움직이도록 훈련을 받고 다른 배우들은 멈춰서서 광경 장면을 연출하는 훈련을 받는다. 오늘날 텔레비전이 공연 스타일에 영향을 주어서 카메라 가까이 클로즈업 촬영에 익숙한 배우들이 큰 무대에 나올 때 때때로 겪는 어려움이 있음을 덧붙일 수 있다. 이 모든 요소들이 번역에 영향을 끼친다. 그 이유는 한 종류의 전통적인 연기 스타일을 위해 쓰인 희곡은 다른 종류의 희곡에 쉽게 맞춰질 수 없기 때문이다. 피란델로의 경우가 분명 여기에 해당되는데 그는 영어로 크게 성공을 거둔 적이 한 번도 없다. 반대로 체호프는 엄청난 성공을 거두고 영국의 무대 관습과 기대에 맞추기 위해 개작되기도 했다.

앤더맨은 이러한 다양한 극 전통을 주목하고, 연극에서 문화 관련 암시를 번역하는 사람들이 마주치는 문제를 강조한다. 그녀는 해롤드 핀터Harold Pinter의 스웨덴 번역가들이 영국의 삶과 문화를 잘 알지 못하고 있는 점에 대해 글을 쓰면서, 유럽의 청중은 부적절한 번역으로 인해 이해하지 못하면서도 그것을 '핀터 방식'으로 받아들였음을 지적한다. 이어서 그녀는 만약 핀터가 핀란드에 태어났다면 어떤 일이 있어났을까 다음과 같이 추측해본다.

> 스키 및 스케이트와 같은 민족 스포츠, 스칸디나비아 민요, 스칸디나비아 신화에 나오는 생물troll, 관련 신화를 말하는 그 상상의 북유럽 핀터가 만들어 내는 문화적, 언어적 암시는 존중하는 말로 표현되고 '핀터 방식'이라고 일컬어졌을까? 아니면 비평가들은 찬사를 덜 보냈을까?

그의 작품 속의 문화를 가리키는 말과 암시를 많이 이해하지 못한 것이 오히려 핀터가 의도했던 것 이상의 초현실주의 극작가가 되는 데 일조했다고 앤더맨은 주장한다. 마찬가지로 체호프가 잃어버린 중산층 세계에 대한 향수를 주로 다루는 극작가로 변형된 것은 번역가들이 연이어서 복잡한 러시아의 사회 시스템을 영국의 시스템으로 보여주는 데 실패했기 때문이라고 주장할 수 있다. 나는 처음으로 러시아어로 된 체호프의 연극을 봤던 것이 지금도 생각나는데, 그 활력, 유머, 저속함에 깜짝 놀랐었다. 영국 무대에서 보았던 그 어떤 체호프 연극과도 완전히 달랐다.

극 번역을 번역학 연구자들이 그렇게 홀대를 한 이유는 쉽게 찾을 수 있다. 시나 소설과 다르게 연극은 그것 자체로 목적이라기보다는 일종의 청사진으로, 궁극적 공연에 선행하는 것이다. 이러한 측면에서 번역가의 임무는 이미 완성된 작품(희곡)이면서 무대 위에서 최종적으로 현실화되는 여정의 중간 역에 놓인 텍스트를 다른 언어로 옮기는 것이다. 달리 말하자면 번역된 희곡은 이중의 청사진이라 할 수 있으며, 이것은 한 컨텍스트에서 공연을 위해 쓰인 희곡과 또 다른 컨텍스트에서 공연되기 위해 가는 여정에 있는 텍스트, 이 둘의 번역으로서 존재함을 말한다.

26

다시 읽기의 즐거움

여름이 즐거운 이유는 독서 시간을 확보할 수 있기 때문이다. 조만간 읽어야지 하는 책들이 항상 쌓여 있고, 어떤 책은 고백하건데 여러 해의 여름을 보내는 동안 그냥 그 곳에 놓여 있기만 했다. 그러나 휴가 갈 때 무슨 책을 가져갈지 정할 때 나는 항상 예전에 읽은 책을 적어도 한 권은 의식적으로 가져간다.

오래 전 메리 이모할머니는 읽기의 즐거움에 대해서 얘기하곤 하셨다. 체계적으로 일을 하셨던 할머니는 본인이 가장 좋아하는 다양한 소설가들의 작품은 물론이고 대학에서 영문학을 전공하고자 열망하는 학생들에게 한때 가르쳤던 위대한 시인들의 작품까지 처음부터 끝까지 시간과 노력을 들여 읽곤 하셨다. 할머니가 돌아가셨을 때 모아 놓은 많은 책들을 나에게 물려 주셨는데, 그 중에는 헨리 필링Henry Fielding부터 아나톨 프랑스Anatole France에 이르는 여러 작가의 전집도 있었다. 이렇게 다양한 이유는 할머니의 취향이 꽤 다방면에 걸쳐 있었기 때문이다. 또 할머니는 내가 깨닫지 못하는 사이에 '다시 읽기'의 가치에 관한 당신의 신념도 분명 물려주신 것 같다. 왜냐하면 할머니를 알던 시절의 할머니 나이가 되자 나에게 다시 읽기는 더 중요해졌기 때문이다.

같은 책을 다시 읽을 때 우리는 전에 읽을 때와는 다른, 책의 새로운 면을 발견한다. 때로 그 발견은 아주 멋진데 왜냐하면 이전에 내가 읽을 때 얼마나 놓쳤는지, 너무 어려서 작가가 말하는 것을 다 이해할 수 없을 때 얼마나 많이 놓쳤는지 알게 되기 때문이다. 그리고 가끔은 아마도 전에 몇 번은 읽어서 잘 안다고 생각하던 책의 어조가 바뀌기도 한다. 기억하는 것보다 더 가볍거나 더 어두울 수 있다. 예를 들어 『제인 에어』*Jane Eyre*는 십대 시절에 로맨틱한 이야기로 처음 읽었고 좋아했던 책인데, 지금은 훨씬 더 내 마음을 뒤흔든다. 아마도 샬롯 브론테Charlotte Brontë가 살던 그리고 자신의 글에 그려 놓은 세상의 빈곤과 잔혹함을 훨씬 더 많이 알기에 그러리라. 브론테의 소설에서 그저 다락방의 미친 여자로 나오는 서인도 제도에서 온 비극적인 로체스터의 아내에 관해 이야기하는 진 라이Jean Rhy의 『광막한 사르가소 바다』*Wide Sargasso Sea*를 읽은 것 때문에 『제인 에어』를 다시 읽어 이해한 내용은 이전과 영원히 달라졌다. 결말이 끔찍하다고 생각하는 『보바리 부인』*Madame Bovary* 또한 나를 괴롭히는데 대학교 때 읽었을 때는 그렇지 않았다.

우리가 잘 안다고 생각하는 책이 우리에게 다르게 영향을 끼친다. 이것은 변한 것은 그 책이 아니라 바로 우리 자신이라는 것을 확실히 보여준다. 어쩌면 우리는 더 현명해지고 더 교양 있고 어쩌면 덜 거만하고 더 열려 있고 알지 못하는 것을 더 공감할 수 있게 된 것이리라. 또는 어쩌면 취향이 바뀌어 요즘엔

맥주보다 와인을 마시고 롤링스톤보다는 모차르트를 더 많이 듣는다. 전에는 정말 웃기다고 생각했던 책을 다시 읽으면 내적 변화는 더 분명해진다. 30년 뒤에 똑같은 것을 보고 지금도 웃기란 매우 드문 일이다. 그러나 단지 개인적 취향의 변화만의 문제가 아닌 것이 유머는 아주 빠르게 나이 들기 때문이다. 한 세대에 코믹한 농담과 상황이 다른 세대에겐 전혀 웃기지 않고 심지어는 모욕적일 수도 있다.

지금까지 나는 전반적으로 책만 언급했지 언어를 구분하지 않았다. 그러나 번역에 대해 생각해 보면 다시 읽는 행위는 아주 다른 의미를 지니는데, 전에 읽은 작품의 새로운 번역을 읽을 때마다 더 명시적인 형태의 다시 읽기에 참여하게 되고, 이는 각각의 번역가가 원본을 약간 (때로는 과격하게) 다른 방식으로 재구성하기 때문이다. 예를 들면 토마스 하디Thomas Hardy의 소설 『귀향』*The Return of the Native*을 다시 읽을 때 나는 똑같은 단어를 읽는 것이고, 시간이 지나서 아무리 그 소설에 대해 내가 다르게 반응하더라도 페이지 위에 있는 그 단어는 내가 전에 읽은 것과 똑같은 단어이다.

그러나 이것은 예를 들면 『돈키호테』*Don Quixote*와 같은 책의 새로운 번역을 읽는 경우와는 다르다. 현재 나는 21세기 대중을 위해 또 다른 번역가가 쓴 세르반테스 소설의 다른 번역을 읽고 있다. 영어 번역으로 『돈키호테』를 마지막으로 읽었을 때는 25년도 더 되었다. 현재 내가 읽고 있는 버전은 존 루더포드John Rutherford가 번역했는데, 그는 학생인 딸이 그 소설이 얼마나 지루한지 불평하고 너무 지루해서 끝까지 읽을 수 없다고 한 것이 자신이 새 번역을 시작하게 한 계기라고 말한다. 이 이야기에 공감을 했는데, 그건 내 딸도 언젠가 나에게 똑같은 말을 했기 때문이고, 우리 집 책꽂이에 꽂힌 번역본은 정말로 심각하고 느리고 지루했다. 만약 어떤 번역이 독자에게 흥미를 제공하지 못한다면 그 원본의 명성도 고통을 당하게 된다. 존과 나는 스페인어를 읽을 수 있는 특권이 있지만 우리 딸들은 번역에 의존했다. 그는 특히 자신의 딸을 위해 그 위대한 작품을 적절한 방식으로 번역하는 일에 착수했지만, 초벌 번역을 끝냈을 무렵 두 명의 다른 유명한 번역가들 또한 번역을 하고 있음을 알게 되었다. 단념하지 않고 그는 계속 번역했다. 자신의 딸이 흥미를 느끼는지 아닌지를 성공의 잣대로 활용하면서 세르반테스의 소설이 동시대 사람들에게 얼마나 재미있었는지를 현대 독자들도 느낄 수 있는 번역본을 만들고자 강하게 마음먹었다. 그 결과 사실상 내가 전에 읽은 것보다 더 웃기고 존의 딸이 성공작이라고 평가한 영어 번역이 탄생하였다.

대서양의 양쪽에서 세 번역가들 모두가 『돈키호테』를 동시에 번역하기로 한 사실은 또한 우리에게 취향의 변화 및 다시 읽기에 관한 무언가를 말해준다. 출판사와 번역가 둘 다 세르반테스를 새로운 천년을 위해 다시 번역할 필요가 있다고 생각한 것이 틀림없다. 흥미로운 것은 세 출판사 모두가 약간씩 서로 다른 제목을 갖고 있다는 점이다. 존 루터포드는 *The Ingenious Hidalo. Don Quixote de la Mancha*를 제목으로 택했고, 버튼 라펠Burton Raffel은 *The History of that Ingenious Gentleman Don Quijote de la Mancha*를, 이디스 그로스맨Edith Grossman은 *Don Quixote*라는 간결한 제목을 선택했다. 세르반테스 소설은 이 마지막 영어 제목으로 보통 알려져 있다.

번역이 계속 나오고 있지만 성공이나 실패를 좌우하는 규범과 기대가 있다. 어떤 제목이 자리가 확고히 잡히면, 그것을 바꾸면 동요하게 된다. 예를 들어 *The Karamazov Brothers*가 러시아 작품의 더 '정확한' 번역이 아니냐는 최근의 주장은 잘못되었다. 영어 독자는 그 소설을 *The Brothers Karamazov*라고 알고 있고, 그 약간 이상한 단어순서는 성경의 함의와 함께 그 소설을 독특하고 특별하게 만드는 역할을 하기 때문이다. *The Karamazov Brothers*는 러시아 원본을 더 현대적으로 더 많이 직역한 번역이지만 너무 평범하고 시시하다. 이와 비슷한 논쟁은 프루스트의 *A la recherché du temps perdu*(『잃어버린 시간을 찾아서』)의 영어 번역에 관한 것이었다. *In Search of Lost Time*이 스콧-몽크리에프Scott-Moncrieff가

택한 1920년대 제목인 *Remembrance of Things Past*과 똑같은 임팩트를 가졌는지 논쟁이 있었다.

어떠한 것도 번역한 적이 없는 독자라 하더라도 전에 번역을 읽어봤다면 번역본에서 자신이 무엇을 기대하는지 안다. 제목은 일종의 품질 보증서를 제공하는 것이고, 제목을 바꾸는 것은 그 번역본 자체의 진정성에 의문을 제기하는 것이다. *Les Mille et une nuit*로 18세기 초에 프랑스어로 출간된 중세 아랍 이야기는 그 직후에 *Arabian Winter-Evenings' Entertainments*나 *Arabian Nights' Entertainments*라는 제목으로 영어로 번역되었다. '아라비안나이트'Arabian Nights라는 표현이 장악하였고, 그 후에 나온 몇몇 번역본은 그 구절을 추가해야 했다. 예를 들면 리처드 버튼 경Sir Richard Burton의 장황한 제목 *The Book of the Thousand and One Night: A Plain and Literal Translation of the Arabian Nights' Entertainments*이 그러하다. 영어 독자들은 천일 밤thousand and one nights보다는 아라비안나이트의 개념에 더 친숙하게 되었다.

번역은 원래 다른 언어로 쓰인 것의 새로운 언어 버전이라는 점에서 다시 쓰기rewritings이다. 번역은 또한 번역가가 원본을 읽은 것을 물리적으로 표현한 것이고, 우리가 특정한 번역본을 통해 어떤 작품을 알고 있다면 변화를 긍정적으로 받아들이는 것이 힘들다는 것을 알게 될 것이다. 만약 우리 영국인이 20년 후에 조지 엘리엇George Eliot이 쓴 소설을 다시 읽을 때 다르게 반응한다면 아마도 그건 우리가 다른 눈으로 읽기 때문이라는 데 동의할 것이다. 그러나 우리가 발자크의 『고리오 영감』*Père Goriot*의 새로운 번역을 읽고 다르게 반응한다면, 그 차이는 우리가 변했기 때문이 아니라 번역 때문에 발생한다. 비록 발자크의 소설을 다시 읽는 것이라고 주장하더라도 말이다.

이러한 읽기의 차이를 통해서 우리가 잘 알고 있는 것이 얼마나 많이 번역가들의 덕택을 본 것인지 알 수 있다. 만약 우리가 오래전에 읽은 것을 다시 읽을 때 전에 읽었다고 생각하는 것을 발견하지 못하면 우리의 기억이 잘못되었겠지 라고 생각하는 반면, 번역본에서 제목을 바꾸거나 작품의 강조점을 바꾸면 우리는 기분이 상한다. 이것은 번역본의 독자들은 다른 독자보다 더 보수적이라는 것을 의미하는 걸까? 아니면 그저 세상이 계속 변하고 있음을 새로운 번역으로 인해 우리가 깨달을 수밖에 없는 것일까?

27

추리소설과 번역

고백하건대 나는 범죄 소설을 한 번도 좋아한 적이 없다. 가끔 나오는 영화나 TV 스릴러를 즐겨 보긴 하지만 탐정소설은 언제나 재미가 없었다. 데이빗 슈쳇David Suchet의 연기를 통해서 <명탐정 포와로>Inspector Poirot를 알게 된 이유는 한 번도 아가서 크리스티Agatha Christie가 쓴 책을 읽은 적이 없기 때문이다. 파더 브라운Father Brown 소설이나 캐드파엘Cadfael 소설이나 루스 렌델Ruth Rendell이나 헤닝 맨켈Henning Mankel이 쓴 작품을 한 번도 읽은 적이 없는 것처럼 말이다. 친구들과 가족은 오랫동안 다양한 작가를 칭찬하며 나에게 추천했지만 한 번도 그들의 제안을 따른 적이 없다.

이제 나이가 제법 들어서야 나는 탐정소설의 열혈 팬이 되었고 현재 P. D. 제임스James가 쓴 소설의 주인공인 시인-탐정 아담 댈글레시Adam Dalgleish가 푸는 사건들을 처음부터 끝까지 읽고 있다. 또한 나는 도로시 세이어스Dorothy Sayers를 읽고 있으며 세이어스 작품의 등장인물 피터 윔지 경Lord Peter Wimsey이 풀어내는 사건들은 무척이나 재미있으며, 점점 더 이런 종류의 글에 마니아가 되고 있음을 고백한다.

이러한 변화가 어떻게 하다 일어났는지 잘은 모르겠지만 분명히 번역과 관련된 것 같다. 몇 년 전 ≪인디펜던트≫ 신문 외국소설 상 심사위원으로 초청되었을 때 프랑스어, 스페인어, 네덜란드어, 독일어, 스웨덴어, 이탈리아어로 쓰인 폭넓은 탐정소설들을 읽어야 했다. 그 소설들은 너무나 재미있어서 눈을 뗄 수 없었고 다양한 면에서 성공적이었다. 그 소설들 다수는 전통적인 살인 미스터리 플롯이 있었지만, 이야기가 전개됨에 따라 좀 더 정치적으로 변했다. 복잡한 스토리 라인은 유럽의 제 2차 세계대전으로, 스페인의 프랑코 정권이나 포르투갈의 살라잘 수상 시대로, 홀로코스트로, 1990년대 발칸 전쟁 시대로 거슬러 올라갔다. 현대 사회의 구조 뒤에 수년 간 숨겨왔던 어두운 비밀이 빛이 되어 새어 나왔고 몇몇 소설에서는 그 비밀 때문에 가족이나 공동체가 분열되기도 했다. 어떤 소설에서는 현대 범죄를 해결하기 위해선 과거를 캐내야 하고, 그 과거에서 이미 다른 다양한 범죄가 발생했고 숨겨졌던 것이다. 진실을 뒤늦지 않게 찾기 위해선 과거에 솔직해야 하고 억압된 개인의 트라우마에 맞서야 했다.

다른 세대에서 내려온 비밀 범죄 이야기는 현대 유럽의 많은 범죄추리 소설가들의 강력한 주제이고, 그것은 또한 정치성이 덜한 북아메리카 대륙의 소설과 영화에서 많은 범죄추리 소설의 중심에 있다. 수사팀이 십년 전 또는 그 이전의 범죄를 수사하는 미해결 사건은 현재 인기가 아주 많아서 미국, 영국, 다른 유럽 국가의 TV에서 여러 범죄과학 프로그램이 상영되고 있다. 정말로, 미해결 범죄를 해결하는 방식으로 범죄과학을 생각하는 것은 아주 인기가 많아서 대학에서 전례 없는 관심을 보여주고 있으며, 수 십 명의 학생들은 갑자기 화려해진 범죄과학 직업에 관심을 갖는다. 몇 년 후 누군가는 이러한 21세기 초반의 현상을 되돌아보고 왜 그러한 것이 발생했는지 추측해볼 것이다. 그것은 대서양 양쪽에 있는 패트리샤 콘웰Patricia Cornwell과 같은 소설가들과 <본즈>Bones와 같은 TV 프로그램을 위해 일하는 작가들이 9/11 테러 사건 이후의 우리 사회, 즉 풍요롭고도 두려움이 가득 찬 우리 사회 가치의 기원에 대한 질문을 제기해서일까?

P. D. 제임스와 루스 렌델과 같은 영국의 범죄추리 작가는 둘 다 그 분야에서 존경을 받으며 비슷한 사회적 지위를 갖고 있는데, 이것은 그들의 글이 국내외적으로 경이로운 성공을 거두었기 때문이다. 아가서 크리스티와 그 장르의 많은 다른 작가들처럼 위의 두 작가는 여러 언어로 폭넓게 번역되었다. 오늘날 전 세계에서 탐정 소설이 호황을 이루고 있다고 할 수 있다. 그 호황은 영어로 번역되고 영어에서 번역되는 작품의 수가 증가하는 사실에서 알 수 있다. 티나 넌널리Tiina Nunnally가 영어로 번역을 한 페터 회Peter Hoeg의 베스트셀러 소설인 『스밀라의 눈에 대한 감각』*Miss Smilla's Feeling for Snow*으로 인해 그 재능 있는 덴마크 작가가 전 세계 독자들 앞에 서게 되었고, 로리 톰슨Laurie Thompson과 스티븐 머리Steven T. Murray가 번역한 헤닝 맨켈의 커트 월랜더Kurt Wallander 소설들이 인기를 누리자, 그 스웨덴 탐정이 사건을 풀어가는 장소를 보기 위해 스웨덴 남쪽을 방문하는 관광객들이 증가하였다. 케네스 브라나Kenneth Branagh가 연기하는 월랜더 캐릭터는 올해 11월 영국 TV에 처음으로 등장하였다. 유럽 전역에서 재능 있는 범죄추리 소설 작가들의 급증이 의심스럽다면 수백 명의 작가들의 이름이 올려 있는 www.eurocrime.co.uk를 보면 된다.

전 세계적으로 탐정소설이 호황을 누린다는 사실은 또한 탐정소설 번역가들의 능력에 대한 증거이기도 하다. 탐정추리소설은 번역가의 전문 지식과 기술을 요구하는 특별한 특징을 갖고 있는 장르이기 때문이다. 많은 탐정소설의 특징 중의 하나는 상세함을 강조한다. 숙련된 작가는 종종 그 상세함에 단서를 심어 놓고, 그리하여 독자들이 다른 종류의 텍스트에서는 단순히 배경지식이거나 장면일 수 있는 것에 집중하게 만들기 때문이다. 묘사하는 구절은 대화만큼이나 어쩌면 그보다 더 중요할 수 있다. 탐정소설을 읽기 시작한 이후 나는 나도 모르게 조금씩 다르게 읽고 있었다. 상세한 것에 집중을 하고, 왜 작가가 어떤 디테일을 제공했는지 아니면 제외했는지 묻는다. 간단히 말해 사건을 해결하는 과정에 적극적인 에이전트로서 읽고 있음을 나는 알게 되었다.

그러나 동시에 이런 종류의 글은 문화에 큰 영향을 받는다. 작은 디테일은 그것의 의미를 해독할 수 있는 사람들에게만 이해된다. 어떤 종류의 자기 찻잔은 영국 독자에게 그 잔으로 마시는 등장인물의 배경에 대해 말해 줄 수 있다. 그 디테일은 영국의 계급 시스템의 복잡성을 잘 모르는 문화권에서 온 독자라면 놓치기 쉬울 것이다. 그리고 그 찻잔이 미스터리를 푸는데 중요한 단서라면 번역가는 그것의 의미를 나타내는 방식을 찾아야 한다. 당연히 그 단서를 너무 심하게 강조하지 말아야 하는데 독자에게 너무 친절하게 다 설명하는 위험이 있기 때문이다. 예를 들면 도로시 세이어스의 소설 『훈제 청어 다섯 마리』*The Five Red Herrings*에서 예술가 시체가 '아침 햇빛'을 보여주는 풍경화 가까이에 발견될 때, 독자는 그 죽은 사람의 물감 팔레트와 책가방의 내용물에 대해 자세한 설명을 듣는다. 그래서 독자는 그 남자가 주홍색, 군청색, 청록색, 짙은 청색, 로즈 매더, 진홍색, 담황색을 사용했음을 알고, 또한 탐정인 피터 윔지 경이 어떤 것이 분실된 것 같아서 불만족스러워하는 걸 알게 된다. 분실된 것은 살인자가 놓고 갔어야 했던 연백색 물감이며 살인자를 찾을 수 있는 중요한 단서이다. 물론 핵심은 스코틀랜드의 아침 햇빛은 범죄 장면에서 발견된 강한 색 물감을 사용해서 잘 그려질 수 없다는 사실에 있고, 그래서 그 그림은 죽은 화가가 아닌 다른 누군가가 그렸음이 분명하다.

『문화 충돌』*Culture Bumps*이라는 흥미로운 저서에서 리트바 레피할메Ritva

Leppihalme는 번역가가 마주치는 가장 복잡한 문제 중의 하나와 씨름하는데 그것은 문화의 문제와 밀접하게 관련되어 있다. 그녀는 핀란드어와 영어의 암시allusion라는 문제에 관심을 두고 이를 연구하면서 탐정소설은 특히 암시가 많다는 것을 알게 되었다. 그 저자가 제시하는 말뭉치(코퍼스)는 다양한 텍스트로 이루어져 있고 다른 언어로 문화관련 내용을 번역할 때 번역가들이 이용하는 전략을 살피고, 다양한 종류의 암시를 번역하는 고충에 대해 논한다. 성경을 암시하는 글은 상대적으로 간단할 수 있는데 영어, 핀란드어로 쓰인 성경책이 있기 때문이다. 셰익스피어를 암시하는 글은 비록 최고의 핀란드어 번역이 있어도 알아보기 더 힘들다. 그러나 영어 독자에게 잘 알려져 있지 않은 핀란드 서사시 『칼레발라』*Kalevala*를 암시하는 구절이나, 루스 엔델의 『악마의 그림을 두려워하다』*To Fear a Painted Devil*의 다음 구절은 훨씬 더 알아보기 어렵다.

> Nancy could hardly believe a letter would make her so happy. '... She is nothing to us. We each possess one world. Each hath one and is one'. Hath, she decided, must be a typing error, but the thought was there.

> 낸시는 글자 하나가 자신을 그렇게 행복하게 할 거라고는 생각하지 못했다. '... 그녀는 우리에게 아무런 존재도 아니다. 우리는 각각 세계 하나를 갖고 있다. 사람들 각자 세계 하나를 갖고 있고 하나의 세계이다.' 그녀는 해스가 오타라고 생각했지만, 그 생각은 거기에 있었다.

물론 hath는 오타가 아니다. 위 글은 존 던John Donne의 시 「좋은 아침」The Good Morrow을 암시하기 것이기 때문이다. 그 시를 잘 모르는 영국 독자들은 이를 알 수 없으며, 그리고 문자 그대로 번역된다면 핀란드 독자들은 그 암시를 전혀 이해할 수 없을 것이다. 여기서 번역가가 택해야 할 유일한 해결책은 그 암시를 완전히 생략하거나 비슷한 효과를 가진 핀란드 문학에서 대체물을 찾는 것이다.

레피할메는 암시를 광범위하게 이용하는 저자들은 (사실 이것은 다수의 범죄추리 소설에서 흔한 것인데) 독자와 특별한 관계를 맺는다고 말한다. 그녀는 그것을 내집단in-group이라고 부르며 '독자는 소속감을 갖고 우쭐해진다'라고 말한다. 이 흥미로운 개념은 일정한 부류의 글쓰기와 특정한 공식을 따르는 작가들이 왜 종종 강력한 팬들을 끌어 모으는지 이해하는 데 어느 정도 도움이 된다. 탐정소설과 독자의 특별한 관계 형성은 단순히 특정한 탐정의 성격도 아니고 복잡하게 꼬여 있는 플롯 라인을 능숙하게 푸는 것에만 국한된 것이 아니다. 한편에서는 해석과 관련되고 동시에 다른 한편에서는 어떤 부류의 독자의 관심을 사로잡도록 계획한 실제 스타일 기법이다.

이는 형식이나 내용에서 수수께끼로 가득한 장르를 성공적으로 번역하기 위해서는 특정한 종류의 능력을 갖춘 번역가가 필요함을 시사한다. 미스터리를 푸는 것은 플롯 묘사와 스타일 이해의 측면에서 일어날 수 있고, 점점 더 많은 번역가들이 이 작업을 맡을 수 있는 것 같다. 그리하여 지금까지 영어 독자들에게 잘 알려져 있지 않은 훌륭한 작가들이 영어권에서 더 많은 관심을 받는다. 데이비드 핵스톤David Hackston은 핀란드 작가 마티 조엔수(Matti Joensuu, 1997)를 번역했는데, 비록 그가 그 작가의 핀란드어 스타일을 얼마나 잘 옮겼는지 내가 말할 자격은 없지만 그 영어 번역은 읽을 가치가 있다고 생각한다. 그동안 스쳐 지나갔던 장르에 대한 취향을 새로이 발견하면서 나는 그동안 무엇을 놓쳤는지 이제 알게 되었고 특히 복잡하고 다층의 글로 생각되는 장르에 새로운 존경심을 갖게 되었다. 훌륭한 번역가들 덕분에 나는 영어 세계라는 더 전통적인 경계를 뛰어 넘어 내 독서의 지평을 넓힐 수 있게 되었다. 아주 재밌고 즐거운 저녁 시간이 내 앞날에 무한하게 펼쳐 있는 것이 눈앞에 보인다.

28

번역에서 얻는 것

얼마 전에 한 번은 저녁을 먹다가 대화가 번역에 대한 토론으로 흘러갔다. 그 식탁에 있는 사람들 중 한 명이 번역을 아주 무시하였다. "한 번도 훌륭한 번역을 못 읽었다, 번역할 때는 항상 무언가가 빠지더라, 원본을 읽는 것이 훨씬 더 낫다 등등"의 발언을 했다. "음, 맞긴 한데, 만약 해당 언어를 알지 못하면 어떡하느냐, 분명한 것은 아무도 모든 언어를 다 아는 것은 아니니 번역본 없이는 불가능하지 않을까?"라고 다른 사람이 반박하였다. 그 전문가는 흔들리지 않고 다음과 같이 주장하였다. "번역본을 피하는데 항상 번역본은 아주 형편없기 때문이다, 항상 뭔가 빠지기 때문에 번역된 책은 쉽게 알아볼 수 있다. 번역은 스타일이 결핍되어 있다."

이런 종류의 주장을 들으면 정말 짜증이 나고 우울해지기 때문에 그 얘기에 되도록 참여하지 않으려고 나는 애썼다. 물론 번역할 때 무엇인가 상실된다. 번역은 원본과 같지 않은 것이 당연하지만 그렇다고 해서 그 번역본을 읽는 사람이 항상 부당한 대우를 받는 것은 아닐 것이다. 작가가 처음에 독자를 원본으로 데려가는 것과 같은 방식으로 훌륭한 번역은 독자를 (번역된) 책의 세계로 데려간다. 번역할 때 상실이 존재하지만 동시에 얻는 것도 있으며 이러한 근본적인 사실을 종종 사람들은 잊는 것 같다.

사람들이 자주 잊는 또 한 가지 사실은 번역가에게 번역의 행위는 아마도 텍스트를 읽는 모든 방법 중에서 가장 철저한 읽기라는 점이다. 감독은 무대에 올리려는 안목으로 희곡을 읽을 것이며, 배우는 자신의 역할에 집중해서 그 똑같은 희곡을 읽을 것이며, 문학 연구자들은 해석 형태나 코드를 찾으면서 읽을 것이고, 평론가들은 칭찬하거나 비난하기 위해 읽을 것이다. 그러나 번역가는 작품을 해석하는 임무를 시작하기 전에 가능한 한 충분히 이해하기 위해 모든 단어를 읽고, 그런 다음 새로운 독자를 위해 또 다른 언어로 재구성한다.

시나 희곡, 소설을 번역할 때면 나는 내 손이 종이 위에서 감당할 만큼의 속도로 초벌 번역을 대충 휘갈겨 쓴다. 맞다, 나는 손이라고 말했다. 이유는 나의 경우 초벌 번역은 종이에 펜으로 쓰면서 옛날 방식으로 한다. 단어를 이해하지 못하는 것에서부터 그것을 어떻게 가장 훌륭하게 번역할지에 관한 야심찬 고민에 이르기까지 다양한 문제에 마주칠 때마다 괄호를 치고 계속 쓴다. 사전에서 단어를 찾으려고 중간에 멈추지 않는데, 왜냐하면 초안은 사실 읽기의 기록이며, 그 읽기는 최종본의 기초를 이룰 것이기 때문이다.

이러한 첫 번째 작업 단계의 결과물은 거의 알아 볼 수 없이 휘갈겨 쓴 페이지이겠지만, 그 초안에서 나는 외국 언어로 된 텍스트를 읽는 것과 동시에 영어로 번역하려고 하지 않았다면 보지 못했을 그런 모든 종류의 흥미로운 것들을 볼 수 있게 된다. 나는 구조적인 문제들, 즉 해결해야 하겠지만 독자를 위해 적절하게 번역하는 데 많은 노력이 필요한 문제들이 보이고 흐름이 자연스럽고 때로는 여기저기 살짝 수정하는 것 말고는 전혀 수정하지 않아도 최종본이 되는 구절이 보이며 때로는 원본이 '흔들리는' 곳, 아마도 원저자가 그 지점에서 자신의 글을 제대로 통제하지 못하는 지점이 보이기도 한다. 가장 어려운 부분은 작가가 의도적으로 중의성을 가지려고 하는 지점이며 그 중의성이 도착언어로 번역될 수 없으면 어려운 선택을 할 수밖에 없다.

번역은 차선이라고, 즉 중요한 면에서 어떤 식으로든 부족한 것이라고 비난하는 사람들에게 짜증이 나는 이유는 그들은 번역가가 독자 및 편집자(개작가)의 일을 동시에 한다는 사실을 전혀 이해하지 못하고 있기 때문이다. 일부러 나는 '편집자'라는 말을 썼는데 번역은 편집이라고 표현될 수밖에 없는 그런 결정들을 포함하는 일을 실제로 하기 때문이다. 한번은 르네상스 시대의 라틴어 시에서 몇 행을 뺐는데, 이유는 그 행에 빽빽이 채워진 고전문학을 가리키는 말들은 현대 독자들이 이해할 수 없기 때문에 그 행들을 그대로 포함시키면 그들의 시 읽기가 손상이 될 것이기 때문이다. 그러나 이것은 그 시가 어디로 출판될 운명인지를 분명하게 알고 있었기에 선택한 편집 결정이었다. 그 시는 여러 시대의 환경에 대한 여성의 시를 모아 놓은 선집에 실릴 예정이었다. 만약 그 시인의 작품에 관한 학술판을 위해 똑같은 시를 번역했다면, 그 시행을 포함시켰을 것이고 주석으로 설명도 했을 것이다. 그러나 일반 독자에게 학술적 주석은 흥미를 앗아갈 것이라고 짐작하여 그렇게 작업을 했다. 연구와 관련된 다른 종류의 독서를 할 때 독자로서 나는, 비록 감사하긴 하지만 과도한 주석 때문에 읽고 싶은 마음이 사라진 적도 있었기에 그런 결정을 내렸다.

그러나 또 다른 종류의 번역 읽기가 있고 그것은 작가를 더 충분히 알 수 있기 위한 번역과 관련된다. 아마도 오랜 기간 번역 일을 했기 때문에 번역은 내가 읽을 수 있는 언어로 글을 쓰는 작가에게 더 가까이 다가갈 수 있는 소중한 방식임을 알게 되었다. 이러한 깨달음은 최근에 스페인 작가 안토니우 마샤두Antonio Machado를 번역할 때 나에게 찾아왔다.

여러 해 전 나는 마샤두의 시를 번역하였고, 오랜 친구인 살바도르 오르티스-카르보네레스Salvador Ortiz-Carboneres와 공역하였다. 그 친구는 이어서 2002년에 폴 번스Paul Burns와 함께 번역한 마샤두의 시집을 출판할 예정이었다. 마샤두의 시에서 본 것은 우리가 함께 작업했던 시인 우나모노Unamuno에서 본 것처럼 단순해 보이는 것과 비상한 영혼의 깊이가 결합된 것이었고 그것은 참으로 이룰 것 같으면서도 이루기 힘든 도전이었다. 나이든 카스티아Castilian 시인 나르시소 알론소 코르테스Narciso Alonso Cortes에게 바치는 헌정시의 한 연을 보자.

> El alma. El alma vence-! la pobre cenicienta,
> que en este siglo vano, cruel, empederido,
> por esos mundos vaga escualida y hambrienta!-
> al angel de la muerte e al agua del olvido.

이것을 영어로 직역하면 다음과 같다.

> The soul. The soul conquers—the poor Cinderella
> who in this empty, cruel, stony age
> through this world wanders wretched and hungry
> —the angel of death and the water of oblivion.

> 영혼. 영혼은 극복한다—가엾은 신데렐라
> 그녀는 이 공허하고, 잔인한 냉혹한 시대에
> 이 세상 속을 끔찍함과 배고픔 속에서 방황한다
> —죽음의 천사와 망각의 바다를.

이 연의 언어는 그 시의 나머지처럼 상대적으로 간단하다. 물론 번역가는 형용사를 갖고 놀 수 있다. vano는 공허하고, 헛된, 소용없음이 될 수 있고, escualida는 끔찍하고, 마르고, 비참한 것 등이 될 수 있지만 그 연의 강점은 구조에 있는데 그것은 alma라는 단어에 집중하고 첫 행에 되풀이된다. 영혼, El alma는 마침표에 의해 그 연의 나머지와 분리가 되고, 이것은 즉시 그것의 중요성을 강조한다. 두 번째 문장은 el alma를 반복하는데, 이번에는 el alma vence에서 볼 수 있듯이 동사와 함께 나타난다. 영혼은 정복한다/승리한다, 극복한다의 뜻이며 아주 강력한 진술이다. 그 다음에 그것은 그 영혼의 비참함을 묘사하는 연의 중앙 시행들에 의해 즉시 깨진다. 마지막 행이 되어서야 우리는 그 영혼이 무엇을 이기고 정복하는지 알게 된다. 그것은 죽음의 천사와 망각의 바다이다. 그러므로 첫 번째와 마지막 행은 고조된 긴장의 상태에서 함께 묶이고 활시위 효과를 창조한다. 이것은 마샤두가 자주 사용하는 기법이지만 번역가에게는 풀어야 할 숙제이다. 영어 통사론은 스페인어 통사론과 다르고 동사가 첫 행에 있으면 긴장은 유지될 수 없기 때문이다. 동사의 목적어가 완전한 효과를 내기에는 너무 멀리 떨어져 있어서이다.

그렇다면 무엇을 할 수 있을까? 2007년의 번역본에서 스탠리 애플바움Stanley Applebaum은 동사 'conquers'를 마지막 행의 맨 앞에 옮겨 놓는다. 괜찮긴 하지만 영혼 주어와 그 동사를 분리시켜서 전능한 영혼의 의미가 약해진다. el alma vence가 분리되기 때문이다. 대안은 두 번째의 영혼을 동사와 함께 옮기는 것이다. 그래서 첫 시행은 'The soul! That poor Cinderella－'(영혼! 가엾은 신데렐라-)처럼 읽힐 것이고, 마지막 행은 'the soul triumphs over...'(영혼은 이긴다...)로 시작할 것이다. 그렇게 하면 마샤두가 강조한 것을 유지하겠지만, 행 길이의 측면에서 다소 어색한 연을 만들어낼 것이다.

어떤 해결책을 번역가가 찾든 부인할 수 없는 것은 표면적으로 이해하기 쉬워 보이는 그리고 정말로 이해하기 '쉬운' 작가를 번역하는 고충이다. 왜냐하면 그의 시의 아름다움은 그의 책을 집어든 사람은 누구든 쉽게 이해할 수 있지만 사실 그의 시는 매우 복잡하고 다양한 층위에서 작동하기 때문이다. 마샤두는 심오한 영혼이 있는 시인이고 스페인 풍경의 이미지를 창조하는데 도움이 되는 그림을 이용할 수 있는 놀라울 만한 실력의 소유자이다. 이로 인해 그는 자신의 조국에서 가장 사랑받는 20세기 시인 중의 한 명이 되었다.

마샤두 시의 조야한 번역을 휘갈기면서 표면적인 단순함 아래 깔린 복잡함은 더욱 분명해진다. 점점 더 나는 마샤두를 더 잘 알게 되고, 아마도 언젠가는 그 휘갈겨 쓴 것을 읽을 만한 버전으로 만들기 위해 다듬을 지도 모르겠다. 그러나 지금은 이 아름답고 어려우며 동시에 가장 읽기 쉬운 시인과 씨름할 만큼 용기 있는 다른 번역가들의 작업에 감사하고 싶다.

29

계절 묘사와 번역

영어로 쓰인 가장 잘 알려진 시 중의 하나는 분명 존 키츠John Keats의 『가을에 부치는 송시』*Ode to Autumn*일 것이다. 다음과 같이 시작한다.

Season of mists and mellow fruitfulness
Close bosom-friend of the maturing sun;

안개와 그윽한 열매의 계절
무르익게 하는 태양의 가까운 친구여

위 시는 영국에서 한 해의 어떤 특정한 순간에 대한 찬가이며, 차가운 바람과 떨어지는 잎의 가을이 아니라 여름이 그 절정에 도달하고 그 다음 계절의 전조가 공기 속에 느껴질 때 바로 그 전이의 시기를 묘사한다. 키츠는 그 순간을 스케치하고 익은 과일, 'think warm days will never cease'(따뜻한 날들이 계속 이어질 것이라고 믿는) 벌과 강 위의 각다귀 무리, 울타리 안의 크리켓 노래, 추수 그리고 사과주 만들기를 주목한다. 그리고 해마다 나는 그러한 날들을 볼 때 키츠의 그 시를 생각한다. 지구 온난화에도 불구하고 기본적인 날씨 패턴 일부는 변하지 않았고, 올해는 9월이지만 대개는 8월에 키츠가 마지막 시행 'And gathering swallows twitter in the skies'(모여든 제비들은 하늘에서 지저귀고 있구나)에서 표현하는 모든 것을 보고 느낄 수 있기 때문이다. 정말로 제비는 지금도 이 계절에 모여든다. 키츠의 날과 다른 점은 이제 비둘기는 전화 전선 위에 죽 줄지어 앉아 있다는 것이지만!

이러한 시를 예로 드는 이유는 이러한 종류의 자연 묘사를 번역가들은 어떻게 번역하느냐 묻기 위해서이다. 이 자연 풍경은 어떤 특정한 지리학적인 지역과 아주 밀접하게 관련되어 있다. 안개와 그윽한 열매가 가득한 키츠의 계절은 8월 초에 시작하고 8월 말 무렵이면 반드시 밤이 길어지고, 그래서 9월 중순이면 어둠이 가속도가 붙는 것처럼 느낄 수 있다. 이러한 것이 일단 일어나기 시작하면 영국의 동네 가게에서 사람들은 겉으로 보기에 여름은 없었다고 종종 탄식하곤 한다.

물론 우리에게 여름은 '있었다'. 다만 우리 북유럽의 여름은 몇 달 전에 시작했고 그 때 날씨는 여전히 쌀쌀했던 것이다. 영국의 여름이란 온기가 아닌 빛이 중심이기 때문이다. '여름이 온다'Summer is icuming in는 노래를 작곡한 익명의 중세 시인은 새의 노래, 뻐꾸기 울음소리, 새 잎이 자라고 양과 송아지가 태어나는 것에 대해 글을 썼다. 이 모든 것들은 낮이 길어져서 상대적으로 일찍 온다. 6월에 낮이 가장 긴 날이 있고 그 때 기온은 겨우 높아지기 시작하며 그 이후에

7월과 8월의 가장 더운 날을 거쳐 어둠을 향하여 다시 천천히 미끄러져간다.

나는 여름은 온기라기보다는 빛에 관한 것이고 그래서 이 나라의 여름은 절정에 오른 뒤 많은 남서 유럽 지역보다 먼저 끝난다는 사실에 적응하는 데 오랜 시간이 걸렸다. 아직도 나는 9월 초에 남유럽에서 집으로 돌아오는 길이면 불안함이 밀려온다. 남유럽 국가에서 여름은 천천히 끝나고 있지만 태양은 여전히 뜨거워서 나는 여름휴가 때 입는 옷을 입고 있다가, 여름이 이미 가을로 바뀌어 어둠이 쌓이는 곳으로 향하기 때문이다. 이탈리아 여름의 정수를 아주 경이롭게 잡아내는 에우제니오 몬탈레Eugenio Montale는 'dove il sole cuoce/ e annuvolano l'aria le zanzare'(태양이 뜨거워지고/ 구름 모양의 모기떼가 공기를 채우고), 너무 뜨거워서 만질 수 없는 정원 담 옆 덤불 속에서 뱀이 바스락거리는 땅에 대해 글을 쓴다. 이것은 빛에 의해 결정되는 여름이 아니라 열로 인식되는 여름이다. 그 열은 너무 강렬해서 고대 이후부터 여유가 있는 사람들은 도시의 열기를 떠나 낮은 산으로 도피했다. 남쪽에서 여름이란 열기를 피하는 것이고 집을 시원하게 유지하기 위해 덧문과 창문을 닫아 놓는 것이며 가장 더운 한낮에 실내에서 쉬는 것이며 또한 여름이란 프로방스에서 반 고흐가 그린 것처럼 눈부신 해바라기 들판(몬탈레의 가장 유명한 시 중의 하나는 해바라기에 관한 것이다)을 의미하는 것이다.

그러나 북쪽에 위치한 나라들의 상황은 전혀 다르다. 북쪽의 나라에서 여름이란 오랜 시간 동안 햇빛이 있어서 10시까지 밖에 앉아 있을 수 있고 매주 잔디를 깎고 장미 및 딸기같이 딱딱하지 않는 과일을 거두고 창문을 열고 양동이를 가지고 바닷가에서 삽으로 파는 것을 말한다. 체력이 받쳐준다면 반짝이는 회색 바다로 모험하듯 뛰어 들어갈 것이다. 모든 주요 유럽 언어에 사전 대응어가 있는 여름이라는 그 단어는 이처럼 너무 다른 함축된 의미를 갖고 있으며 다른 문화권에서는 다른 것을 의미한다.

계절의 변화는 여러 세대에 걸쳐 전 세계의 작가들에게 영감을 주었지만 동시에 온갖 종류의 어려움을 번역가들에게 제시한다. 우리는 'monsoon'(장마)이라는 단어의 문자 그대로의 의미를 이해할 수 있지만 경험하지 않았다면 monsoon의 시작과 함께 오는 그 특정한 감정의 상태나 그것이 늦게 오거나 오지 않을 때의 반응을 이해하지 못할 것이다. 열대지방에서 해가 질 때 갑작스럽게 캄캄해지는 것에 익숙한 사람들은 땅거미가 지는 것이 무엇을 의미하는지 약간은 알 수 있을지도 모르지만 낮도 밤도 아닌 중간지대의 시간이 커다란 상징적 힘을 지니는 문화권에서 땅거미가 질 무렵의 그 감정적 의미를 진정으로 이해할 수 없을 것이다. 나는 한여름에 아이슬란드의 레이캬비크에서 일주일을 보내고 나서야 비로소 지속적으로 내리쬐는 햇빛을 경험하는 것이 어떤 의미인지 이해할 수 있었고, 유유 빛깔의 빛milky white light은 낮이나 밤이나 조금도 변하지 않아서 방향감각을 혼란시킨다는 것도 알게 되었다.

한때 나는 연상의 여자와 연하 남자의 사랑에 대한 이탈리아 소설을 번역한 적이 있다. 여자는 가을을 의인화한 것이었고 남자는 봄을 의인화한 것이었다. 그 이야기는 베네치아의 황금빛 김이 자욱한 늦은 여름 저녁에 시작되며 구릿빛 바다, 정원에서 흘러나오는 강한 향기, 베네치아의 르네상스시대 화가 티치아노Titian의 풍부한 색깔이 돌에서 생명을 얻을 때 '티치아노의 시간'으로 불리는 빛들이 묘사되어 있다. 이후에 그 젊은 남자의 열정이 시들기 시작할 때 온기와 빛의 묘사는 베네치아 내륙지역의 차갑고 축축한 안개의 묘사로 바뀌어 있다. 이때 번역가로서 내가 겪은 어려움이 있다. 그것은 다른 많은 번역가들이 겪은 것이기도 한데 바로 단눈치오d'Annunzio가 서술한 그 계절을 한 번도 경험한 적이 없는 독자들을 위해 계절이나 색이 갖는 다양한 층위의 의미를 어떻게 잘 전달할 수 있을까에 관한 문제였다.

이와 관련된 전형적인 번역 문제는 여전히 호메로스의 'wine-dark sea'로 『일리아드』에서 줄곧 나타나는 표현이다. 전문 해설가들은 이것의 의미에 대하여 많은 글을 썼다. 어떤 이는 자주색 비슷한 바다를 보았다고 하면서, 그 표현을 직역하고 이것은 특정한 시기에 동쪽 지중해에 나타나는 고유한 현상이라고 말한다. 그러나 우리 대부분에게 바다는 회색, 파란색, 초록색, 청록색, 모래나 강 토사가 섞이는 곳에서는 때로 갈색을 띤다. 호메로스의 그 구절은 신비스런 어떤 것을 불러일으키지만 이해는 잘 되지 않는다.

물론 번역하기 위해서는 번역하고 있는 것이 무엇이든 직접 경험을 해야 한다고 말하는 것이 아니다. 그런 경우는 결코 없으며 말도 안 되는 말이다. 게다가 요즘은 인터넷이나 핸드폰 등 단추만 누르면 이용할 수 있는 시각적 이미지가 있어서 우리는 다른 계절과 장소를 상상할 필요조차 없다. 그러나 계절의 차이를 보여주는 예시는 번역에 있어서 매우 중요한 문제 중의 하나를 드러내는데, 그것은 비록 어떤 단어와 개념이 쉽게 다른 언어로 번역되고 사전적 대응어가 있다 하더라도 특정 문화에 깊이 고정되어 있는 추가적인 의미의 층은 번역이 불가능하다는 것이다. 번역이 단지 단어에 관한 것이라고 생각하는 사람은 누구든 다시 생각해 봐야 한다. 번역은 종종 단어를 훨씬 뛰어넘는 것이기 때문이다.

뉴질랜드에서 온 어떤 영어 선생님이 아이들이 읽고 있던 4월의 봄에 관한 시가 이치에 맞는 것이라고 이해시키기 힘들었다는 얘기를 나에게 해준 적이 있었다. 북유럽에서는 수선화가 3월에 피기 시작하고, 4월 즈음에는 봄이 무르익는다. 브라우닝Browning은 한 해의 가장 아름다운 그 시기에 영국에 돌아가길 바라는 마음을 시에 담을 수 있었다. 그러나 남반구에서는 수선화가 9월에 피고 4월에는 낙엽이 지기 시작하고 겨울이 다가오고 있다. 그렇다면 문화 번역cultural translation이라고만 불릴 수 있는 것을 고려하지 않고 어떻게 T. S. 엘리엇의 'April is the cruelest month breeding/ Lilacs out of the dead land'(4월은 가장 잔인한 달/ 죽은 땅에서 라일락을 키워내고)나 셰익스피어의 아이러니한 'men are April when they woo'(남자는 구애할 때 4월처럼 된다)의 상징적인 의미를 이해할 수 있을 것인가?

문화 번역하면 가장 먼저 떠오르는 호미 바바(Homi Bhabha, 1990)는 문화 간 협상의 어려움을 설명하기 위해 날씨 묘사를 이용한다. 영국의 날씨 이미지를 불러오면서 그는 다음과 같이 주장한다.

> 백악과 석회석으로 만들어진 '역사가 깊은' 나라의 기억을 불러온다. 누빈 것 같은 언덕, 바람이 위협하는 황야, 조용한 성당의 도시, 영원히 잉글랜드이면서 낯선 그 들판의 모퉁이와 같은 기억들을. 영국 날씨는 또한 반신반인 다이몬의 이미지 즉, 인도의 열기와 먼지, 아프리카의 어두운 공허함과 같은 이미지를 . . . 불러일으킨다. (Bhabha, 1990: 319)

고정관념은 또 다른 종류의 아주 다른 고정관념을 야기한다. 바바에 따르면 그 다른 고정관념은 그런 곳으로 가는 사람들의 눈에 이상하고 바람직하지 못한 것으로 보인다고 한다. 바바의 이런 주장은 사람들이 자신의 문화에 결부시키는 상징적, 실제적 의미 덩어리를 말하고 있다는 점에서 흥미롭다. 어떤 문화의 특징도 날씨보다 더 분명한 것은 없다.

번역은 언어 경계를 가로지르면서 이해하기 힘든 상당히 많은 것들과 부딪히며 큰 어려움을 겪게 되지만, 동시에 그것이야말로 번역을 아주 흥미 있게 만들기도 한다. 번역가가 번역을 잘하면 독자는 다른 세상에 눈을 뜨고 그리하여 그들의 삶은 충만해질 수 있다.

30

여러 번역본 비교의 가치

이전에 번역된 적 있는 텍스트를 번역해야 한다면 분명 다른 번역가가 어떻게 그 똑같은 작품을 다루었는지 보고 싶어 할 것이다. 어떤 번역가는 설령 우연이라도 베끼는 위험을 피하기 위해 자신의 번역을 끝낼 때까지 다른 번역을 일부러 보지 않는다. 그러나 또 어떤 사람들은 이전 번역본을 갖고 시작해서 의도적으로 다른 번역을 만들려고 한다. 일단 한 작품이 번역이 되면 그 이후의 번역가들은 원본의 번역뿐만 아니라 이전 번역의 번역을 만드는 것이다.

번역을 비교하면 모든 것을 알 수 있다. 다양한 번역가들이 어떻게 작업을 했는지 무슨 전략을 사용했는지 어떤 선택을 했는지 세월의 흐름에 따라 취향은 어떻게 바뀌었는지 독자의 기대는 어떻게 다른지 알 수 있다. 더불어 한 작품이 여러 번 번역될 때 번역들을 비교하면 번역 실제의 역사에 대한 통찰력을 얻을 수 있다.

어떤 번역은 정전의 위치를 갖게 되어 더 나아질 수 없다. 이것에 딱 맞는 사례가 에드워드 핏제럴드Edward Fitzgerald의 『오마르 카얌의 루비아트』*The Rubaiyat of Omar Khayyam*이며 1859년에 처음 출간된 이후로 꿋꿋하게 정상을 지키고 있다. 1967년 로버트 그레이브즈Robert Graves와 오마르 알리-샤Omar Ali-Shah가 다시 번역하였고 자신들의 번역이 원본에 훨씬 더 가깝다고 주장하였다. 그 두 번역가들은 핏제럴드가 페르시아 언어와 문화에 대한 지식이 부족했고 그의 번역은 신비한 원본의 졸렬한 모조품이라고 주장하였다. 그들이 옳을 수도 있지만, 그들의 번역은 영국 독자에게 어떠한 영향도 끼치지 못했다. 핏제럴드의 번역이 졸렬한 모조품이든 아니든 그것은 영문학에 한 자리를 차지하였고, 어떤 다른 번역도 그 자리를 대체하지 못했다.

미국의 엘리엇 바인베르거(Eliot Weinberger, 2002) 번역가는 번역을 훌륭하게 표현한다. 최근 글에서 그는 무엇보다도 번역은 변화를 포함한다고 지적한다. "번역은 움직임이며, 메타포의 쌍둥이이고, 이것은 '한 곳에서 다른 곳으로 옮기는 것'을 의미한다"고 주장한다(Weinberger, 2002: 110). 메타포는 친숙한 것을 낯설게 만드는 과정인 반면 번역은 그 반대의 것을 하여 낯선 것을 친숙하게 만든다. 메타포와 번역 둘 다 독자를 새로운 차원으로 데려가는 변화의 과정인 것이다.

내가 가장 좋아하는 번역관련 서적 중의 하나는 바인베르거의 『왕유를 바라보는 열아홉 가지 방식』*Nineteen Ways of Looking at Wang Wei*이고 부제는 '어떻게 중국시가 번역되는가'How a Chinese Poem is Translated이다. 여러 번역을 비교하는 이 뛰어난 연구에서 바인베르거는 중국시의 대가 왕유(c.700–761 AD)의 4행시의 다양한 번역을 제시한다. 1919년 W. J. B. 플렛처W. J. B. Fletcher가 처음 번역을 한 이후로 그 시는 많은 번역가들이 다가가기 어려운 텍스트였고, 이유는 그 시의 복잡성이 순전히 그 시의 단순성에 있기 때문이다. 초창기 중국시인들은 이 역설을 가지고 자신의 글에서 실험을 하기도 했다.

바인베르거는 그 시 안으로 우리를 천천히 데려간다. 각 번역은 왼쪽 페이지에 제시되어 있고, 그 맞은편에 편집자의 설명이 있고 중국어 문자와 함께 시작된다. 그래서 첫 페이지에 한자의 모습을 볼 수 있고 각각의 문자는 단음절의 한 단어를 나타냄을 알 수 있다. 그 다음 페이지에는 그 시의 음역transliteration이 나와서 소리와 압운 형식이 어떤지 알려주고, 그 다음엔 문자 별 문자character-by-character 번역이 나온다. 이 지점에서야 번역가가 하는 일의 어마어마함을 이해하기 시작한다. 문자가 명사, 동사, 형용사가 될 수 있을 뿐만 아니라 모순된 의미를 가질 수도 있기 때문이다. 그러므로 한 시행의 문자 하나는 '양'(밝음)이거나 '음'(그림자)일 수 있다. 게다가 중국어 동사에는 시제가 없으며 단수와 복수의 차이도 없다. 이 모든 것은 번역가가 번역할 때 의식적인 선택을 해야 하고 그 선택을 정당화시켜야 함을 의미한다. 물론 모든 번역가들이 이런 것을 하지만, 특히 이런 텍스트를 만날 때 그리고 여러 번역가들이 영시English poem를 창조하려 했음을 고려해 보면 번역가가 내리는 결정이 발가벗겨져 우리 눈에 훤히 보인다.

최초 영어 번역은 플렛처 시대에 유행했던 압운 형식을 사용하지만 동시대 시인 에즈라 파운드Ezra Pound의 번역 언어와 비교하면 평범하고 시시하기까지 하다. 다음은 파운드의 「천진교 시」Poem by the Bridge at Ten-Shin의 도입 부분이다.

March has come to the bridge head.
Peach boughs and apricot boughs hand over a thousand gates,
At morning there are flowers to cut the heart,
And evening drives them on the eastward-flowing waters.

파운드가 시 나머지에 영향을 줄 분위기를 창조해내면서 그의 이미지즘 기술이 여기서 분명하게 드러난다. 파운드의 번역은 매우 훌륭해서 영시의 경계를 확장시키고 영어 원어민 작가들에게 새로운 기회를 주기도 하였다. 플렛처의 왕유 번역은 반대로 매우 영국적이고 지루하며 축하 카드를 연상시키는 4행 압운 형식을 아래와 같이 이용한다.

> So lone seem the hills; there is no one in sight there.
> But whence is the echo of voices I hear?
> The rays of the sunset pierce slanting the forest,
> And in their reflection green mosses appear.

바인베르거는 이를 두고 '원본을 전통적 시 형식의 코르셋에 끼워 넣는다며' 플렛처를 비난한다(Weinberger, 1987). 왜 왕유의 시가 중국 문학에서 그렇게 중요한 위치를 차지했고 매우 아름답게 여겨지는지 이 번역을 통해서는 분명히 알 수 없을 것 같다. 번역가는 그 시를 재창조하는 데 실패했거나 바인베르거의 용어를 빌리자면 시를 '다시 상상하기're-imagine에 실패했다. 여기서 중요한 것은 그 시각적 특징을 알아보고, 번역가가 그 장면을 보고 그 비전을 독자에게 전달하는 것이다.

서로 다른 번역을 비교해보면 어떻게 번역가들이 중국 시인이 그린 장면의 시각적 모습을 이해하기 위해 씨름했는지 알 수 있다. 'Slanting sunlight/ Casts motley patterns on the jade-green mosses'는 창인난Chang Yin-nan과 루이스 월머슬레이Lewis C. Walmersley가 제시하는 이미지이다. 'The slanting such at evening penetrates the deep woods'는 소앰 제닌스Soame Jenyns가 번역한 것이며, G. W. 로빈슨G. W. Robinson이 번역한 2행은 아래와 같다.

With light coming back into the deep word
The top of the green moss is lit again.

그러나 이 모든 번역가들은 상당한 차이가 있지만 왕유의 숲 속에 비치는 햇살 이미지에 대한 여러 번역을 만들었다. 창인난과 루이스는 거의 환각을 일으킬 정도의 이미지로 햇살의 패턴을 강조하고 제닌스는 저녁을 강조하고 로빈슨은 반대로 그 햇살이 돌아오는 것을 제시하고 있는 것 같다.

바인베르거는 박식한 지식과 기법을 바탕으로 서로 다른 번역들을 평가하였고 시각적인 것의 중요성을 주장한다. 그는 중국시를 번역하는 대부분의 사람들이 학자이지만 시인은 아니고, 반면 몇몇 번역가는 훌륭한 시인이지만 중국어를 잘 알지 못함을 지적한다. 그는 케니스 렉스로스Kenneth Rexroth의 번역이 '원본의 문자에 가까운 것은 아니지만 그 영혼에 가장 가깝다'고 지적하며, 훌륭한 번역이라고 칭찬하였다. 또한 렉스로스의 번역은 왕유가 20세기 미국인으로 태어났다면 지었을 시라고 덧붙였다. 자유시를 이용하며 렉스로스는 두 행을 네 행으로 아래와 같이 번역한다.

The low rays of the sun
Slip through the dark forest,
And gleam again on the
Shadowy moss.

가장 강한 임팩트를 만드는 번역은 무엇인가라는 측면에서 볼 때 바인베르거와 나는 게리 스나이더Gary Snyder의 1978년 작 번역을 선택하였다. 스나이더는 깊은 숲 속에 비치는 햇빛의 번쩍임에 대한 미국의 현대 이미지즘 시를 창조하였다. 그는 산과 숲을 이해하고 그러한 풍경의 직접적인 경험을 갖고 있다. 그렇다면 그는 원저자가 수 세기 전에 본 것을 보았을까? 보았을 것이라고 나는 생각하고 싶다. 비록 번역이 변화에 관한 것이지만 또한 지속성에 관한 것이기도 하기 때문이다. 여기 스나이더의 왕유 번역이 있다.

> Empty mountains:
> No-one to be seen.
> Yet-hear-human
> sounds and echoes.
> Returning sunlight
> enters the dark woods;
> Again shining
> On the green moss, above.

바인베르거는 마지막 전치사 'above'(위)를 이해하기 어려워서 스나이더에게 설명해달라고 편지를 썼다. 스나이더는 답장에서 깊은 숲속 이끼가 나무 위 높이 자라고 있고, 왕유는 땅 위의 돌에 이끼를 비추며 햇빛이 내려오는 것을 상상하지 않고 나무 위 높이 빛이 있는 것을 상상한 것이라고 말했다.

훌륭한 번역가는 장면을 시각화할 수 있어야 한다. 이러한 시에서는 특히 그러하다. 서로 다른 번역가들이 어떻게 그 장면을 번역하였는지 비교하면 시각화 과정에서 그들이 마주쳤던 어려움을 부분적으로나마 알게 되고 더 창조적인 해결책에 감탄하게 된다. 이는 번역가들이 재료를 완전히 통제하고 즉각적인 언어를 뛰어 넘는 지식을 가져야 하고 상상력을 갖고 생각해야 함을 강조한다.

시의 끝에 'above' 단어를 전경화하여 스나이더는 독자가 상상의 숲에서 그리고 은유적인 측면에서 위를 보도록 한다. 그리하여 그 장면의 신비스런 차원을 암시한다. 그것은 영단어 하나가 어떻게 중국어 한 문자의 힘을 반영하는지 보여주는 구체적인 실례이다.

31

언어와 놀이

우리 모두는 번역이 진지하며 전문적인 일이고 모든 종류의 기술이 필요하다는 것에 동의할 것이다. 물론 그 기술은 언어 능력을 포함하는 것이지만 그 이외의 다른 종류의 능력도 필요하다. 번역가들은 글을 잘 쓸 수 있어야 하고 무엇을 번역하든 그 의미를 완벽하게 이해하기 위해 잘 읽어야 한다. 필요하다면 독자를 도와주기 위해 추가적인 지식을 많이 갖고 있어야 한다. 그러나 번역이라는 그 진지한 지적 작업을 강조할 때 종종 잊는 것이 있는데, 그것은 바로 번역은 재미있다는 점이다. 언어는 무한하게 유연하며 번역가는 한 가지 언어 이상의 유연성을 가지고 실험할 수 있다. 한 가지 언어만 구사하는 사람은 할 수 없는 일이다.

나이가 많든 적든 우리 대부분은 아스테릭스 만화를 좋아한다. 그 이야기, 그림, 무엇보다 말장난과 우스꽝스런 이름들을 좋아한다. 예를 들면, 강한 남자인 오벨릭스, 마을 고대 켈트 성직자인 게타픽스, 중요한 비탈스타티스틱스, 시인인 카코포닉스가 그러하다. 그 즐거움은 그 만화를 번역한 앤시어 벨Anthea Bell과 데렉 호크리지Derek Hockridge를 향한 존경심 때문에 배가 되는데, 왜냐하면 농담과 말장난으로 가득한 만화를 번역하는 것은 정말 힘겨운 일이기 때문이다. 그러나 말장난의 기회를 충분히 누리는 번역가들이 있다. 예를 들면 크노Queneau, 아폴리네르Apollinaire, 조이스Joyce, 로알드 달Roald Dahl을 번역하는 사람들과 가장 많이 번역되는 루이스 캐럴Lewis Carroll의 번역가들은 모두 언어 게임을 자신에게 유리하게 이끄는 능력을 갖고 있다.

앤시어 벨의 아버지는 아드리안 벨Adrian Bell이었는데 《타임즈》 지의 크로스워드 퍼즐의 성공한 편집자였다. 끊임없이 언어를 가지고 실험하는 아버지 슬하에 자라면서 그녀는 아버지가 아침식사 때 자식에게 단서 맞추기 테스트를 하곤 했던 것을 회상한다. 이러한 일화는 2003년에 출간된 샌디 밸푸Sandy Balfour의 『붉은 장미 빛의 옷을 입은 예쁜 소녀』*Pretty Girl in Crimson Rose*라는 작고 아름다운 책에 나온다. 제목이 수수께끼처럼 지어졌는데 부제목도 흥미롭다. 그것은 바로 '사랑, 유배 그리고 크로스워드에 대한 회고록'A Memoir of Love, Exile and Crosswords이다. 이 책이 정말로 그 세 가지 모두에 관한 회고록이라는 점을 생각하면 부제목이 아주 잘 지어진 것 같다. 크로스워드에 대해 잘 알고 있는 밸푸는 남아프리카에서 런던으로 망명한 이민자의 삶의 뿌리가 뽑힌 처지에서 지나간 일에 대해 끊임없이 다시 생각하고 재평가해야 하는 상황을 받아들이려고 애쓰는 자신의 삶을 이야기한다. 그 책은 에바 호프만Eva Hoffman의 『번역의 상실』*Lost in Translation*과 아주 다르지만 좀 더 장난스럽기는 해도 비슷한 주제이다.

크로스워드 퍼즐을 푸는 비밀은 바로 놀이이다. 그 퍼즐은 주의 깊게 읽기, 해석하기, 폭넓은 단어를 포함하며 이 모든 것은 번역가에게도 필요한 것이다. 제목의 뜻을 알려주는 실마리는 6장에서 설명이 되지만 그 장의 핵심은 다음과 같은 밸푸의 발언이다. '크로스워드 단서처럼 역사는 처음에 읽을 땐 잘 이해가 되지 않는다. 표면은 그럴듯하지만 불협화음이다'(Balfour, 2003). 여러 번 읽은 다음에야 역사가 이해되기 시작한다고 그는 주장한다. 그 때 그는 베를린 장벽이 무너지기 직전에 동베를린을 방문한 것과 몇 달 후 1990년에 넬슨 만델라의 석방에 대해 쓰던 중이었다.

훌륭한 번역을 하기 위해서는 해석하고 이해하고 언어와 노는 것이 필수적이다. 언어 게임이 능숙한 작가를 번역하는 것은 어떤 번역가에게는 추가적인 어려움이 따르고 크로스워드 문제를 푸는 사람이 해석과 이해라는 여러 단계를 거쳐야 하는 것처럼 이런 종류의 텍스트를 다루는 번역가들도 마찬가지로 그러한 단계를 거쳐야 한다. 에드윈 모건Edwin Morgan은 위대한 번역가이자 시인이며 그의 시는 그가 언어, 즉 영어와 스코틀랜드어를 극단으로 확장할 때 느끼는 즐거움을 보여준다. 모건은 본인이 에우제니오 몬탈레Eugenios Montale를 번역했던 경험을 얘기한다. 그는 그 이탈리아 시인이 모호성, 압운rhyme, 음의 유사assonance, 리듬과 의성어를 절묘하게 이용한 점을 주목하고, 이것들은 '정확한 두 지점 사이의 번역을 거부한다'고 지적한다(Edwin Morgan, 1996: 5). 그는 직역이 불가능하다는 사실을 알고 소위 "'대등한 효과' 원칙에 따라 그것들을 의역했다"고 말한다(Morgan, 1996: 5).

모건은 블라디미르 마야코프스키Vladimir Mayakovsky 러시아 시인을 번역하고 거기에 메모를 하였는데 그 메모는 마찬가지로 감성적이고 영리하다. 그는 마야코프스키 시 일부를 영어로 번역하였고 그 다음엔 그의 다른 시를 스코틀랜드어로 번역하였다. 스코틀랜드어 시에는 번스Burns를 거쳐 스코틀랜드 르네상스Scottish Renaissance로 거슬러 올라가는 그리고 '영시English verse의 그 어떤 것보다 더 쉽게 마야코프스키를 수용하는 것처럼 보이는' '환상적인 풍자'가 있다고 주장한다(Morgan, 1996: 113). 그는 영어보다 러시아어에 더 가까운 스코틀랜드어 시 전통을 알게 되면서 게임하는 듯하고 특이하고 불손한 러시아어를 더 잘 번역할 수 있게 되었고 그리하여 표준 영어보다는 스코틀랜드어를 선택했다고 주장한다.

모건은 스코틀랜드어로 번역하기로 결정한 또 다른 이유가 있다고 덧붙였다. 스코틀랜드어가 '마야코프스키의 러시아어에 담긴 그 흥미진진한 구어적 표현과 언어적 창의성'과 어울리는지 알아보려고 했을 때 그는 "도전하고 싶은 마음이 들었기" 때문이다(Morgan, 1996: 113). 모건은 자신의 언어를 전에는 꿈도 꾸지 못한 경계선까지 확장시켰던 작가를 번역하면서, 전통적인 시의 경계를 활용하고 동시에 스코틀랜드어를 실험하면서 경계를 넓히려고 했다.

모건은 시인이면서 문학에 대한 방대한 백과사전적 지식을 갖고 있는 번역가의 본보기라고 할 수 있지만 그의 번역이 훌륭한 이유는 언어를 실험하고 가지고 놀 수 있는 그의 능력 때문이다. 그것은 벨과 호크리지의 번역본을 성공으로 이끈 이유이기도 하다. 이런 능력은 아주 예외적인 것이 아니다. 샌디 벨푸는 많은 사람들은 크로스워드를 풀 때 이용하는 위대한 언어적 능력이 있다고 말한다. 많은 번역가들이 동시에 크로스워드 중독자라니 정말 흥미롭지 않은가? 나 역시도 마찬가지이다.

콜레트 로상Colette Rossant도 언어를 가지고 실험하는데 살짝 다르게 논다. 그녀는 책 두 권을 썼는데 '레시피가 있는 회고록'으로 표현할 수 있는 『나일 강의 살구』*Apricots on the Nile*, 2004와 『파리로 돌아가는 여정』*Return to Paris*, 2003이 그것이다. 그 책들은 프랑스계 이집트 여자 아이의 불안한 어린 시절과 사춘기에 대한 얘기를 담고 있다. 그 여자 아이는 어린 시절에 좋아했던 카이로와 사랑하는 이집트 조부모를 떠나 불안한 전후post-war 파리로 가고, 결국에는 미국인 남편과 함께 그 파리를 탈출한다. 크로스워드 퍼즐이 샌디 벨푸가 여행하는 장소와 자신과 살고 있는 세상의 발견을 연결시켜 주는 맥락을 제공하는 것이라면 콜레트 로상의 책에서 그 맥락은 레시피가 제시한다. 그러므로 그 책들은 이중의 목적이 있다. 즉 그 책이 제공하는 기쁨을 위해 읽을 수도 있고 또한 부엌에서도 읽을 수 있다. 로상의 아브골레모노avgolemono 수프는 강력 추천할 수 있는 요리 중의 하나일 뿐이다.

로상은 독자에게 미스터리를 푸는 실마리가 아니라 문화를 강제로 옮길 수밖에 없던 자신의 삶을 이해하는 수단으로서 레시피를 제공한다. 프랑스어, 아랍어 용어를 서슴없이 이용하고 처음 사용할 때는 괄호 안에 영어 번역을 제시한다. 그래서 예를 들면 처음 세밋semit이 나올 때 이집트 식 소프트 프레첼이라고 설명을 하고, 풀 메다마스[ful medamas, 삶은 갈색 누에 콩]의 영어 대응어 또한 제시하지만 그 다음에는 독자가 그 의미를 배우기를 기대하며 그 단어들을 이용한다. 물론 이것은 요리할 때와 비슷하다. 포부가 큰 요리사는 새로운 용어를 배워야 하고 그 다음엔 사용해야 하기 때문이다.

언어를 갖고 노는 문화 사이의 회고록 현상은 새롭고 번역이 그러한 작품에서 이용되는 방식도 새롭다. 샌디 벨푸는 아프리칸스어 농담을 하고 곧바로 영어 번역이 따라 나오지만, 다른 곳에서는 그 이상한 아프리칸스어 단어가 번역되지 않는다. 이렇게 글을 쓰는 것은 의도적으로 장난의 수준에서도 독자를 참여시킨다. 우리는 이해할 수 없는 단어의 낯설음에 대해 생각하지 않을 수 없고 번역이 주어지지 않는다면 그 단어들이 무슨 뜻을 가질지 상상할 수밖에 없다. 단어가 번역되면 번역가처럼 우리는 두 개의 유사한 세계를 볼 수 있는 기회가 주어지고 어떤 것을 표현할 때 한 가지 이상의 방식이 있다는 사실을 깨닫게 된다.

클리포드 랜더스(Clifford Landers, 2001)는 문학번역가들에게 유용한 안내서를 썼고, 그 책에서 메타언어보다 더 좌절감을 주고 잠재적으로 더 보람을 주는 번역의 양상은 없다고 말한다. 그 역시 직접 번역가와 작품 사이의 전쟁이라는 개념을 가지고 놀면서 '번역가와 말장난 사이의 접전이야말로 가장 눈에 띄게 번역의 기쁨과 어려움이 공존하는 곳이'라고 쓴다. 랜더스는 말장난을 할 수 있는 능력, 특히 말장난과 농담을 번역하기 위해서는 새로운 사고를 할 수 있는 번역가의 능력이 필요하다고 믿는다. 샌디 밸푸도 분명 크로스워드 퍼즐을 푸는 사람들에게 똑같이 얘기할 것이다. 번역이든 퍼즐 풀기든 조리법을 표현하든 언어를 창조하는 것이든 장난을 치든 우리가 할 일을 할 때 세상을 볼 수 있는 새로운 방식을 얻는다.

32

뉴스 번역가

지난 몇 달간 나는 글로벌 미디어에서 번역의 정치와 경제를 연구하는 3년 프로젝트를 시작하는 연구 팀과 함께 일을 했다. 그 프로젝트는 <인문계열 연구 위원회>의 지원을 받았고 나는 이런 종류의 문화를 가로지르는 학제 간 연구에 참여하는 것이 무척 즐거웠다.

그 프로젝트의 목적은 뉴스를 세계에 전파시키는 데 번역이 커다란 역할을 한다는 것을 보여주는 것이지만, 놀랍게도 우리는 그 역할이 어떻게 이루어지는지 잘 모른다. 번역가를 어떻게 선발하는지가 한 가지 흥미로운 질문인데, 번역가들은 뉴스 리포트를 번역할 때 어찌어찌 하다가 번역을 하게 된 건지 아니면 처음부터 뉴스 번역가가 되고자 했던 것일까? 이것은 선발만큼이나 흥미로운 교육이라는 문제를 제기한다. 뉴스 번역가는 교육을 받은 것인가 아니면 번역을 하면서 배우는 것일까?

지금까지 접한 다수의 일화에 따르면 체계적인 교육은 없다. 나도 이 일화들에 덧붙일 수 있는 이야기가 있다. 수년 전 국제방송채널에서 밤늦게 정기적으로 뉴스 읽기를 진행하던 친구가 휴가 간 사이 나는 그 일을 대신 맡았다. 뉴스 번역과 관련하여 나는 어떤 교육도 받지 않았고 내 친구도 마찬가지였다. 그 일은 새벽 1시에 스튜디오에 가서 한 가지 언어로 된 종이 더미를 모아 초벌 번역을 하고 그런 다음 뉴스를 읽는데 할당된 10분짜리 슬롯에 맞도록 그 번역 자료를 만들고 마지막으로 두 시간 후에 그것을 방송하는 것이었다. 그러므로 그 일은 알려지지 않은 다양한 서류 꾸러미에서 만들어진 뉴스 단신을 번역하고 편집하며 다시 쓴 뒤 읽는 것이었다. 비유하자면 그 과정은 양이 옷이 되는 경주라고 볼 수 있다. 양의 털을 깎아 소모기로 빗고 짜고 옷으로 짜고 자르고 꿰매고 마침내 옷으로 입는 과정과 유사하다. 내 생각에 세계 기록은 이 모든 것을 하는데 24시간도 채 안 된다. 그 한밤중의 뉴스를 만든 일도 마찬가지였다.

이렇게 열악한 과거의 상황은 얼마나 많이 나아졌을까? 우리의 선행 연구에 따르면 아주 많이 나아지지 않았다고 한다. 점점 더 세계화되고 있는 세상에서 번역이 매우 중요한 역할을 맡고 있음에도 번역가 교육은 안정적으로 일반화되어 있지 못하고, 또한 뉴스를 만드는 환경에는 다른 복잡한 요소도 있다. 무엇보다 시간 제약이 있다. 항상 그러했지만 특히 오늘날에는 TV 국제방송의 24시간 뉴스 속보 채널과 인터넷에 끊임없이 올라오는 최신 정보로 인해 뉴스는 전보다 더 빨리 전파되어야 한다. 뉴스는 또한 더 신뢰할 수 있어야 하는데 오늘날의 시청자는 이전 세대보다 뉴스 보도에 정확성과 정직성에 대해 기대가 높기 때문이다. 물론 이것은 예전의 저널리스트가 오늘날의 저널리스트보다 덜 정직하고 덜 믿을 만하다고 말하는 것이 아니며, 혹은 예전의 신문 독자들이 더 속기 쉬웠다는 것을 얘기하는 것이 아니다. 우리 주변에 정보를 다시 확인하게 하는 소식통이 있기에, 오늘날의 저널리스트들은 뉴스 아이템의 진실성을 확인하기 위해 더 많은 신경을 써야 한다는 것을 뜻한다. 그러나 이것을 할 수 있는 시간은 더욱 부족하다. 이라크의 대량 살상 무기에 대한 여전히 입증되지 않은 주장에 국제적인 격분이 있었고, 영국 신문이 죄수들이 학대받고 있다는 가짜 사진들을 출간하여 스캔들이 최근에 일어나자 편집자가 해고까지 되었다. 이러한 일은 진실한 보도에 관한 한 대중이 얼마나 까다로운지를 보여준다. 우리는 사실을 원하고 그 사실이 진짜인지 아닌지 알고 싶어 하지만 저널리스트의 관점에서 보면 신뢰성을 담보하는 데 있어서 시간의 제약은 그들의 일에 항상 압박을 가중시키고 있다.

번역가들이 미디어 번역에 어떻게 일하게 되었는지 조사하고 번역가들의 근무 환경, 저널리즘 및 TV 뉴스보도 내에서의 관계들을 살펴보는 것 외에도 우리가 연구하고 싶은 또 다른 분야가 있다. 그것은 어떻게 번역이 세계 뉴스를 통해 유포되면서 의미에 영향을 끼치는가이다. 한 사람에게 테러리스트이지만 다른 사람에게는 독립 운동가라는 그 오래된 흔한 얘기를 우리 모두는 알고 있다. 이 원칙은 뉴스 보도에 관한 한 훨씬 더 널리 적용될 수 있다. 글쓰기 및 제시하는 방식이 문화마다 서로 완전히 다를 뿐만 아니라, 말할 수 있는 것과 말할 수 없는 것을 결정하는 관행도 문화마다 다르다. 그러한 관행은 저널리스트들이 체포나 투옥이 두려워 어떤 것을 말하는 것이 금지되는 공공연한 검열에서부터 다른 형태의 제약에 이르기까지 다양하다. 예를 들면 명예훼손 법은 영국에서 특히 강력하고, 다른 곳에서는 사회 관습을 존중하는 분위기 때문에 미디어에서 어떤 주제에 대해 대중 앞에서 토론하는 것을 금지하기도 한다. 어떤 문화에서 다른 문화로 뉴스를 전파할 때 사회적, 법적, 언어적 관습 때문에 보도 내용과 그 내용이 제시되는 방식이 급격하게 다를 수 있다. 강조점과 의미를 바꿔 놓을 수 있는 이러한 차이를 조사하는 한 가지 방식은 다양한 사례를 비교하는 것이고, 그 결과 미디어에서 서로 다른 언어로 보도된 적 있는 똑같은 사건이나 이슈를 깊이 조사할 수 있다.

2004년 봄 그 프로젝트를 출범하기 위해서 워릭대학교University of Warwick에서 하루 동안 세미나를 열었다. 주요 목적은 번역가들, 번역을 공부하는 사람들, 저널리스트들을 함께 모시는 것이었다. 왜냐하면 그 프로젝트의 성공은 학자들과 현장에서 일하는 사람들 사이를 (슬프게도) 종종 벌려 놓는 간극에 다리를 놓을 수 있는지에 달려 있었기 때문이었다. 당시 간극의 장벽은 진정으로 무너졌고 그 해 가장 뜨거웠던 날 강의실에서 몇 시간동안 앉아 있었음에도 계속 질문하고 싶어 하는 많은 사람들을 보고 그 실험이 성공한 것을 알 수 있었다.

국제 뉴스 보도 분야에서 일한 경험을 함께 나누기 위해 참여하기로 친절히 동의해 준 연사들 중에는 로이터 통신, 프랑스의 AFP 통신, 인터 프레스 서비스에서 온 사람들도 있고 핀란드와 아일랜드에서 온 학자들도 있으며 새로 발족된 흥미진진한 저널 『글로벌 미디어와 커뮤니케이션』*Global Media and Communication*의 편집장도 왔으며 금융 및 비즈니스 뉴스를 다루는 경험 있는 번역가도 있었다.

나는 그 세미나에서 언급된 잊을 수 없는 구절을 적었다. '뉴스 에이전시는 번역을 벗어날 수 없다', '수만 개의 단어가 매일 매시간 세계 도처에 돌진하고 있다', '번역은 우리가 어느 정도로 문화관련 문제와 직면하고 있는지 보여 준다', '번역은 단순히 단어를 번역하는 문제가 아니다', '번역은 단지 주변에 난 길이 아니라 세계를 관통하는 중요한 길이다.'

번역가들의 힘든 선택, 항상 누구도 기분 상하지 않게 하면서 세계적인 것을 지역적인 것으로 옮기고 또 그 반대로 옮기는 근본적인 문제, 상황 밖의 사람들이 마음의 결정을 내리도록 선동적이지 않으면서 중립적인 언어를 사용하는 것에 대해 얘기하는 것을 우리는 세미나에서 들었다. 번역가들이 씨름해야 하는 구체적인 글쓰기 문제에 대해서도 알게 되었다. 예를 들면 영국의 절제된 표현, 프랑스어의 조건 시제 사용, 어떤 언어에서 글을 시작하는 말의 중요성, 혹은 다른 언어에서 중시하는 강력한 결론의 필요성에 관해 들었다. 이 모든 것들은 대상 독자와 청중의 기대를 충족시키려 한다는 점에서 볼 때 다시 쓰기라는 복잡한 과정을 포함한다. 어떤 문화권에서 독자들은 뉴스 보도가 인용부호 안에 직접화법을 넣는 것을 기대하는 반면, 다른 문화권에서는 직접인용을 절대로 기대하지 않으며 대신 간접화법을 원한다는 것을 우리는 배웠다. 다양한 언어로 보도할 때 발생하는 관행을 아는 것은 분명 중요한 것이다.

우리가 처음에 이 프로젝트를 시작할 때 제기했던 질문이 있다. 왜 뉴스를 전 세계로 전파하는 일에 번역이 근본적으로 중요한데 번역가는 어디에도 보이지 않는 것인가? 위 프로젝트의 근간을 뒷받침하고 있는 질문이다. 번역가의 역할을 강조하고 번역가들이 어떻게 작업을 하는지 어떤 다른 요소들이 정보 전달에 개입되는지 조사함으로써 우리는 번역의 인지도를 높이고 단일 언어 독자들에게 세상은 다양한 언어와 다양한 사고방식들로 활기를 띠고 있음을 알리는데 도움을 줄 수 있기를 희망해 본다.

33

정확히 뭐라고 사담이 말했죠?

매스 커뮤니케이션이 있고 속도가 점점 더 증가하는 세상, 심지어 경찰이 재난이 일어났음을 부인하는 진술을 하고 있을 때 문자 메시지가 그 사고 현장에서 날아오는, 그런 세상에 우리는 살고 있다. 이러한 세상에서 우리 모두가 중시하는 한 가지 확실한 것은 뉴스 리포터의 진정성이다. 우리 삶에 영향을 주는 사건들에 대하여 정보를 제공하는 세계 도처의 그러한 남녀 리포터들의 설명의 진실성을 믿어야 한다. 우리는 그러한 정보가 잘못된 것으로 드러나면 분노한다. 2004년 한 영국 신문의 편집자가 사직할 수밖에 없었던 이유는 이라크 죄수를 영국 군인이 학대하는 모습을 보여주는 사진의 출판을 승인했기 때문이다. 그것은 가짜로 드러났다. 그러한 상황에서 우리 모두는 학대당한 것처럼 느낀다. 정부가 언론의 자유에 간섭하는 나라에서 우리는 똑같이 분노를 느끼는데, 언론의 자유와 진실은 함께 가기 때문이다.

2003년 나는 <인문계열 연구 위원회>의 지원을 받아 워릭대학교University of Warwick에서 국제 뉴스 생산에서 번역이 맡는 역할을 조사하는 연구 프로젝트를 총괄하였다. 우리의 프로젝트 제목은 '글로벌 미디어 번역의 정치와 경제'The Politics and Economics of Translation in Global Media였고, 목표는 번역이 언어적, 문화적 경계를 가로질러 뉴스를 전파하는 데 어떤 역할을 하는지 조사하는 것이었다. 우리가 학자뿐만 아니라 번역가, 뉴스 리포터, 국제 뉴스 에이전시의 고위급 인사들과 함께 작업을 한 이유는 실제로 현장에서 일하는 사람들을 포함하지 않으면 연구는 의미가 없다고 판단했기 때문이다. 지금까지 우리가 배운 것은 매우 흥미롭기도 하지만, 동시에 역설적이기도 하다. 왜냐하면 한편으로 번역은 전 세계에서 뉴스를 전파하는 데 근본적인 역할을 하고 이 역할은 끊임없이 국제 방송을 요구하는 시대에서 점점 더 중요해지고 있지만 다른 한편으로 번역을 아주 다르게 정의하고 아주 다른 번역 관행이 작동하고 있음이 분명하기 때문이다.

현실적으로 말하면, 한 언어로 쓰인 것을 다른 언어로 한 줄 대 한 줄line by line로 번역할 수 없음은 명백하다. 그렇게 하는 데 시간이 너무 오래 걸리고 또한 불필요하다. 여기서 필요한 것은 종종 원본을 합쳐 놓은 통합 형태의 번역이다. 그래서 번역 과정에서 리포터는 요약하고 최종 결과물이 독자의 기대를 충족시키는데 필요한 스타일 관련 수정을 한다. 얼마 전 이탈리아에서 신문을 보고 뉴스를 듣고 있었을 때 영어와 이탈리아어로 이루어지는 서로 다른 대화 방식이 떠올랐다. 영어는 절제된 표현을 쓰는 경향이 있고 종종 아이러니를 사용하지만 이탈리아어는 더 격앙된 언어를 선호하고 더 의식적으로 만들어진 미사여구를 사용한다는 점이다. 프랑스 신문 독자는 결말을 통하여 이야기를 따라가는 것을 좋아하는 반면 영어 독자는 첫 문단에서, 또는 제 1면 머리기사 제목에서 사건에 대한 사실을 안 다음에 그 사건이 어떻게 발생했는지에 대한 설명을 따라가는 것을 좋아한다. 문장의 길이에서 구두법 사용에 이르기까지 모든 것에 관행이 있으며, 각기 다른 신문은 회사 고유의 스타일을 갖고 있다.

이러한 차원에서 볼 때 문화를 가로지르는 정보는 뉴스 에이전시를 통해 다시 만들어지고 편집되고 통합되지만 이 과정 또한 번역이라고 말할 수 있다. 동시에 많은 저널리스트들은 또한 '번역가들'이나 '순수 번역'pure translation에 대해 얘기하기도 하는데 순수 번역은 다른 사람들이 '직역'literal translation이라고 일컫는 것을 말하는 것 같다. 그러나 대부분의 번역가들이 그러한 정의에 이의를 심각하게 제기할 것이다. 글로벌 미디어 세계에서 번역에 대한 개념의 경계선이 다시 만들어지고 언어학자와 언어를 가르치는 사람들이 고수하는 번역의 개념은 국제 뉴스 보도에서 쓰이는 것과 매우 다르다는 사실을 연구프로젝트의 예비조사에서 알게 되었다.

번역의 정의와 번역된 것의 진실에 관한 문제는 2004년 7월에 있었던 사담 후세인Saddam Hussein의 첫 법정 출현의 보도에서 특히 분명하게 드러났다. 모든 영국 신문이 그 전 이라크 독재자의 비교적 짧은 출현에 대한 대화의 기록을 출판한 것은 아니었지만, 출판한 신문사들은 놀랍게도 서로 다른 글을 실었다. ≪인디펜던트≫ 신문에는 아래와 같이 주의 경고가 실렸다.

> 다음은 사담 후세인이 라이드 주히 판사의 질문에 대답했을 때 번역가가 번역한 것을 편집하여 기록한 것이다. 이 대화 일부는 대화의 기록 원본에는 포함되지 않았다.

내가 이해하기로는 청문회 동안 번역가들이 자신이 들은 것을 번역하여 적고 청문회가 끝나면 번역가들의 텍스트와 (번역가가 번역한 대화 전부를 담고 있지 않은) 공식적인 대화 기록을 비교한다고 말하는 것 같다. 그러나 나는 실제로 그렇게 했는지 알 수 없으며 오직 추측만 할 뿐이다.

≪데일리 텔레그래프≫ 신문은 '대화의 기록'transcript이라 말한 것을 실었지만 서문격의 다음 문장 하나를 추가하였다. '어제 참여했던 판사와 사담의 법정 대화'. 이 문장 뒤에 실린 내용은 ≪인디펜던트≫ 신문에 실린 것보다 더 짧았다.

나는 이 두 기록이 얼마만큼 서로 다른지 질문을 제기했고 믿음과 진실에 대한 질문도 제기했다. 아랍어를 모르기 때문에 영어로 쓰인 글이 법정에서 일어난 사실의 정확하고 진실한 버전이라고 믿어야 하기 때문이다. 나는 비슷한 상황에 처한 다른 독자들처럼 진실되고 공정한 사건 기록을 제공하는 번역가에게 의존한다. 그렇다면 다음 대화의 진실성을 어떻게 평가할 수 있을까?

≪인디펜던트≫ 2004년 7월 2일자 기록은 다음과 같다.

The judge opened proceedings by asking Saddam for his name.
Saddam: Hussein Majid, the president of the Republic of Iraq.
The judge then asks his date of birth.
Saddam: 1937
Judge: Profession? Former president of the Republic of Iraq?
Saddam: No, present. Current. It's the will of the people.
Judge: The head of the Baath Party that is dissolved, defunct. Former commander and chief of the army. Residence is Iraq. Your mother's name?
Saddam: Sobha. You also have to introduce yourself to me.
Judge: Mr Saddam, I am the investigative judge of the central court of Iraq.
Saddam: So that I have to know, you are an investigative judge of the central court of Iraq? What resolution, what law formed this court.

The judge's response could not be heard.

≪데일리 텔레그래프≫ 지의 2004년 7월 2일자 내용은 다음과 같다.

> Judge: Are you the former president of Iraq?
> Saddam: I am Saddam Hussein, president of Iraq.
> Judge: (to court clerk): Put down 'former' in brackets.
> Saddam: I am the president of the republic so you should not strip me of my title to put me on trial.
> Judge: You are the ex-leader of Iraq and the ex-leader of the dissolved armed forces. Were you the leader of the Ba'ath party and head of the armed forces?
> Saddam: Yes. I've introduced myself to you but you haven't introduced yourself to me. So who are you?
> Judge: I am a judge of the criminal courts of Iraq.
> Saddam: So you repress Iraqis under the orders of the coalition? Do you represent the American coalition?

이 번역 둘 다 앞서 말했듯이 편집된 것이지만 놀라운 것은 어떻게 그 두 번역이 정보, 질문과 대답의 구조, 그 사건의 연출－한 번역에서는 판사의 대답을 들을 수가 없지만 다른 번역에서는 판사가 법정 직원에게 지시를 주는 것을 알 수 있다－과 어조의 측면에서 서로 다른가 하는 점이다. 첫 번째 번역에서 판사는 좀 더 권위적인 인물처럼 비춰진다. 그가 사담의 역할을 chief of the army라고 말할 때, 그는 두 번째 번역의 경우처럼 질문하지 않고 진술한다. 또 그는 사담의 어머니 이름을 묻지만 그것은 ≪데일리 텔레그래프≫에는 기록되어 있지 않다. 판사는 사담의 질문에 각각 번역에서 사뭇 다르게 대답한다. 판사는 'investigative judge of the central court of Iraq'와 'a judge of the criminal courts of Iraq'라고 다르게 주장한다.

두 번역본의 차이는 더 읽을수록 두드러진다. 사담은 ≪인디펜던트≫에서 훨씬 더 길게 말하고 몇 번 판사에게 대들기도 한다. 협의를 열거하지만 ≪데일리 텔레그래프≫는 그렇지 않다. 마지막 대화도 꽤 다르다. ≪인디펜던트≫에서 사담은 변호사 없이는 어떤 서류에도 사인할 것을 거절하고 청문회는 아래와 같이 두 사람의 투지에 찬 대화를 마지막으로 끝이 난다.

Saddam: Please allow me to sign anything until the lawyers are present.
Judge: That is fine. But this is your. . .
Saddam: I speak for myself.
Judge: Yes, as a citizen you have the right. But the guarantees you have to sign because these were read to you, recited to you.
Saddam: Anyway, why are you worried? I will come again before you with the presence of the lawyers, and you will be giving me all of these documents again. So why should we rush any action now and make mistakes because of rushed and hasty decisions or actions?
Judge: No, this is not a hasty decision-making now. I'm just investigating. And we need to conclude and seal the minutes.
Saddam: No, I will sign when the lawyers are present.
Judge: Then you can leave.
Saddam: Finished?
Judge: yes.

≪데일리 텔레그래프≫에서 청문회는 아래와 같이 다르게 끝난다.

Saddam: Would you accept if I do not sign this until the attendance of my lawyers?
Judge: This is one of your rights.
Saddam: I am not interfering with your responsibilities.

Judge: Fine, then let it be recorded that he has not signed. You are dismissed form the court.

Saddam: Finished?

Judge: Finished.

Saddam: (as he is led away by guards) Take it easy, I'm an old man.

위 번역에는 언쟁이 없고, 사담은 판사가 나가라고 하기 전에 거의 말을 하지 않으며 경비원에게 한 말이 그의 마지막 말로서 기록이 된다.

이러한 세부 사항이 중요할까? 분명히 누군가는 두 번역이 사실상 이라크 법정에서 일어난 일에 대해 요지를 말해 주는 상황에서 별거 아닌 일로 이렇게 트집 잡을 필요가 없다고 말할 수 있다. 그러나 번역 분석가의 관점에서 보면 이러한 차이는 매우 중요한데 그 두 번역은 그 일에 대해 아주 다른 인상을 주고, 만약 드라마로 만들면 배우들은 어느 스크립트를 받느냐에 따라 주어진 역할이 달라질 것이기 때문이다. ≪인디펜던트≫ 신문 번역에는 번역투와 같은 어색한 구절이 약간 있고, 전반적으로 다른 번역보다 약간 더 이국적인 것 같다. 길이도 훨씬 길다. ≪데일리 텔레그래프≫ 신문 번역은 자국화 번역이고 지문 같은 것도 포함되어 있다. 이 번역에서 사담은 방어태세의 정신없이 날뛰는 과거의 독재자가 아니라 다소 우스꽝스러운 인물로 보인다. 이것은 영국 법정에서나 들을 수 있는 언어를 말하는 판사의 절제된 세련된 모습과 대조적이다. 이러한 미묘한 텍스트 차이는 독자를 다소 다른 방향으로 이끈다.

그러나 우리의 출발점으로 되돌아가면 이 번역본 중의 어느 것이 그 청문회의 진실한 설명인지에 대해서는 여전히 의문이 남는다. 둘 다 편집되었고, 더 긴 번역본은 그 추가물이 어디에서 왔는지 알려주지 않으면서도 대화의 일부가 원본 대화 기록에 포함되지 않았음을 인정한다. 불안함이 우리 곁을 떠나지 않는다. 만약 우리가 아랍어를 모른다면 원본 언어로 출판된 대화의 기록과 대조하여 이 번역들의 정확성이나 다른 것들을 확인할 수 없다. 그러나 어찌되었든 아랍어로 진행된 법정 청문회 대화를 글로 옮긴 기록의 두 영어 번역을 우리는 갖고 있고 두 번역은 모두 다른 방식으로 편집되어 있다. 다양한 요소들이 가득한 번역의 전체 과정이 일어났다고 말할 수 있다. 왜냐하면 말에서 글로, 아랍어에서 영어로, 전체 길이에서 단축된 것으로, 초본에서 특정 독자층에 맞춘 언론사 고유의 스타일로 다양한 차원의 번역이 있었기 때문이다. 비록 지금도 우리는 최종 결과물이 영어 독자에게 진실하고 정확한 번역이라고 받아들일 것을 요구받지만 이 모든 과정에는 조작이 포함되어 있는 것이다.

34

소수 언어의 생존과 번역

현재 잉글랜드에는 언어 학습의 위기가 있는 것처럼 보인다. 정부가 14세 이후 언어 필수과목을 폐지하기로 결정함에 따라 공립학교에서 외국어를 가르치는 일은 급격하게 쇠퇴하였고, 대학의 언어전공 학과는 학생 수가 줄어듦에 따라 점점 더 위기에 몰리고 있다. 그러나 설상가상으로 결국 세계가 원하는 것은 영어를 말하는 사람들이기 때문에 이런 상황은 중요하지 않다고 사람들은 안일한 태도로 일관한다. 영어가 모국어인 운 좋은 사람들은 다른 언어를 힘들게 배울 필요가 없는 것이다. 오늘날 영어는 비즈니스, 국제 커뮤니케이션 및 세계화된 21세기의 언어이다.

개인적으로 나는 이러한 태도를 개탄한다. 며칠 전 나는 웨일즈 학교에 다니는 자신의 조카가 수업 시간에 웨일즈어를 배워야 하는 일을 불평하는 사람에게 나도 모르게 다소 까칠하게 말했다. 완전히 시간 낭비라고 그 사람은 말했다. 영어를 더 잘하게 해야 할 시간에 누구에게도 쓸모가 없을 언어를 왜 아이들에게 배우도록 강요하는 건지, 웨일즈어는 어쨌든 금세기 말이면 소멸될 것이라고, 반면 그때까지도 전 세계는 영어를 말할 것이라고 덧붙여 말했다.

현재 웨일즈어는 러시아어, 일본어와 함께 내가 가장 배우고 싶어 하는 언어 중의 하나인데, 웨일즈 문학의 특이한 풍요로움을 알고 있고 웨일즈어 회화의 소리가 아주 마음에 들기 때문이다. 그래서 그 남자의 (내가 보기에) 무지함에 화가 났었던 것 같다. 웨일즈 학교에서 웨일즈어를 배우는 이유는 언어에는 문화적 유산이 담겨 있고, 전 세계가 맥도날드 세상이 되어 가는 상황에서 자신의 문화적 유산을 보존하고 문화적 정체성을 확립하는 것은 정말로 중요하기 때문이다. 사실 수백만 사람들이 국제무대에서 커리어를 쌓기 위해 영어를 배우고 있지만 자신의 모국어를 잊지 않고 자랑스럽게 간직한다. 세계화의 다른 얼굴은 지역화임이 종종 지적되고 있는 사실에서 알 수 있듯이 영어의 확산은 동시에 사람들이 자신의 특정한 언어 유산을 더 잘 인식하게 하는데 도움을 준다고 말할 수 있다.

웨일즈 학교에서 웨일즈어를 가르치는 것에 반대하는 것은 특히나 아이러니한데 영국 제도British Isles에 있는 여러 켈트 언어의 지속성은 모든 역경에도 불구하고 살아남은 소수 인구가 말하는 언어의 잠재력을 분명하게 보여주는 증거이기 때문이다. 웨일즈어, 게일어, 아일랜드어를 말하는 사람들은 영어의 지배에 대항하여 몇 세기 동안 투쟁하였고, 그 지배는 때로는 강제로 이루어지기도 했다. 아일랜드 구전설화와 문학을 전하는 음유 시인이 처형당한 것은 잘 알려진 사실이며, 스코틀랜드의 하일랜드 주민 철거는 게일어 반대 정책과 함께 실행되었고 학교에서 켈트어를 말하면 종종 처벌을 받았으며 켈트어는 조롱을 받았다. 대성공을 거둔 브라이언 프리엘Brian Friel의 연극 『번역』*Translations*은 아일랜드어 금지라는 주제뿐만 아니라 그 지역의 토착어 흔적을 제거하기 위해 일부러 지명을 다시 짓는 정책을 다룬다. 그러나 이러한 암울한 역사에도 불구하고 그 언어들은 살아남았다. 사실 콘월어Cornish, 맨 섬 언어Manx는 그 지역 인구가 줄어듦에 따라 사라졌지만 20세기에는 켈트 언어에 대한 관심이 부활되었고 현재는 소수 언어를 보존하고자 하는 유럽 연합 정책의 도움을 받고 있다. 19세기 말에서 20세기 초에 걸친 아일랜드 문예 부흥 이후에 1920년대 스코틀랜드 르네상스가 이어졌고 그 당시 스코틀랜드어와 게일어는 중요한 문학적 지위를 갖고 있는 언어로서 재등장하였다. 오늘날 영어가 세계에서 가장 지배적인 언어일지 모르지만 영어는 영국 제도에서 몇 세기 동안 정부가 제거하지 못했던 세 언어와 함께 그리고 영어의 방언이라기보다는 현재 사실상 네 번째 언어로 여겨지는 스코틀랜드어와 공존하고 있다.

번역은 이러한 언어들의 보존과 발전에 공헌하였다. 16세기에 성경을 웨일즈어로 번역한 것은 1611년의 흠정역 성서Authorised Version of The Bible가 영어에 미친 영향만큼이나 웨일즈어에 큰 영향을 끼쳤다. 번역은 새로운 문학 모델을 제공하였고 최근에는 기술 번역, 관료 번역으로 인해 어휘와 문법의 영역이 넓어졌다. 종종 주장되듯이 번역은 비주류 문화를 강화하는데 중요한 역할을 한다. 그러나 간과하지 말아야 할 또 다른 번역의 양상이 있다. 마이클 크로닌(Michael Cronin, 2006a)이 『번역과 세계화』*Translation and Globalization*에서 지적하듯이 비주류 언어와 주류 언어 사이에 힘의 불균형 관계가 존재하고, 그러므로 번역은 일반적으로 단일방향이고 힘이 약한 언어는 다른 언어에 휘둘리지 않는 지배적인 언어로부터 많은 것을 흡수한다. 크로닌에 의하면 아일랜드어와 같은 소수 언어를 말하는 사람들에게 영어를 말하는 사람과 똑같은 권리를 누리기 위해서는 번역이 필요하고, 아일랜드어가 유럽 공동체의 공식 언어이기 때문에 모든 서류들은 그 언어로 번역되어야 한다. 그러나 여기에는 언어적 간섭의 위험이 있는데 이는 지배적인 언어가 유입되면 힘없는 언어는 그것에 적응할 수밖에 없기 때문이다. 전통적으로 언어들은 서로 다르게 언어수입에 대응해왔다. 영어는 외래어를 흡수하고 환영하는 반면 프랑스의 경우 저항했다. 소수 언어의 위치는 더 미묘한데 번역은 소수 언어를 희석시키는 것이 아니라 보존하고 강화하려는 시도이기 때문이다.

이와 함께 크로닌은 번역 이론가들은 그동안 소수 언어 문제를 무시하는 경향이 있었다고 지적한다. 물론 그가 번역의 모호한 역할에 대해 우리의 관심을 집중시키고, 그 모호성이 당연히 받아야 할 학문적 관심을 받지 못한 것을 지적하는 것은 옳다. 한편으로 켈트 언어들이 번역의 도움으로 살아남았고, 다른 한편으로는 번역이 그런 불평등한 방식으로 이루어져 켈트 언어들은 수출보다 수입을 훨씬 더 많이 하고, 여전히 이 영국 제도의 대다수 사람들의 눈에 보이지 않는다. 이것은 세계의 어느 곳에서든 소수 언어를 말하는 사람이라면 즉시 알아볼 수 있는 딜레마이다.

그러나 모든 것을 감안하면 번역은 대부분 긍정적인 영향을 끼친다. 켈트 언어들이 살아남은 것이 그 분명한 증거이다. 공공시설에서 두 개의 언어를 사용하는 전략의 중요성 또한 의미가 있다. 두 언어로 된 지명을 보고 두 언어로 된 도로 표지판과 공지문을 읽으면서 어떤 면에서 우리는 인식의 차이를 어느 정도 받아들인다. 똑같은 도시나 마을에 두 개 이름이 존재할 수 있음을 그저 인식하는 것만으로 똑같은 것을 바라보는 방식이 하나 이상임을 알게 된다. 단일 언어 구사자들이 처한 큰 위험은 그런 종류의 인식의 결핍이다. 다시 말해 문화는 다르고 언어적 다양성은 역사의 기형이 아니라 다양한 사회가 스스로를 표현하는 방식의 일부임을 그들은 깨닫지 못한다. 예를 들면 영어와 웨일즈어에서 똑같은 색깔의 스펙트럼을 가리키는 용어가 다르다는 사실은 나를 깊이 매료시킨다. 영어는 회색, 초록, 파랑, 갈색 사이를 구분하는 데 네 개의 단어가 있고, 웨일즈어는 세 개만 있기 때문이다. 위치나 풍경, 빛이 사실상 똑같은데도 가리키는 말은 서로 다르다. 이런 차이는 어떻게 왜 생겨난 것일까? 우리가 보는 것은 서로 근본적으로 다르다는 것을 의미하는 것일까?

차이를 인식하는 것은 타자와 더불어 살고 다른 행동과 다른 가치관들을 수용하기 위해 타자를 이해하기 위한 첫 번째 발걸음이다. 어떤 다른 이유보다도 이것이야말로 아이들이 다른 언어를 배워야 하는 가장 중요한 이유이다. 언어를 가르치는 목적은 학생들이 영어가 십중팔구 통용되는 다른 나라에서 기차표를 살 수 있게 하는 것이 아니다. 한 언어로 말할 수 있는 것이 항상 다른 언어로도 표현될 수 있는 것이 아니라는 점을 이해시키고, 각 언어에는 고유한 특징이 있으며 따라서 번역에는 협상과 타협이 포함되어 있음을 이해시키는 것이 바로 외국어교육의 목적이다.

어느 연구에 따르면 제 2언어를 일찍 배우는 아이들에게는 추가적인 언어 습득의 재능이 있다고 한다. 최근에 나는 리머릭대학교University of Limerick에서 학생들과 얘기를 나눈 적이 있다. 그들은 학교 다닐 때 영어와 아일랜드어를 배웠고, 그 다음에는 스페인어, 프랑스어, 일본어를 세 개 언어로 가르치는 대학 프로그램에서 배웠다고 한다. 점점 더 많은 언어를 사용하는 유럽의 많은 사람들이 그렇듯이 인도 학생들은 네 개 혹은 다섯 개 언어 사이에서 편안하게 옮겨 다니며 말할 수 있다.

소수 언어의 생존은 우리 모두의 미래에 필수적이고, 그 생존을 보장하는 가장 좋은 방법은 가능하다면 어디에서든 그 소수 언어들을 다음 세대에 계속 가르치고 모든 아이들이 언젠가는 반드시 다른 언어를 배울 수 있도록 하는 것이다. 그리고 현재는 영어가 세계를 지배할지라도 금세기가 끝날 무렵에는 표준 중국어가 다음 국제어lingua franca가 될 것임을 잊지 않는 것이다.

35

이름에는 무엇이 들어 있을까?

나는 언제나 공항 가는 것이 좋았다. 사람들이 도착하고 떠나는 것을 바라보고 다음 비행기가 어디로 가는지 말해주는 안내판을 올려다보는 것이 마냥 즐거웠다. 그러나 요즘은 내 지리 상식이 맞나 의심스러워지는데 전에 본 적 없는 장소의 이름이 자주 보이기 때문이다. 새로운 장소가 늘어나는 것이 왜일까 골똘히 생각해 보다가 이런 경향은 오늘날 세계의 변화를 반영하는 것이라고 결론을 내렸다. 이제는 과거에 여권을 갖지 못했던 사람들이 점점 더 자유롭게 여행을 할 수 있게 되고, 한때는 오지였던 곳의 작은 공항이 확장되고 중요해지고 있기 때문이다. 새로운 아시아 공화국이 소련에서 독립을 하자 비행기가 버밍엄에서 카자흐스탄으로 정기적으로 운행을 할 수 있게 된 지 벌써 많은 시간이 흘렀다.

그러나 공항 리스트의 장소 수가 더 증가하는 것 외에도 또 다른 중요한 변화가 진행 중이다. 그것은 바로 장소의 이름을 다시 짓는 것이다. 뭐랄까, 수십 년 간의 식민지 상업을 통해 만들어진 국제화된 이름에서 멀어져 더 지역적인 명명법으로 돌아가는 것이라고 할 수 있다. 북경Peking은 전 세계에서 베이징으로 지금은 알려져 있고, 마드라스[Madras, 인도 동남부의 주]는 첸네이Chennai가 되고 봄베이Bombay는 뭄바이Mumbai로 알려져 있다. 지명을 다시 아프리카 식으로 만드는 것은 우리 모두가 잘 알고 있는 것으로, 예를 들면 전에는 로디지아Rhodesia였던 것이 지금은 짐바브웨Zimbabwe가 되고, 니아살랜드Nyasaland가 지금은 말라위Malawi가 되고, 프랑스령 수단French Sudan은 지금 말리Mali가 되었다. 그러나 인도 아대륙과 동남아시아의 지명의 철자법과 발음이 바뀐 것은 좀 더 최근의 일이다. 그리고 지명의 변화는 항상 간단한 것이 아니다. 예를 들면 버마 정권은 국가의 이름을 새로 만들기 위해 위원회를 발족시켰고 1989년에 미얀마Myanmar라는 이름을 생각해냈다. 버마라는 이름은 18세기에 영국인이 포르투갈 사람들로부터 얻은 것이고 그 포르투갈 사람들은 전에 그 이름을 그 지역에 더 가까운 바마Bama에서 따온 것이다. 그러나 노벨평화상을 받은 아웅산 수지 여사를 포함하여 군사정권 반대자들은 이름을 바꾸는 것을 반대하였는데 이유는 그 이름이 민족의 포괄성이라는 겉으로만 그럴싸한 아이디어를 바탕으로 만든 것이고, 사실상 인구 일부를 주변화시켰기 때문이다. 그 새로운 이름에 대한 국제사회의 불안은 UN이 그 이름을 채택했음에도 불구하고 여전히 남아 있다.

그러한 변화는 지명이 정치적인 면에서 중요하다는 사실을 보여 준다. 후기식민주의 세계에서 그 오래된 명명법은 바뀌어야 한다. 내가 어린아이였던 1950년대에는 유럽식민주의에서 독립을 얻는 과정이 진행 중이었고 종종 폭력

적이었다. TV와 24시간 보도하는 뉴스가 없던 그 당시 우리는 세계에 무슨 일이 일어나는지 잘 알지 못했고 사람들이 즐기는 취미는 다른 대륙의 이국적인 곳에서 온 우표를 수집하는 것이었다. 그 우표는 영어나 프랑스식 이름이 있는, 지금은 우표수집가의 앨범에서만 존재하는 그런 이름이다. 왜 영어식 이름이 지도에 그렇게 비중 있게 다루어졌는지 나나 내 또래 아이들이 궁금해 하지는 않았던 것 같다. 비록 남아메리카의 여러 지역이 '여전히 알려지지 않은'still unknown이라는 말을 들었을 때 어리둥절했던 기억이 있지만 말이다. '거기 사는 사람들은 그 지역들을 분명히 알겠지'하고 생각했지만 분명 그것은 내가 알 수 있는 것이 아니었다. 그 알지 못함이란 말이 무엇을 내포하는지 내가 이해하기까지 더 많은 시간이 걸렸다.

독립은 독립적인 정체성의 주장을 말하는 것이고 개명은 중요한 역할을 한다. 이름을 다시 짓는 것은 또한 정체성을 억누르는 데 중요했으며, 브라이언 프리엘Brian Friel의 아일랜드의 지명에 관한 연극 『번역』*Translations*이 훌륭하게 보여준 것처럼 모국어로 자신의 지역에 이름 짓는 것을 금지하는 것은 가장 원시적이면서도 가장 강력한 억압의 수단이다. 예를 들면 켈트 언어를 말하는 사람들이 지명 표지판을 두 언어로 표시해야 한다고 주장하는 것은 누군가가 나에게 말했듯이 단순히 호불호의 문제가 아니라 권리의 문제이다. 조상이 했던 것처럼 자신이 원하는 대로 모국어를 사용해서 세상의 이름을 짓는 것은 그 사람들의 권리인 것이다.

몇 년 전 나는 폴란드의 카토비체Katowice에 초대를 받았다. 더 많은 폴란드 사람들이 일하기 위해 영국에 오면서 이제 그 도시는 영국 곳곳의 공항 안내판에 나타나는 장소 중의 하나이다. 그곳이 어디에 있는지 잘 몰라서 학교 다닐 때 쓰던 낡은 지도를 꺼냈지만 (고백하건데 한심하게도 나는 반세기 전 중학교 때 쓰던 지도를 사용하고 있다!) 그곳이 존재하지 않음을 알게 되었다. 찾고 또 찾다가 더 잘 알 것 같은 친구에게 전화를 걸었다. 카토비체의 예전 이름은 카토비츠Katowitz라고 들었지만 그것 역시도 존재하지 않았다. 그 도시처럼 보이는 곳에서 찾을 수 있었던 것은 스탈리노그라드Stalinograd라 불리는 곳이었다. 폴란드 친구들에게 이 얘기를 하자 "맞아, 그곳이 바로 거기야"라고 말했다. 세인트 피터버그St Peterburg가 상당기간 동안 레닌그라드Leningrad였던 것처럼 이름이 바뀐 것이었다. 오늘날 옛 소련 독재자의 모든 흔적이 카토비체에서 사라졌고 그 시작은 이름 자체가 바뀌는 것이었다.

독재자들은 자신의 이름을 따서 장소의 이름을 짓는 것을 좋아했다. 브르타뉴Brittany의 가엾은 퐁티비Pontivy는 나폴레옹빌Napoléonville로 두 번 개명되었고, 바그다드의 사드르Sadr 시는 한때 사담Saddam 시로 불렸고, 멕시코 대통령 포르피리오 디아스Porfirio Diaz는 멕시코 전체에 자신의 이름을 남겼다. 물론 볼리비아는 시몬 볼리비아Simon Bolivar의 이름을 따서 지은 것이다. 빅토리아Victoria 여왕의 이름은 빅토리아 폭포에서부터 빅토리아 주까지 과거 제국의 주변에 울려 퍼진다. 아마도 더 많은 장소들의 이름이 항해자의 이름을 따서 지었을 것이고, 무명의 아메리고 베스푸치Amerigo Vespucci의 이름을 따서 지은 두 대륙이 그 전형적인 예이다.

사람의 이름을 따라 장소의 이름을 짓는 것은 먼 과거에는 장소를 알아보는 편리한 방식이었다. 코벤트리Coventry는 코파Cofa라고 알려진 사람에게서 그 이름이 나왔고, 그 사람의 나무는 아든Arden 삼림지대의 특징이다. 반면 내가 사는 집과 가까운 마을 필롱글리Fillongley는 피글라Fygla라 불리는 사람의 가족이거나 그를 따르던 사람들이 살았던 숲속 빈터의 이름을 따서 지었다고 한다. 영어 지명 다수는 지형학적 특징과 그것과 관련된 개인들의 이름을 합해 놓은 것에서 그 기원을 찾을 수 있다. 시간이 지남에 따라 원래 의미가 사라지긴 했지만 말이다.

같은 장소를 다른 언어로 짓는 이름을 통해서 의미를 추적할 수 있는 풍부한 출처를 얻을 수 있고, 역사적 차이를 알 수 있다. 영국 해협English Channel이라는 영어는 나머지 유럽과 영국 제도British Isles를 계속 분리시키지만 프랑스 사람들에게 영국 해협은 라 망쉬la Manche로 불리고 민족적인 것을 연상시키지 않는 물 보호관이다. 그러나 흥미로운 것은 영국 해협의 채널 제도Channel Islands는 프랑스어로 앵글로-노르망디 제도Isles Anglo-Normandes가 된다. 북해North Sea는 한때 독일의 바다German Ocean로 불렸고, 폴란드는 러시아 정권 및 독일 정권이 폴란드 영토에 소유권을 주장함에 따라 이름이 여러 번 바뀌었다. 세상의 다른 편에서는 보르네오Borneo라고 일반적으로 알려져 있는 섬이 인도네시아 사람들에게는 칼리만탄Kalimantan인 반면, 말레이시아 사람들은 그 지역의 북쪽 지역을 동말레이시아East Malaysia라고 부른다. 이는 말레이시아가 그 지역에 대한 통치권을 갖고 있기 때문이다. 보르네오는 사실 세 개의 독특한 주로 구성되고, 브루나이의 술타네이트Sultanate of Brunei는 가장 작은 주이면서 가장 부유하다.

언제 그리고 왜 어떤 지명은 번역이 되고 어떤 지명은 번역이 되지 않는지에 관한 질문은 또한 무척 흥미롭다. 이탈리아의 베네치아Venezia는 영어로는 첫 번째 음절에 강세가 있는 베니스Venice가 되고, 프랑스어로는 두 번째 음절에 강세가 있는 베니즈Venise가 된다. 독일어로는 베네디그Venedig라고 부른다. 그러나 베로나Verona는 모든 유럽 언어로 다 똑같다. 이탈리아어 피렌체Firenze는 영어와 불어로 철자는 같으나 발음은 다르다. 각각 플로렌스Florence 또는 플로랑스Florence가 되고, 독일어로는 플로렌츠Florenz가 된다. 나폴리Napoli의 경우 영어로는 네이플즈Naples, 폴란드어로는 네이폴Neapol이 된다. 이렇게 유명한 장소의 다른 버전은 이전에 그 장소들이 중요했던 사실과 그런 도시들에 중요한 몫을 주장하는 다른 민족들의 욕망을 반영한다. 그 욕망은 분명히 그랜드 투어[귀족들의 호화로운 유럽여행]와 관광이 등장한 시대에 자라나기 시작한 욕망일 것이다.

어떤 경우에는 번역할 때 지명이 도착어의 리듬 패턴에 잘 맞도록 철자를 살짝 바꾸기도 한다. 예를 들면 제노바Genova나 파도바Padova는 영어에서 제노아Genoa와 파두아Padua로 바뀐다. 또 다른 경우 번역은 훨씬 더 많은 것을 포함할 수 있다. 이탈리아의 리보르노Livorno는 주요 항구였던 시절에 영어로 레곤Leghorn이었고, 오늘날엔 표준 영어로 두 이름 다 쓰이고 있다. 이 부분을 나는 몇 년 전에 주목하고 골똘히 생각했었다. 내린 결론은 레곤이 아니라 이탈리아어 리브르노로 돌아가는 것은 정치적인 것이 아니고, 우리가 다양한 방식으로 더 많이 교류하여 이탈리아어에 더 친숙하게 되었음을 보여주는 표시라는 것이다. 그러나 그 문제는 여전히 흥미롭다.

다양한 시기에 어떤 장소가 유명해지면 틀림없이 그 장소의 이름을 번역할 것이다. 그런 장소는 수도, 항구, 상업 중심지, 바다, 강 또는 심지어 산이 될 수도 있다. 예를 들면 템즈Thames 강은 이탈리아어로 타미기Tamigi이고, 반면 로마의 테베레Tevere는 영어의 타이버Tiber이다. 이름 짓기의 정치적 차원 말고도 중요한 상업적 역사가 있고, 어떤 장소가 어떻게 다른 시기의 다른 문화에서 뜨고 지는지에 관한 이야기는 종종 나를 매료시킨다. 그러나 기억해야 할 중요한 것은 이름을 짓고 다시 이름을 짓는 것은 순수한 것이 아니라 권력이 어떤 방식으로 고개를 들기 때문에 일어난다는 점이다. 때로는 해방의 행위로서 그러나 또한 유감스럽게도 억압이나 문화적 전유의 행위로서 일어난다. 왜 지명이 변하는지 이해하는 것은 움직이고 있는 이 세상을 이해하는 또 다른 방식이다.

36

요리와 번역

얼마 전 포르투갈 리스본의 한 레스토랑에서 swordfish(황새치)라고 생각하고선 peixe espada를 주문했다. 가늘고 하얀 생선이 나왔고 맛은 있었지만, 딱딱하고 어두운 빛깔의 swordfish 생선살은 분명히 아니었다. 포르투갈 친구들도 우리가 메뉴를 다시 볼 때까지 마찬가지로 어리둥절했다. 영어로 번역된 메뉴는 'scabbard fish'(갈치)라고 쓰여 있고, 우리는 그것을 단순히 swordfish를 잘못 번역한 것이라고 생각했다. 우리는 그 메뉴의 번역 수준이 형편없다고 잘난 척했는데, 우리 모두 무한한 즐거움을 주는 우스꽝스럽고 잘못 번역된 메뉴를 전에 본 적이 있기 때문이다. 그러나 이번 경우 번역본과 원본을 비교해보니 모든 것을 분명히 알게 되었다. 친구들이 인정한 것은 swordfish에 대응하는 포르투갈어는 espadarte이고, 스페인어로 pez espada라는 점이다. 바로 여기에서 우리는 헷갈렸던 것이다. scabbard fish의 스페인어는 pez cinto이다.

이제 나는 scabbard fish(갈치)에 대해 꽤 많이 알고 있다. 그것의 라틴어 이름은 Lepidopus caudatus이고, 은빛색의 생선이고 단검의 칼집과 다소 닮았다. 그 물고기는 전 세계에서 발견된다고 하지만 포르투갈, 마데이라Madeira, 아조레스 제도Azores의 남쪽 해변에 있는 서부 지중해에서 주로 발견된다. 마데이라 레스토랑에서 종종 요리하는 검은 색의 갈치가 있다. 그러나 그것은 북유럽국가의 메뉴에는 절대로 나오지 않고 포르투갈어로 그 이름은 황새치swordfish에 해당하는 스페인어와 아주 비슷하기 때문에 내가 엉뚱한 음식을 주문한 것은 그리 놀라운 일이 아닌 것 같다. 그러나 그 메뉴의 번역가는 전적으로 옳았다. Peixe espada는 정말로 scabbard fish이다.

현지 식물과 동물의 이름을 번역하는 일은 악명 높을 정도로 힘들다. 생선 이름은 특히 나에겐 힘든 것인데, 너무 많은 생선이 특정 지역에만 나기 때문에 현지 이름을 갖고 있는 것이 부분적인 이유이고 또 다른 이유는 종종 똑같은 생선이 다른 요리습관과 식습관 때문에 이름이 다르게 지어지기 때문이다. 오늘날 다행히도 번역가들에게는 식물과 동물에 대한 다양한 언어로 된 훌륭한 데이터베이스가 있고 인터넷에서 사용 가능하며, 거대한 특수용어 사전이 있다. 내가 가장 좋아하는 것 중의 하나는 <다국어 다문자 식물 이름 데이터베이스>Multilingual Multiscript Plant Name Database이고, 그것은 규모가 어마어마하고 매우 흥미롭다. 그러나 이 놀라운 번역 보조도구에도 불구하고 음식 번역에는 근본적인 문제가 여전히 있으며, 이것은 일반적으로 언어 간 커뮤니케이션의 가장 근본적인 문제와 연결된다. 음식은 사회에서 매우 중요하고 음식 용어를 번역하는 것은 종종 번역가에게 극복할 수 없는 문제를 제기할 수 있다. 대응어가 존재하는 것 같아 보이는 곳에서도 음식 그 자체와 그 음식을 먹는 방식은 상당히 다를 수 있다. 둘 다 주요음식인 rice과 bread라는 영어 단어를 우리는 갖고 있지만 영국 사람이 그 단어들을 들을 때 상상하는 것은 중국 사람이나 프랑스 사람이 상상하는 것과 완전히 다르다. 중국과 프랑스에는 rice와 bread가 아주 다양하게 수십 개로 존재하며 그 차이를 반영하는 전문 용어도 마찬가지다. 영어로 우리는 rice와 bread를 모든 것을 다 포함하는 단어로서 말한다. 더 구체적으로 지엽적으로 정의하기 보다는 일반적으로 분류하는 단어로서 그 두 용어를 사용한다.

요리하고 먹는 관행은 인류학자가 늘 보여주는 것처럼 문화와 관련된다. 무엇을 먹고 어떻게 요리하고 어떻게 차리는지 그리고 먹는 방식은 문화마다 크게 다르다. 이 분야에서 오해의 여지는 방대하고, 우리가 만약 경험이 없다면 저마다 다르게 적응한다. 음식을 담는 모든 그릇의 색깔, 모양과 재질을 그 음식과 어울리도록 주의 깊게 선택하는 일본 요리의 그 절묘한 아름다움과 우아함이 서투른 서양인인 나에게 올 때는 항상 망가진다. 몇 시간 동안 바닥에 앉아 있어서 몸이 불편하기 때문이다. 중앙아시아에 있었을 때 초대한 주인은 나를 보고 아주 기뻐했는데 함께 쓰는 그릇에서 한 손으로 필라우를 먹는 법에 대해 나는 수업을 받은 적이 있었기 때문이다. 어떤 서양인들은 그렇게 먹는 것을 역겹게 생각하기 때문이다. 그러나 '빵을 모욕해서', 그러니까 식탁에 얼굴을 숙였기 때문에 혼이 난 적도 있다. 어떤 의미가 있을 거라곤 생각도 못 한 것이었다. 유럽 친구들은 쾌활하게 좋은 뜻을 함께 하며 음식을 시작하는 보나페티Bon appetit와 비슷한 인사가 없는 영국에서 식사할 때 겪는 그 약간의 불편함을 자주 말했었다.

나날이 세계화되는 세상에서 음식에 관한 전통이 여러 나라에서 여전히 얼마나 강력한 것인지 알면 용기가 난다. 수세기 동안 먹었고 지금도 특별한 행사나 전통적인 의식에서 먹는 의례 음식이 있다. 어머니는 지금도 손자, 손녀들을 초대해서 크리스마스 푸딩을 젓고 소원을 빌라고 하며, 체코 친구는 아직도 여름 선물로 식초에 절인 야채가 든 병을 들고 찾아오며 파네토네[이스트로 발효시킨 이탈리아 빵]는 크리스마스가 다가올 무렵 이탈리아의 식료품 가게마다 천장에 매달려 있다.

그러나 동시에 음식은 점점 더 국제화되고 있다. 어린 시절 유럽에 알려지지 않았던 키위는 이제 어디서나 메뉴에 있다. 리큐어[달고 과일향이 나는 독한 술]에 키위를 담아 놓은 커다란 병은 이맘때쯤이면 베를린의 카데베 백화점에서 볼 수 있고, 망고 샤베트는 시실리아의 작은 아이스크림 가게에 찾아들었다. 영국은 유럽의 다른 어떤 곳보다도 음식의 국제화가 더 빠르고 더 극단적이었다. 피자, 다양한 형태의 파스타, 볼티[고기와 채소로 만드는 파키스탄 요리], 닭고기 티카 마살라, 스캠피[새우튀김], 무사카[가지와 다진 고기를 쌓아놓고 치즈를 얹은 그리스 요리]와 셀 수 없이 많은 다른 요리는 몇 년 전만 해도 이국적인 것으로 보였지만 지금은 호프집, 카페와 학교 구내식당에 주기적으로 나온다.

낯설음은 우리 대부분에게 불안함을 주고, 낯선 음식은 특히 문제가 될 수 있다. 최근에 나온 톰 파커-보울즈Tom Parker-Bowles의 요리책은 그가 외국에서 접한 음식을 다루며 보수적인 영국 사람들의 새가슴을 공포로 강타하였고 미디어의 관심을 불러 일으켰다. 우리는 호주 원주민이 즐겨 먹는 꿀벌레큰나방과 튀긴 메뚜기를 보고 역겨워하거나 재밌어한다. 비록 눈썹 하나 까닥 않고 홍합과 새우튀김을 열심히 먹지만 말이다. 나는 송아지와 젖먹이 돼지고기는 먹지만 한 번은 중국의 광저우에서 새끼고양이 고기를 단호하게 거절한 적이 있으며, 백포도주를 넣은 콩팥은 즐겨 먹지만 인도네시아에 갔을 때 차려나온 창자요리는 먹을 수 없었다.

어린 시절 덴마크에 살았을 때 어머니는 지금도 내가 갖고 있는 요리책을 가지고 계셨다. 저자는 그저 '수잰'Susanne이라고 적혀 있고, 제목은 소박하게 『덴마크 요리』*Danish Cookery*였다. 책의 도입부는 짧고 단순하며 문화적 경계 문제를 정면으로 다루었다. '이 작은 책의 일부 요리는 너무 이상해 보여서 엄청난 용기가 필요할 것이다'라고 적고 있으며, '물론 이 점에 대해 우리는 어떤 것도 할 수 없다'고 사무적으로 덧붙인다. 저자는 중국 요리책엔 어쩌면 제비 둥지 요리법도 있을 거라며, '솔직히 말해 제비 둥지에 대해 어떻게 생각하죠?'라고 묻는다. 그 책은 처음부터 편견을 인정하며 레이아웃이 깔끔하고, 집필이 단순하고 훌륭한 조리법을 담고 있다.

내가 가장 좋아하는 중국 요리책은 새 둥지 조리법이 있는 것은 아니지만, 재료를 독창적으로 '번역'하였다. 중국계 미국인인 짐 리Jim Lee는 주변에만 있는 재료를 가지고 요리하기 위해서는 타협이 필요함을 인정하고, 그래서 조리법을 대체 가능성 중심으로 구축하였다. 만약 중국의 절인 오이를 찾을 수 없다면 짐은 작게 썰어진 달달한 오이 피클을 이용할 것을 권한다. 그의 책은 중국인이 아닌 독자를 위해 쓰였고, 따라서 내가 본 중국 요리에 관한 가장 유용한 입문서 중의 하나이다.

여행할 때 서로 다른 사회에 존재하는 다양한 요리와 식사 관행을 보면 문화의 차이를 볼 수 있는 통찰력을 얻을 수 있다. 그러면 번역가는 그 불가피한 기대의 틈 사이에 다리를 놓아주는, 사실상 번역불가능이라고 볼 수 있는 일에 마주친다. peixe espada를 scabbard fish로서 제대로 번역한 번역가가 옳았고, 그 생선이 외국인에게 낯설 수도 있다는 것은 그 번역가의 잘못이 아니었다. 아마도 다른 문화와 인연을 맺을 수 있는 가장 좋은 방법은 음식을 함께 나눠먹고 낯선 새로운 음식을 먹어보고 다른 관습들을 관찰하는 것을 통해서일 것이다. 사실 경험으로 하는 번역을 통해서 가능하다.

37

가족 호칭에 관하여

지난 50년 동안 서구에는 급격한 가족의 구조 변화가 있었다. 1950년대 이혼 얘기를 할 땐 쉬쉬했지만 오늘날 신혼부부는 일생에 적어도 한 번은 이혼할 가능성이 있다. 이혼에 따른 다른 변화들도 함께 찾아온다. 재혼을 해서 얻은 아이들은 조부모, 고모, 이모, 삼촌이 달라진다. 예를 들면 내 친구 중의 하나는 세 겹의 인척에 관해 거리낌 없이 말하고, 그들 모두와 잘 지내는 것처럼 얘기한다. 그러나 이처럼 가족에 관해 생각하는 방식이 바뀌었어도 언어는 이러한 새로운 가족 구조를 수용하기 위해 변하지 않았다.

용어 부족에 대한 예를 들자면 내 아들 루크는 전남편의 세 번째 결혼으로 낳은 아들과 자신의 관계를 이해하려고 노력하였다. 그 남자아이들은 서로를 많이 좋아하며 사이좋게 지냈고 휴가를 함께 보내기 위해 대서양을 건너기도 하였다. 그 아이들은 누나가 같고, 조카가 같지만, 루크가 그 누나와 엄마가 같은 반면 에메트는 아버지가 같다. 그래서 자신들의 관계를 표현하는 최선의 방법이 무엇인지 물었다. '우리는 엄격히 남자형제도 아니고 심지어는 어머니나 아버지가 다른 형제half-brothers도 아니야'라고 판단하였다. 그러고 나서 어떻게 언어로 그 관계를 지칭할까 고민한 끝에 아이들은 자신을 '4분의 1 형제'quarter-brothers라고 선언하였다. 'Yo, quarter-bro'라고 시작하는 이메일이 때때로 오가는 것이 보였다. 어떤 미지의 새로운 운동선수 이름처럼 들리긴 해도 두 아이는 흡족해했다.

이혼은 어떤 면에서 몹시 슬프지만, 가족을 확대하는 효과도 있으며 더 많은 관심과 우정을 많은 이들의 삶에 한 아름 가져올 수도 있다. 아마도 우리가 사는 변화하는 세상을 수용할 수 있는 새로운 단어들이 곧 생겨날 것이다. 비록 영어가 가족관련 용어가 부족하다는 사실을 감안하면, 영어에 이러한 일이 생겨날 거라고 큰 기대는 하지 않지만 말이다. 예를 들면 지난 달 점심에 사람들을 초대했는데, 종종 그렇듯이 소개를 할 때 나도 모르게 살짝 쑥스러워하고 있었다. 물론 이름으로만 그 여섯 손님을 서로서로에게 소개할 수도 있었지만, '이 분은 동료 누구누구' 또는 '이 분은 제 오랜 친구 누구누구'처럼 약간의 정보를 주는 것이 어색한 분위기를 깨는데 도움이 된다고 늘 생각했다. 점심 때 나는 J와 G를 'my son-in-law's parents'(사위의 부모)라고 소개했다. 달리 말하면 'my daughter's parents-in-law'(딸의 시부모)라고 말할 수 있을 것이다. 그러나 'in-law'(인척)로 결혼을 통한 친척을 가리키는 영어 방식은 어떤 거리 같은 것이 느껴진다. 너무 딱딱하고 친절한 것 같지 않다. 'in-law'라는 단어가 있는 생일카드는 일반적으로 시중에 판매되지 않음이 종종 지적되었고, 우리 모두는 구식

코미디언들이 흉내 내는 그 악명 높은 시어머니 농담을 잘 알고 있다. 하지만 J와 G, 그리고 나는 손자, 손녀가 같다. 우리 아이들의 결혼을 통해 갖게 되는 그 관계를 언어로 표시할 수 있는 어떤 방식이 있어야 한다고 생각한다. in-law 라는 영어 표현은 어떻게든 인척을 멀리하는 것처럼 보이고, 아마도 그것은 그 용어 자체의 기원 때문일 것이다. 기록상 in-law를 처음 쓴 것은 14세기로 거슬러 올라가며, 'brother-in-law'를 가리키는 교회법 문서에서 처음 발견되었다. 교회법은 구약 성서에 적힌 근친상간 금지규정에 따라 금지규정을 정의해 놓았고, 헨리 8세가 아내 캐서린과 이혼하기 위해 갖다 댄 핑계만 생각해도 그러한 금지규정이 얼마나 심각하게 여겼는지 쉽게 알 수 있다. 캐서린은 전에 헨리의 형인 아서 왕자와 결혼을 했었고, brother-in-law(시동생)과 다시 결혼한 것이 매우 부정적으로 보였던 것이다. 형의 미망인과 결혼한 사실을 핑계로 헨리는 이어서 다섯 명의 여자와 결혼을 하였고, 모두 재앙으로 끝났다.

영어는 인척을 가리키는 용어에서만 부족한 것이 아니다. 다른 유럽 언어들은 어머니와 아버지 친척 사이를 분명하게 구분한다. 예를 들면 덴마크어는 어머니 쪽의 조부모를 가리키는 단어, mormor와 morfar가 있고, 아버지 쪽의 조부모를 가리키는 단어, farmor와 farfar가 따로 존재한다. 증조부모는 oldeforaeldre (더 나이든 부모)이고 내가 가장 좋아하는 말은 조부모를 일컫는 또 다른 말 Bedstefar와 Bedstemor이며, '최고'라는 특별한 뜻이 담겨 있다. 최근에 할머니가 된 한 친구는 가족이 자신을 Bedstemor로 부른다고 나에게 행복해하며 말한 적이 있다.

많은 언어들은 남자 쪽과 여자 쪽을 구분하여 사촌과 삼촌을 다르게 가리킨다. 어머니의 남자 형제를 일컫는 라틴어 avunculus는 우리에게 영어 형용사인 'avuncular'(삼촌이 조카를 대하듯이 친절한)를 주었다. 그 단어의 긍정적인 분위기는 초기 사회에서 어머니 쪽 삼촌이 아주 중요했던 사실과 연결된다. 아버지의 남자형제를 가리키는 라틴어는 다른 단어인 patruus이라면 어머니의 여자 형제 라틴어는 amita이다.

가족 용어, 그 기원과 중요성에 관한 거대한 문헌이 존재한다. 가족 구성원의 역할과 지위를 서술하는 데 이용되는 용어의 범위는 특정한 사회가 형성되는 방식과 직접적으로 연결되어 있다. 일반적으로 말하면, 많은 언어들은 조부모, 아버지, 어머니, 아들, 딸 등과 같은 직계 가족을 가리키는 용어의 존재에 대해 비슷한 점이 있지만, 그것을 넘어서면 언어들은 서로 굉장히 다르다. 어떤 언어에는 아버지와 어머니 쪽에 나이 많고 적은 형제자매를 구분하면서 나이에 따라 가족 구성원을 지칭하는 분명한 용어가 있다. 헝가리어는 19세기가 되어서야 형제자매를 전반적으로 가리키는 용어를 개발했던 것 같다. 그러나 형제자매의 출생 순서에 따라 정확한 구분을 하였다. 마찬가지로 중국어도 형제자매에 대한 단일한 단어가 없지만, 가족 구성원 수에 따라 정확하게 가족 구성원의 위치를 찾는 다양한 용어들이 있다고 들었다. 예를 들면 일곱 번째 아들, 세 번째 어린 삼촌 등등. 영어로 번역하면 이 용어들은 느슨하게 이름 붙여진 uncle, aunt, cousin이 될 것이며, 영어는 전통적인 중국 사회와 다르게 수나 위계질서를 중시하는 것 같지 않다. 어떤 인류학자들은 가족 시스템이 아주 다르게 분류된다고 말한다. 어떤 시스템은 주로 아버지 쪽이냐 어머니 쪽이냐에 따라 구별하는 경향이 있고, 또 어떤 시스템은 나이에 따라 구분하는 경향이 있다고 말한다. 우리의 가족, 친척을 지칭하기 위해 언어를 사용하는 방식의 차이는 분명 흥미롭다.

네와르어Newari 가족 용어에 관한 무척 재미있는 이야기를 알게 되었다. 네와르어에는 '어머니의 아버지의 남동생'과 '할머니의 남자형제의 아내', 심지어는 '애인과 야반도주한 어머니'와 자신의 '아내가 애인과 야반도주한 아버지'처럼 모든 것을 구분한다. 이런 종류의 언어 구분이 우리 사회에 끼치는 영향은 흥미로운 생각거리이다.

가족 친구를 부르는 방식은 가족 용어 문제와 연결된다. 영어를 말하는 사람들 다수는 상대적으로 최근까지 가족과 특별한 친분이 있는 친구들을 구분하는 방식으로 'uncle'이나 'aunt'를 사용하곤 했다. 문제는 또 다시 영어의 문제인데, 누군가를 영어로 부를 때는 반드시 이름을 불러야 하고, 격식을 차리면 Mr나 Ms와 같은 칭호와 함께, 그렇지 않으면 성을 뺀 이름만 불러야 한다. 우리 세대에는 그런 관행이 자기 친구를 자식들이 Mr, Mrs X라고 부를 때보다 그들과 더 가깝게 느끼기를 원하는 부모들에게 문제가 되었지만, 아이가 어른을 성 없이 이름만 부르는 것보다는 더 공손한 것이었다.

다른 언어에는 더 쉬운 인사 방식이 있고, 그래서 어떤 불편함도 느끼지 않고 잘 알거나 전혀 모르는 사람을 부를 때 'signora'나 'madame'를 사용할 수 있다. 한 친구가 나에게 이탈리아에서 오신 자신의 엄마에 대한 사랑스런 이야기를 해준 적이 있다. 그 어머니는 제 2차 세계대전 발발 전에 이탈리아를 떠나 영국의 카디프로 갔는데, 친한 친구들을 모두 'Mrs—', 'Hello Mrs, lovely to see you,' 'Can I get you another cup of tea, Mrs'라고 종종 불렀다고 한다. 이것들은 'signora'를 그 친구 어머니가 단순히 옮겨 놓은 것이며, 그것이 영어를 말하는 상황에서는 얼마나 이상하게 들렸는지 조금도 알아채시지 못했다.

어떤 아프리카 사회에는 개인의 나이, 지위, 그리고 가족이 누구냐에 따라, 심지어는 거리에서 사람을 만날 때 누가 먼저 말하는 것이 허용되는지에 따라 달라지는 아주 복잡한 호칭의 코드가 있다. 그러한 시스템은 한 공동체의 크기를 반영하며, 개개인은 누가 누구인지, 어떤 지위를 갖고 있는지 알고 있기 때문에 가능하다. 도시에서는 대부분 그런 종류의 구분이 무너지기 시작한다. 비록 현대 일본 사회처럼 인사 방식이 좀 더 세련된 문화에서는 여전히 복잡하지만 말이다.

가족 구성원 호칭에 관한 한, 영어는 용어가 극히 부족함에도 불구하고 오히려 그것이 사람들을 더 창조적으로 만든다. 특히 조부모를 부르는 방법에 관한 몇 가지 해결책을 알게 되었는데, 우선 Nana, Pompa, GrandDog을 들 수 있다. 나의 경우 이혼으로 확대된 가족이기 때문에 나의 손주들에게는 아빠 쪽에 조부모, 즉 Granny(할머니)와 Grandad(할아버지)가 있고, 엄마 쪽에는 Great Grandma(증조할머니), 미국에 계신 Grandpa(할아버지), Granny(할머니) P가 있고 Nonna(할머니인 내 자신)가 있다. 내 사위는 일찍이 형용사를 넣어서 손자에게 나를 Crazy Nonna(미친 할머니)로 얘기하고 그렇게 부른다. 나는 그 표현이 꽤 마음에 드는데 이유는 비록 예의 바른 호칭은 아니더라도 재밌고 독창적이며 아마도 아주 틀린 얘기는 아니기 때문이다.

38

이론과 실제 다시 생각하기

학자들이 종종 해야 하는 일 중 하나는 학술지에 출판하기 위해 제출된 논문을 읽는 것이다. 만약 당신이 편집 위원회의 일원이라면 심사를 해달라는 논문을 받을 것이며, 그러면 그 논문들이 출판되어야 하는 이유 또는 출판거절에 대한 이유를 적는 평가서를 작성해야 한다. 비록 모든 논문들을 익명으로 보내서 심사자가 누구의 글을 읽는지 모르고 저자는 누가 심사를 하는지 모르지만, 나는 저자가 논문을 수정하는데 필요한 제안을 하여 비판이 잠재적으로 도움이 되도록 늘 노력한다.

그렇게 하는 것이 중요한 이유는 많은 논문들은 학계에서 경력을 막 시작한 젊은이들이 분명히 쓴 것이고, 열심히 썼던 논문이 (그 당시에는) 출판 거부 쪽지와 함께 되돌아 왔을 때의 가슴이 철렁 내려앉는 그 느낌을 나는 너무나 잘 기억하고 있기 때문이다. 때때로, 아니 꽤 빈번하게 내 논문은 돌아오지 않았고, 몇 주 (또는 몇 달) 동안 헛되이 기다리다가 포기하고 아주 긴 출판 실패 목록에 이름 하나가 추가되곤 했다. 한때는 방 하나를 거절 쪽지로 도배할 수도 있었다고 요즘 농담을 하지만 그 당시 그건 웃을 일이 아니었다.

며칠 전 아마도 누군가의 박사 논문에서 나온 것 같은 논문에 거절 보고서를 써야 했다. 요즘 이런 거절은 처음이 아니며 내가 평가한 논문 대부분을 거절하는 이유가 계속 되풀이되고 있는데 문학 저널이나 번역 저널에 투고된 번역의 양상에 관한 논문 다수는 번역 이론의 이용과 실제 적용이 서로 균형이 맞지 않기 때문이다.

이 최근 논문은 많은 논문이 그러하듯 '이론적 틀'로 불리는 것에서 시작되었다. 유력한 용의자들 몇 명이 인용되었는데 불행히 나도 포함되었다. 기술적 번역학descriptive translation studies, 스코포스 이론skopos theory, 포스트식민주의post-colonialism 그리고 문화적 전환cultural turn을 빠른 걸음으로 스쳐 지나갔다. 그러고 나서 그 논문은 갑자기 성공을 거두기 시작했는데, 이는 마침내 그 모든 베껴 늘어놓는 이론들 뒤에 저자는 '케이스 스터디'라는 이름으로 연구하고 있는 번역을 다루기 시작했기 때문이다. 여기서 그 논문은 번역학의 학술 논문과 박사 논문에서 자주 나타나는 또 다른 동향을 보여주는데, 다양한 이론적 접근을 길게 추적하고 그 다음에 그 이론들을 예증하기 위해 케이스 스터디라고 불리는 것이 나온다는 것이다. 아주 가끔 그 두 가지가 서로 연결되지만 번역의 분석 대부분은 그 이론 조망과 동떨어져있다. 이 최근 논문에서 저자는 이론적인 부분이 마침내 끝났다는 안도의 한숨을 쉬었던 것처럼 보였다. 이론 파트의 복잡하고 따분한 언어를 버리고, 번역 분석은 생생하게 잘 쓰였고, 번역가가 직면하는 스타일과 관련된 문제 다수에 대한 충분한 이해를 보여주었다.

어쩌다 우리는 이러한 상황에 이르렀는가? 왜 번역에 열정을 갖고 있는 유능한 사람들이 바스넷Bassnett, 베르메르Vermeer, 베누티Venuti, 베이커Baker, 핌Pym의 주장을 텍스트 분석 전에 늘어놓아야 한다고 생각하는가? 그것은 마치 일종의 정설이 되어서 그것 때문에 젊은 학자들이 번역 이론가들의 장황한 설명을 충실하게 인용하지 않으면 번역을 공부하거나 번역을 하는 것이 아니라고 느끼는 것 같다. 시계추는 번역 이론가들이 제공하는 중요한 통찰력을 비판하지 않으면서 추상적 사고의 방향 쪽으로 너무 멀리 움직이고, 번역물 자체와 번역가들은 그 상황에 거의 참여하고 있지 않는 것 같다.

그 이유를 번역학이라 불리는 학문 분야의 출현에서 그리고 독립적인 학문으로 정의하고자 하는 일부 학자들의 소망에서 부분적으로나마 찾을 수 있다. 다시 말하면 학계에서 독립적인 주제 분야를 창조하고자 애쓴다는 것은 우리의 분야와 다른 분야 사이의 차이점을 규명하는 방식을 찾고 그 다음엔 그 분야가 고무될 수 있는 영역을 창조할 수 있는 지적인 울타리를 만드는 것을 의미한다. 이것은 전문가들이 서로 소통하고 더 독립적인 위상을 얻을 수 있도록 전문화된 언어를 창조하고, 전문화된 세미나를 열고, 전문화된 저널을 새로 만드는 것 등을 포함한다. 이것은 초창기에는 괜찮지만 전문가들이 결국 자기들끼리만 말하게 되고 마는 위험이 있다.

30년 전 나는 번역이라는 중요한 학문을 장려하기 위해 자주 만나던 소규모 학자 그룹의 한 명이었다. 우리는 다양한 나라에서 온 분노한 청춘남녀였고 정설들에 도전하기도 하고, 왜 학계는 번역을 문화를 가로질러 의미 전달을 가능하게 하는 중요하고 복잡한 과정이 아니라 대부분 낮은 등급의 하청 작업 정도로 보는지에 대한 당혹스런 질문을 던지기도 하였다. 나의 학문적 배경은 비교문학이었고, 그 분야에서 번역은 텍스트의 시공간 이동을 추적하려고 할 때 나타나는 근본적이고 불가피한 것임에도 불구하고 명백히 폄하되었다. 번역과 비교문학에 관한 워릭대학교University of Warwick의 세미나를 통해 나는 『번역학』 *Translation Studies*이라는 책을 쓰게 되었다. 이 책이 번역의 복잡성을 다루는, 짧고 다가가기 쉬운 소개서로서 번역이 무엇인지 더 많이 이해하고자 하는 학생들을 위한 간단한 가이드가 되길 원했다. 놀랍게도 그 책은 성공을 거두었다. 두 번째 확장판이 1991년에 나왔고, 세 번째 판이 2002년에 나왔으며, 다른 언어로 계속 번역되었다. 그 책이 1980년에 처음 나온 이후로 아주 다양한 접근들을 보여주는 수십 권의 번역 관련 서적이 쏟아져 나왔다. 그 책들은 번역과 권력, 포스트식민주의 번역, 번역과 통역, 코퍼스 언어학과 번역, 번역과 관련성 이론, 철학과 번역 등에 관한 것이었다.

나는 내가 쓴 『번역학』이 어떻게 번역학을 확립시킨 획기적인 저서가 되었는지를 논하는 학생의 글을 종종 읽었다. 으쓱하기도 했지만 그것이 나의 의도는 아니었다. 돌이켜보건대 우리 누구도 새로운 학문을 창조하게 될 것이라고 생각하지 못했다. 단지 우리는 번역물이 좀 더 진지한 대접을 받기 원했다. 책, 학회, 학위논문이 넘쳐나고 있음에도 불구하고 나는 번역학이 학문이라고 믿지 않았다. 번역학은 방법론을 구축하기 위해 다른 다양한 학문을 이용하지만, 번역학이 하는 일은 번역할 때 번역가들이 실제로 무엇을 하는지 얘기할 수 있는 수단인 언어를 제공하는 것이다. 그리고 그 모든 이론화 작업에도 불구하고 새로운 어떤 것도 언급되지 않았다. 키케로는 2000년 전에 직역과 의역 사이의 근본적인 구분을 지었고, 모든 번역 이론은 사실 그 이분법을 이런저런 방식으로 가지고 노는 것이다.

2003년에 나는 번역 이론과 실제에 대해 글을 썼으며 그 글에서 이론이 번역가들에게 도움이 되는지 물었다. 논문 말미에 번역 이론이 번역가들과 더 열린 마음으로 소통해야 할 때가 다가왔는지 물었다. 6년이 지난 지금 나는 그러한 소통, 관계 맺음이 전에 이루어졌어야 했다고 주장하고 싶다. 소규모 그룹의 우리들은 30년 전에 만나곤 했을 때 이론과 실제가 서로 연결되고 서로를 키워

줘야 한다고 열정적으로 말했었다. 이론은 이쪽 방, 실제는 저쪽 방 따로따로 있는 때를 상상해 본 적이 없다.

얼마 전에 나는 라디오에서 훌륭한 문학비평가인 프랭크 커모드Frank Kermode가 이론과 문학 실제 사이의 관계에 대하여 자신의 생각이 어떻게 바뀌었는지에 대해 말하는 것을 들었다. 1960년대 후반과 1970년대 초반, 문학을 이론적으로 처음 접근하였던 커모드 교수는 시계의 추가 너무 멀리 가서 오직 '이론만 하고' 싶고, 작가의 실제 작품은 애써 읽으려 하지 않는 학생들을 만난 이야기를 했다. 그가 찾은 해결책은 자신이 강의했던 초창기 시절로 돌아가 학생들이 실제 작가의 실제 작품을 읽고 토론을 했던 이론 없는 세미나를 하는 것이었다. 지금은 급진적인 접근으로 학생들 사이에서 누리는 자신의 인기를 보고 그는 누군가에게는 구식인 접근처럼 보이는 것이 사실은 문학 연구를 발전시키는 가장 좋은 방식이라는 사실을 확신했다. 몇 년 전 나 역시도 똑같이 했음을 깨달았다.

번역 이론이 쓸모없다고 말하는 것이 아니다. 만약 그렇다면 나는 일자리를 잃고 몇 십 년에 걸친 연구를 부정하는 셈이 된다. 그러나 내가 말하고 싶은 것은 이론과 실제를 연결시키는데 그리고 번역가들이 자신이 하는 일을 어떻게 설명하고, 학자들이 어떻게 번역을 분석하는지 이해하는데 더 많은 생각을 해야 한다는 것이다. 아마도 더 가까운 연결을 보장할 수 있는 한 가지 방법은 이론가들 역시 번역을 더 많이 하는 것이다. 흥미로운 일은 최근 몇 년 동안 학생들이 창작과 읽기가 있는 비평 프로그램을 통해 문학을 공부하겠다고 의견표명을 했다는 것이고, 가장 성공적인 문학 학위 일부에는 글쓰기 부문이 상당수 포함되어 있다.

최근 몇몇 문학 학자들이 문학 연구에서 '번역적인 전환'translational turn에 대해 이야기하기 시작했다. 번역의 중요성이 커지고 많은 작가들이 이제 의식적으로 작품에서 문학적, 문화적 경계를 건너고 있으며 문학비평가들은 번역을 텍스트 읽기 차원에서 고려하고 있다고 말한다. 이러한 발전은 환영을 받았고 사실 이미 존재했어야 했던 일이다. 아이러니하게도 30년 전에 우리가 열망했던 것이 바로 그것이었다. 우리는 번역이 더 많이 인정받고 이해되기를 원했다. 우리는 문학사에서 번역의 역할, 각기 다른 시대에서 우세했던 규범들, 번역가 개개인이 어떻게 번역하는지에 대한 논의를 확장하고 싶었다. 우리는 전문 용어와 경계선이 있는 독립적인 학문을 얻으려고 한 것이 아니었다. 오히려 우리는 언어 사이에서 발생하는 텍스트의 이동, 즉 번역을 더 많이 인정할 것을 장려하면서 다른 학문 분야들과 함께 상호 발전하는 학문 분야를 창조하고자 했다.

어쩌면 지금 내가 번역 이론과 실제 사이에 넓은 간격이 있음을 한탄하고 있을 이 시각에, 이론을 향하던 시계의 추가 다시 뒤로 움직이기 시작했을 수도 있다. 정말 그러기를 희망한다.

39

시와 번역

작가들이 대답하기 가장 어려운 번역 관련 질문 중 하나는 뭐 하러 힘들게 번역하느냐이다. 물론 번역을 의뢰받으면 대답은 간단하지만 아주 가끔 번역하거나, 전에 한 번도 번역해 본 적 없는 사람이 번역하기로 결심했다면, 왜 그 사람은 그런 선택을 했는지 의문이 생긴다. 잘 알려져 있듯이 번역은 여전히 '진짜' 글의 일종의 열등한 친척, 즉 신데렐라의 못생긴 언니라고 일부 사람들이 생각하기 때문이다. 그리고 이런 태도를 갖는 까닭은 어떤 면에서 보면 번역은 이류라는 것이다. 왜냐하면 번역가는 텅 빈 종이를 갖고 일을 시작하는 것이 아니라 이미 누군가의 원본을 갖고 있기 때문이다.

번역은 고도의 기술이 요구되는 고도로 창조적인 활동이라고 항의하며 나는 평생을 이 견해와 맞서 싸웠다. 피터 부시(Peter Bush, 2006: 23)는 문학 번역은 '가장 대담한 글쓰기 행위'라고 선언하기까지 했다. 완전히 새로운 독자를 위해 작품을 한 언어로 재창조하는 일은 기껏 해봐야 도전해볼 만한 것이고, 최악의 경우엔 완전히 불가능한 것이다. 게다가 문학사를 살펴보면 많은 작가들이 번역을 가지고 실험하는 것을 알게 된다. 바로 얼마 전에 톰 폴린Tom Paulin의 『메데아』*Medea* 번역이 뉴스에 나왔는데, 폴린은 고대 그리스인에게서 영감을 찾는 재능 있는 작가들의 반열에 오른 또 다른 사람이었다.

모든 글쓰기는 어떤 면에서 다른 글을 다시 쓰거나 다시 말하기라고 볼 수 있다. 다시 말해서 작가가 무엇을 쓰든 어느 정도는 일종의 번역이라고 주장할 수 있다. 왜냐하면 그 작품은 다른 사람들의 글을 읽은 것에서 나온 산물이기 때문이다. 때때로 그 다시쓰기는 무의식적일 것이고, 다른 때는 고의적인 선택일 것이다. 이것은 특히 시의 경우가 그러한데 한 시인이 사용한 단어와 이미지가 다른 시인의 작품에서 반복되기 때문이다. 그래서 W. H. 오든W. H. Auden의 유명한 슬픔의 외침을 예로 들어보자. 아래와 같이 시작한다.

> Stop all the clocks, cut off the telephone,
> Prevent the dog from barking with a juicy bone,
> Silence the pianos and with muffled drum
> Bring out the coffin, let the mourners come.
>
> 모든 시계를 멈추고 전화선을 끊어라,
> 개를 즙 있는 뼈다귀로 짖지 못하게 해라,
> 피아노를 잠재워라, 소리를 죽인 드럼과 함께
> 관을 내오고, 조문객을 들여보내라.

이 유명한 시는 <네 번의 결혼식과 한 번의 장례식>*Four Weddings and a*

*Funeral*이란 영화에서 쓰인 이후에 새로운 세대의 독자를 얻었으며, 앤 핀치Anne Finch라는 윈칠시아 백작부인이 쓴 17세기 시를 다시 작업한 것이다. 다음과 같이 시작한다.

> Trail all your pikes, dispirit every drum,
> March in a slow procession from afar,
> Be silent, ye dejected Men of war!
> Be still the hautboys and the flute be dumb!

> 너의 모든 창을 끌어라, 모든 드럼의 기를 꺾어라,
> 멀리서부터 느린 행렬로 행군하라,
> 침묵해라, 실의에 빠진 전쟁의 군인이여!
> 오보에를 불지 마라, 플루트를 불지 마라!

앤 핀치 시의 리듬이 오든의 시에 다시 나타나고 죽음의 현전에서 즐거운 소리나 자연의 소리를 모두 잠재우는 이미지가 두 시에 존재한다. 물론 차이도 있다. 오든의 시는 4연이고 앤 핀치의 시는 8행만 있을 뿐이다. 오든의 시가 연인을 잃은 것에 관한 시라면 앤 핀치의 시는 'your false idol Honour'(당신의 잘못된 명예) 때문에 죽음을 당한 청춘의 낭비에 관한 것이다. 두 시는 강렬하고 감동적이다. 오든은 다른 곳에서 이미 만들어진 어떤 버전을 통해 간단히 말해 번역을 통해 자신의 슬픔을 표현했다.

나는 몇 년 전에 이 두 편의 시를 읽었지만 얼마 전에서야 그 두 시가 서로 관련되어 있음을 알게 되었다. 최근에 나는 사랑하는 G를 잃고 슬픔 속에서 많은 시를 읽었다. 수많은 위로와 격려의 메시지 속에서 다양한 언어로 쓰인 많은 시를 선물 받았다. 그 모든 시는 서로 다른 방식으로 나에게 깊은 감동과 위로를 주었고, 행복할 때든 슬플 때든 감정이 격해질 때 시가 독자와 작가에게 주는 중요한 역할

에 대해 생각하게 만들었다. G의 장례식 날 나는 스웨덴에 사는 번역가 친구로부터 아주 독특한 편지를 받았는데, 그 편지에는 그녀가 영어를 번역한 두 편의 시가 넣어져 있었다. 하나는 친구가 딜립 치트르Dilip Chitre의 『앰뷸런스 타기』*Ambulance Ride*를 번역한 시이고, 다른 하나는 로마의 하드리아누스 황제Emperor Hadrian가 쓴 5행시를 번역한 데이비드 맬루프David Malouf의 시를 친구가 번역한 시이다. 그 황제의 시는 간결함 때문에 여러 세대의 번역가들에게 아주 힘든 시로 알려져 있다. 그 시는 단지 3개의 단어, 'animula, vagula, blandula'로 시작하며 죽은 후에 떠돌아다니는 영혼이 작고 연약하다는 생각을 담고 있다. 다른 많은 시인들이 시도했던 것처럼 바이런Byron도 번역을 했고 다음과 같다. 'Ah! gentle, fleeting, wav'ring sprite. . . ' 맬루프는 간결하게 만들기는커녕 다른 전략을 선택해서 그 시를 7개의 연으로 바꾼다. 그의 번역은 'Dear soul mate, little guest/ and companion'에서 볼 수 있듯이 그 황제의 시처럼 떠도는 영혼을 부르며 시작하고, 그 영혼이 저세상으로 떠나는 길에 아주 작은 존재이고 두려움에 떨고 있다는 생각을 그대로 살린다. 맬루프 시 번역의 특징은 마지막 시행의 핵심인 영혼의 잃어버린 장난기를 강조한다는 점이다. 그것은 아래와 같이 강렬한 마지막 이미지에서 절정을 이룬다.

> Without my body
> you're nothing.
> But O, without you, my sweet nothing,
> I'm dust.

기쁨처럼 슬픔과 그 슬픔의 표현은 시간을 초월하고 세대를 가로지른다. 여기에서 번역은 아주 중요한 역할을 하는데, 때로 텅 빈 페이지는 너무 위협적이고 그 텅 비어 있음은 상실을 생각나게 하기 때문이다. 우리는 다른 사람의 글을 번역하면 그의 작품을 영감의 시발점으로 삼아 우리 자신의 시에 다시 가까워질 수 있다. 셰이머스 히니Seamus Heany는 단테를 그렇게 했고 『아이네이스』*Aeneid*에서 아이네이아스가 지하세계로 가는 여정에 대한 베르길리우스의 이야기는 후세 작가들의 작품에서 다양한 방식으로 빈번하게 재등장했다. 이 특별한 창조적 과정을 설명하려고 노력하는 한 작가가 바로 조세핀 발머(Josephine Balmer, 2006)이다. 고전 작가를 번역하고 동시에 연구하는 그녀는 암으로 잃은 사랑하는 조카의 죽음에 대하여 글을 쓰고 싶었을 때 어떻게 번역에 도움을 청하였는지 말한다.

> 그러나 직접 하는 것이 거의 불가능해 보였다. 그리고 그 지점에서 내가 직접 말할 수 없었던 것을 번역이 나를 위해 말해 줄 수 있음을 깨달았다. (Balmer, 2006: 191)

발머는 15세기 로마 시인 클라우디스가 쓴 서사시 한 구절을 설명한다. 지하세계 신이 프로세르피나를 납치했고 그 납치로 인해 세상은 캄캄한 겨울 속으로 떨어졌다는 내용이다. 발머는 자신의 새로운 시를 짓기 위해 어떻게 충실하게 클라우디스를 번역했고, 그 다음엔 추가로 어떤 것을 덧붙였는지 아래와 같이 말한다.

> 분명히 나는 그 시에 어떤 식으로든 손 댈 필요가 없었다. 부제목 '8/2/:6.47 AM'을 붙여 그 시를 새로운 상황에 놓는 것을 제외하고는 말이다. (Balmer, 2006: 191)

그 새로운 날짜와 시간의 관점에서 읽히는 발머 번역의 마지막 시행은 자신의 비극을 그 로마 시인이 작업한 고대 신화 버전으로 어떻게 겹쳐 놓을 수 있었는지에 관한 모든 것을 말해준다. 아래와 같다.

> Night scuttled after
> as the light seeped back into our black world
> —everywhere was light
> sun and sky and light—
> and your small daughter nowhere to be seen. (Balmer, 2006: 191)

조카의 사망 시간을 자신의 번역에 덧붙임으로써 발머는 그 시가 읽히는 방식을 바꿔 놓았다. 발머는 이것을 '새로운 상황에 놓기'recontextualization라고 불렀고 그것은 새로운 목적에 도움이 되도록 번역을 다시 작업하는 것이지만 동시에 여전히 번역인 것을 말한다. 그녀는 아킬레스와 프리아모스 왕의 화해를 그린 『일리아드』의 한 구절을 마이클 롱리Michael Longley가 비슷한 방식으로 새로운 상황에 놓은 것을 인용한다. 그 화해는 1990년대 초 북아일랜드의 평화 회복 과정을 반영한다. 롱리는 현재에 대해 글을 쓰기 위해 번역을 통해 고대인에게 돌아가는 시인의 또 다른 본보기이다.

작년 언젠가 나는 직접 번역을 함으로써 스페인 시인 안토니우 마샤두Antonio Machado에 대해 G에게 알려주려고 글을 썼다. 마샤두가 살았던 소리아Soria를 방문한 이후의 일이었다. 내 번역은 그다지 좋지 않았고 너무 직역인데다 짜임새가 엉망이었다. 너무 빨리 번역했고 단순히 원본의 '맛'을 주려고만 했기 때문이었다. 그러나 G가 세상을 떠나고 나서 몇 주 동안 나는 그 하얀 페이지가 정말로 위협적으로 느껴져 내 자신에 관해 어떤 것도 쓸 수 없었고, 나도 모르는 사이 그 번역으로 돌아가서 다시 번역을 하고 있었다. 내가 작업을 하고 있던 시는 마샤두가 사랑했던 아내 레오노르Leonor를 잃은 일에 대해 쓴 시였기 때문이다. 결핵으로 떠나보내기 전에 겨우 3년을 함께 한 아내였다.

초안을 보니 서로 다른 글쓰기 과정, 즉 시와 번역이 함께 있음을 알 수 있었다. 짓고 있는 시는 분명히 번역이었는데, 나는 도움을 받지 않고서는 직접 쓸 수 없었던 내 삶의 특정한 순간에 대해 글 쓰는 방법으로서 마샤두의 원본을 이용하였기 때문이다. 마샤두의 시는 아픔을 아름다운 것으로 변형시키는데, 이 점은 인간은 역사 속에서 시공간을 가로질러 똑같은 감정을 공유하고 있음을 생각나게 하며 위로가 된다. 또한 시도 번역처럼 언어를 사용할 때 근면성실을 요구한다는 사실을 상기시킨다.

마샤두의 글은 어른이 되어서 발견한 카스티야의 풍경을 향한 열정이 중심을 이루고 있다. 번역을 시작했을 때 나는 그 풍경을 마음에 담았고, 스페인 관광책자에나 나올 법한 그런 진부한 표현을 쓰지 않는 것이 힘들었지만 할 수만 있다면 쓰고 싶었던 것을 쓸 수 있도록 그 시들을 새로운 상황에 놓으니 카스티야의 풍경은 우리가 살았던 웬슬리데일이 되었다. 블루 산맥은 비가 쏟아진 후 폭포가 분출하는 산비탈이 되고, 칙칙한 올리브나무 숲은 십자 무늬의 돌담이 되고 소리아 옆 도루 강 옆의 한 줄로 늘어선 포플러 나무는 시내를 따라 늘어서 있는 뼈만 앙상한 잎 없는 나무가 되었다. 내 시에 담긴 슬픔의 풍경은 북쪽의 것이고 잃어버린 사랑은 마샤두의 경우처럼 젊은 여인이 아니라 나이든 남자이다. 마샤두의 시는 직역하면 다음과 같다.

> Through these fields of my land
> Bordered by dusty olive groves
> I walk alone,
> Sad, tired, pensive and old.

나의 번역은 다음과 같다.

> Up the track through our field,
> Past the stone laithes, the silent sheep.
> I walk alone
> Tired, sad, full of thoughts and old.

그러나 나는 위에 쓴 것을 번역이라고 주장하고 싶다. 읽기에 충분히 좋은 시라고 느끼면 그 때 그 시를 번역으로 내놓을 것이다. 나의 가제는 번역의 중요성을 강조하는데, 이 시가 언젠가 출간된다면 그것은 '제프리를 위해. 마샤두의 뒤를 이어'For Geoffrey. After Machado가 될 것이다.

인용문헌

Alvarez, R. and Vidal, A. (eds) (1996) *Translation, Power, Subversion*. Clevedon: Multilingual Matters.

Anderman, G. (2005) *Europe on Stage: Translation and Theatre*. London: Oberon Books.

Anderson, J.J. (ed.) (1996) *Sir Gawain and the Green Knight*. London: Everyman.

Applenaum, S. (trans and ed.) (2007) *Fields of Castile (Campos de Castilla)*. Mineola, NY: Dover Publications.

Apter, E. (2006) *The Translation Zone. A New Comparative Literature*. Princeton: Princeton University Press.

Armitage, S. (2007) *Sir Gawain and the Green Knight*. London: Faber.

Arnold, M. (1857) *On the Modern Element in Literature*. Inaugural Lecture. Oxford: University of Oxford.

Auden, W. H. (1976) *Collected Poems*. London: Faber.

Balmer, J. (2014a) *Chasing Catullus. Poems, Translations and Transgressions*. Tarset: Bloodaxe.

Balmer, J. (2014b) *Catullus. Poems of Love and Hate.* Tarset: Bloodaxe.

Balmer, J. (2006) What comes next? Reconstructing the classics. In S. Bassnett and P. Bush (eds) *The Translator as Writer* (pp.184-195, 190-191). London: Continuum.

Barnstone, W. (1993) ABC of translating poetry in Barnstone. *The Poetics of Translation. History, Theory, Practice.* New Haven, CT: Yale University Press.

Bassnett, S. (1980) *Translation Studies* (revised 1991; Routledge 2002) Methuen.

Bassnett, S. (2010) *Ted Hughes*. Exeter: Northcote Press.

Bassnett, S. (2005a) Translating terror. *Third World Quarterly* 26, 393-404.

Bassnett, S. (ed.) (2005b) *Global News Translation Special Issue of Language and Intercultural Communication* 5.

Bassnett, S. and Lefevere, A. (eds) (1990) *Translation, History & Culture*. London: Pinter.

Bassnett, S. and Lefevere, A. (1996) *Constructing Cultures: Essays on Literary Translation*. Clevedon: Multilingual Matters.

Bassnett, S. and Trivedi, H. (eds) (1999) *Postcolonial Translation. Theory and Practice*. London: Routledge.

Bassnett, S. with Pizarnik, A. (2002) *Poems and Translations*. Leeds: Peepal Tree.

Bassnett, S. and Bush, P. (eds) (2006) *The Tranlator as Writer*. London: Continuum.

Benjamin, W. (1992) The task of the translator (H. Zohn, trans.) In R. Schulte and J. Biguenet (eds) *Theories of Translation. An Anthology of Essays from Dryden to Derrida* (pp. 71-82). Chicago: University of Chicago Press.

Beighbeder, F. (2002) *£9.99* (A. Hunter, trans.). London: Picador.

Bhabha, H. (1990) DissemiNation: Time, narrative and the margins of the modern nation. In H. Bhabha (ed.) *Nation and Narration*. London: Routledge.

Bhabha, H. (1994) *The Location of Culture*. London: Routledge.

Bielsa, E. and Bassnett, S. (2009) *Translation in Global News*. London: Routledge.

Borges, J.L. (2002a) In D. Balderston and M.E. Schwartz (trans.) *The Homeric*

Versions. In D. Balderston and M.E. Schwartz (eds) *Voice-Overs. Translation and Latin American Literature* (pp.15-20). Albany, NY: State University of New York Press.

Borges, J.L. (2002b) cited in Efraín Kristal *Invisible Work, Borges and Translation*. Nashvillie, TN: Vanderbilt University Press.

Brodski, B. (2007) *Can These Bones Live? Translation, Survival and Cultural Memory*. Stanford, CA: Stanford University Press.

Bryce, C. (2005) Six poems. *Modern Poetry in Translation*. Third series, 3.

Burns, P. and Ortiz-Carboneres, S. (trans.) (2002) *Antonio Machado. Lands of Castile and other Poems*. Warminster: Aris and Philips.

Burton, R. (1880) In I. Burton *Os Lusiadas* (The Lusiads); *Englished by Richard Francis Burton* (2 Vols). London: Bernard Quaritch.

Burton, R. (1881) *Camoens: His Life and His Lusiads. A Commentary by Richard F. Burton* (2 Vols). London: Bernard Quaritch.

Bush, P. and Malmkjaer, K. (eds) (1998) *Rimbaud's Rainbow*. Amsterdam: John Benjamins.

Bush, P. (2006) The writer of translations. In S. Bassnett and P. Bush (eds) *The Translator as Writer* (pp.23-32). London: Continuum.

Carson, C. (2002) *The Inferno of Dante Alighieri*. London: Granta.

Catford, J.C. (1969) *A Linguistic Theory of Translation: An Essay in Applied Linguistics*. London: Oxford University Press.

Chamberlain, L. (1988) Gender and the metaphorics of translation. *Signs* 13, 454-472.

Cheney, D. and Hosington, B.M. (eds and trans.) (2000) *Elizabeth Jane Weston Collected Writings*. Toronto: Unversity of Toronto Press.

Chesterman, A. (1997) *Memes of Translation: The Spread of Ideas in Translation Theory*. Amsterdam: John Benjamins.

Chesterman, A. and Wagner, E. (2002) *Can Theory Help Translators? A Dialogue between the Ivory Tower and the Wordface*. Manchester: St Jerome.

Corbett, J. (1999) *Written in the Language of the Scottish National*. Clevedon:

Multilingual Matters.
Cronin, M. (2000) *Across the Lines. Travel, Language, Translation.* Cork: Cork University Press.
Cronin, M. (2006a) *Translation and Globalization*. London: Routledge.
Cronin, M. (2006b) *Translation and Identity*. London: Routledge.
Davidson, P. (ed.) (1999) *The Poems and Translations of Sir Richard Fanshawe* (Vol.2). Oxford: Clarendon Press.
Davidson, P. (2005) *The Idea of North*. London: Reaktion.
de Campos, A. (1978) *Verso. Reverso, Controverso* (E. Ribeiro Pires Vieira, trans.). San Paolo: Perspectiva.
Diaz Diocaretz, M. (1985) *Translating Poetic Discourse: Questions of Feminist Strategies in Adrienne Rich*. Amsterdam: John Benjamin.
Dingwaney, A. and Meier, C. (eds) (1995) *Between Languages and Cultures: Translation and Cross-Cultural Texts*. Pittsburgh: University of Pittsburgh Press.
Dunn, S. and Scholefield, A. (eds) (1991) *Beneath the Wide Heaven. Poetry of the Environment from Antiquity to the Present*. London: Virago.
Even-Zohar, I. (2000) The position of translated literature within the literary polysystem. In L. Venuti (ed.) *The Translation Studies Reader* (pp.192-197). London: Routledge.
Eco, U. (2001) *Experiences in Translation*. Toronto: University of Toronto Press.
Eloy Martínez, T. (2002) Trauma and precision in translation. In D. Balderston and M. Schwartz (eds) *Voice-Overs. Translation and Latin American Literature* (pp.61-63). Albany State, NY: University of New York Press.
Findlay, B. (ed.) (2004) *Frae Ither Tongues. Essays on Modern Translations into Scots*. Clevedon: Multilingual Matters.
Garcia Marquez, G. (2002) The desire to translate. In D. Balderstone and M.E. Schwartz (eds) *Voice-Overs. Translation and Latin-American Literature*. Albany, NY: State University of New York Press.
Gentzler, E. (2001) *Contemporary Translation Theories* (2nd edn). Clevedon:

Multilingual Matters.

Gentzler, E. (2006) *Translation and Identity in the Americas*. New York: Routledge.

Godard, B. (1990) Theorizing feminist theory/translation. In S. Bassnett and A. Lefevere (eds) *Translation, History and Culture*. London: Pinter.

Goldsworthy, V. (2009) *Chernobyl Strawberries: A Memoir*. London: Atlantic Books.

Granqvist, R.J. (ed.) (2006) *Writing Back in/and Translation*. Frankfurt am Main: Peter Lang.

Hardwick, L. (2000) *Translating Words, Translating Cultures*. London: Duckworth.

Hermans, T. (ed.) (1985) *The Manipulation of Literature*. London: Croom Helm.

Hermans, T. (1999) *Translation in Systems: Descriptive Translation and Systems-Oriented Approaches Explained*. Manchester: St Jerome.

Hermans, T. (2006) *Translating Others*. Manchester: St Jerome.

Hoffman, E. (1989) *Lost in Translation*. London: Heinemann.

Hoffman, E. (2003) PS. In I. de Courtivron (ed.) *Lives in Translation. Billingual Writers on Identity and Creativity*. London: Palgrave Macmillan.

Holmes, J. (1988) *Translated! Papers on Literary Translation and Translation Studies*. Amsterdam: Rodopi.

Holmes, J. (2000) The name and nature of translation studies. In L. Venuti (ed.) *The Translatikon Studies Reader* (pp.172-185). London: Routledge.

Hughes, T. (1999) *The Alcestis of Euripedes*. London: Faber.

Jakobson, R. (2000) On linguistic aspects of translation. In L. Venuti (ed.) *The Translation Studies Reader* (pp.156-192). London: Routledge.

Kavanagh, P.F. (2000) Ireland's defence-her language. In T. Crowley (ed.) *Language in Ireland 1366-1922/A Sourcebook* (pp.204-205). London: Routledge.

Landers, Clifford (2001) *Literary Translation: A Practical Handbook*. Clevedon: Multilingual Matters.

Lefevere, A. (1978) Translation studies: The goal of the discipline. In J.S. Holmes, J. Lambert and R. van den Broeck (eds) *Literature and Translation: New Perspectives in Literary Studies* (pp.234-235). Leuven: ACCO.

Lefevere, A. (1992a) *Translation, Rewriting and the Manipulation of Literary Fame*. London: Routledge.

Lefevere, A. (ed.) (1992b) *Translation/History/Culture. A Sourcebook*. London: Routledge.

Leppihalme, R. (1997) *Culture Bumps. An Empirical Approach to the Translation of Allusions*. Clevedon: Multillingual Matters.

Levine, S.J. (1991) *The Subversive Scribe: Translating Latin American Fiction*. St Paul: Greywolf Press.

Lianieri, A. and Zajko, V. (eds) (2008) *Translation and the Classic: Identity as Change in the History of Culture*. Oxford: Oxford University Press.

McLynn, Frank (1990) *Burton: Snow Upon the Desert*. London: John Murray.

Morgan, E. (1996) *Collected Translations*. Manchester: Carcanet.

Munday, J. (2001) *Introducing Translation Studies. Theories and Applications*. London: Routledge.

Newbolt, H. (1921) *The Teaching of English in England: Being the Report of the Departmental Committee Appointed by the President of the Board of Education to Enquire into the Position of English in the Educational System.* London: HMSO.

Nida, E. (1964) *Customs and Cultures*. New York: Harper & Row.

Nida, E. (2003) *Towards a Science of Translating: With Special Reference to Principles and Procedures Involved in Bible Translation* (2nd edn). Leiden: Brill.

Niranjana, T. (1992) *Siting Translation: History, Post-Structuralism and the Colonial Context*. Berkeley, CA: University of California Press.

Paz, O. (1992) Translation: literature and letters (I. del Corral, trans.). In R. Schulte and J. Biguenet (eds) *Theories of Translation. An Anthology of Essays from Dryden to Derrida* (pp.152-162). Chicago: University of Chicago Press.

Pound, E. (1963a) *Cathay*, reprinted in *Ezra Pound: Translations*. New York: New Directions.

Pound, E. (1963b) *Translations*. New York: New Directions.

Pound, E. (1960) *ABC of Reading*. London: Faber and Faber.

Pratt, M.L. (1992) *Imperial Eyes: Travel Writing and Transculturation*. London: Routledge.

Pym, A. (2009) *Exploring Translation Theories*. London: Routledge.

Robinson, D. (1995) Theorising translation in a woman's voice: Subverting the rhetoric of patronage, courtly love and morality. *The Translator* 1, 153-175.

Rossant, C. (2004) *Apricots on the Nile*. New York: Atria.

Rossant, C. (2003) *Return to Paris*. New York: Atria.

Sapir, E. (1956) *Culture, Language and Personality*. Berkeley, CA: University of California Press.

Schaeffner, C. and Bassnett, S. (eds) (2010) *Political Discourse, Media and Translation*. Newcastle upon Tyne: Cambridge Scholars Publishing.

Simon, S. (1996) *Gender in Translation. Cultural Identity and the Politics of Transmission*. London: Routledge.

Simon, S. (2006) *Translating Montreal. Episodes in the Life of a Divided City*. Montreal and Kingston: McGill-Queen's University Press.

Snell-Hornby, M. (2006) *The Turns of Translation Studies. New Paradingms or Shifting Viewpoints?* Amsterdam: John Benjamins.

Steiner, G. (1998) *After Babel: Aspects of Language and Translation* (2nd edn). Oxford: Oxford University Press.

Tomlinson, C. (1982) *Poetry and Metamorphosis*. Cambridge: Cambridge University Press.

Toury, G. (1995) *Descriptive Translation Studies and Beyond*. Amsterdam: John Benjamins.

Toury, G. (1999) A handful of paragraphs on 'translation' and 'norms' In C. Schaeffner (ed.) *Translation and Norms* (pp.9-31). Clevedon: Multilingual Matters.

Tsai, C. (2005) Inside the television newsroom: An insider's view of international news translation in Taiwan. *Language and Intercultural*

Communication 5, Special issue *Global News Translation* S. Bassnett (ed.) (pp.145-153).

Tymoczko, M. (2009) Translation, ethics and ideology in a violent globalizing world. In E. Bielsa and C.W. Hughes (eds) *Globalization, Political Violence and Translation* (pp.171-194). London: Palgrave.

Tymoczko, M. and Gentzler, E. (eds) (2002) *Translation and Power*. Amherst and Boston: University of Massachusetts Press.

Vanderplank, R. (2007) *Uglier Than a Monkey's Armpit. Untranslateable Insults, Put-Downs and Curses from around the World*. London: Boxtree.

Venuti, L. (ed.) (1992) *Rethingking Translation*. London: Routledge.

Venuti, L. (1995) *The Translator's Invisibility: A History of Translation*. London: Routledge.

Venuti, L. (1998) *The Scandals of Translation. Towards an Ethics of Difference*. London: Routledge.

Venuti, L. (ed.) (2000) *The Translation Studies Reader*. London: Routledge.

Vermeer, H.J. (2000) Skopos and commission in translation action (A. Chesterman, trans.). In L. Venuti (ed.) *The Translation Studies Reader* (pp.221-232). London: Routledge.

Vieira, Else Ribeiro Pires (1999) Liberating Calibans: Readings of Antropofagia and Haroldo de Campos' poetics of transcreation. In S. Bassnett and H. Trivedi (eds) *Postcolonial Translation: Theory and Practice* (pp.95-113). London: Routledge.

Weinberger, E. (2002) *Anonymous Sources: A Talk on Translators and Translation*. In D. Balderston and M. Schwartz (eds) *Voice-Overs. Translation and Latin American Literature* (pp.104-118). Albany, NY: State University of New York Press.

Weinberger, E. and Paz, O. (eds) (1987) *Nineteen Ways of Looking at Wang Wei*. Mt Kisco, NY: Moyer Bell.

Young, R. (2006) Writing back, in Translation. In R.J. Grandqvist (ed.) *Writing Back in/and Translation* (pp.19-38). Frankfurt: Peter Lang.

수잔 바스넷 교수는 영국 워릭 대학교(University of Warwick)에서 번역학 및 비교문학을 가르치는 전 세계적인 석학이다. 앙드레 르페브르(André Lefevere)와 함께 1990년 처음으로 번역학의 '문화적 전환'(The Cultural Turn)을 정의하고, 단순한 언어적 접근을 뛰어넘어 역사, 문화와 같은 더 넓은 컨텍스트에서 번역이 연구되어야 한다고 주장하였다. 바스넷은 번역에 관한 글을 폭넓게 출판하였으며 그 중 가장 잘 알려진 책은 한국에서도 번역되었던 『번역학』(*Translation Studies*, 1980)을 들 수 있다. 그 외에도 르페브르와 공동집필한 『문화 구성』(*Constructing Cultures*, 1998) 등이 있고, 최근에는 『번역』(*Translation*, 2014)을 출간하였다.

윤선경은 한국외국어대 영어과 및 동대원에서 영문학을 전공하고, 영국 런던대학교 퀸메리(Queen Mary)에서 영문학 석사학위를 받았다. 그 후 워릭 대학교에서 수잔 바스넷의 지도를 받고 고전문학번역 연구논문으로 번역학 박사학위를 취득하였다. 문학번역에 관한 다수의 논문을 집필했으며, 최근에는 호메로스 시의 대중화에 관한 논문 'Popularising Homer: E. V. Rieu's English prose translations'(2014)이 국제저명학술지 *The Translator*에 실렸다. 관심분야는 문학번역, 번역과 젠더, 현대 영미 번역시, 모더니즘 영문학 등이 있으며, 현재 한국외국어대학교에서 문학번역 및 영문학을 강의하고 있다.

번역의 성찰

초판 1쇄 발행일 2015년 2월 28일

지은이 수잔 바스넷
옮긴이 윤선경
발행인 이성모
발행처 도서출판 동인
주　소 서울시 종로구 혜화로3길 5 118호
등　록 제1-1599호
TEL (02) 765-7145 / FAX (02) 765-7165
E-mail dongin60@chol.com
ISBN 978-89-5506-650-0
정　가 15,000원